KB196809

사람 풍경

사람풍경

김 형 경
심리여행
에 세 이

사람풍경

Prologue

'나'를 찾아 떠난 여행

이십 대 중반부터 심리학이나 정신분석학 책을 읽으면서 인간의 마음이 무엇인지 알고자 했다. 당시에는 그 분야의 책이 귀했고, 그나마 출간되는 책도 딱딱한 개론서가 전부였다. 대중 독자로서 이해하기 어려운 개념이나 난해한 용어를 만날 때면 '인간의 마음을 쉽고 재미있게, 그러면서도 해부도처럼 한눈에 알아볼 수 있게 기술한 책은 없을까?' 꿈꾸곤 했다. 그로부터 20년쯤 흐른 후 이 책을 쓰면서 그때 꿈꾸었던 책을 떠올리곤 했다. 여행 이야기를 표면에 배치한 이유도 쉽고 재미있게 독자에게 접근하기 위해서였다.

책은 내용 면에서 네 장으로 나뉜다. 첫 번째 장 '기본적인 감정'은 인간이 태어나면서 생득적으로 타고나는 감정들에 대한 이야기이다. 사랑뿐 아니라 분노, 불안, 공격성 등은 유아기부터 인간 내면에 존재한다. 그 감정들을 어떻게 처리하느냐에 따라 한 사람의 기본적인 성격이 결정된다. 두 번째 장 '무의식적 생존법'은 기본적인 감정들을 다루는 방법에 대한 내용이다. 아기 때부터 우리는 불안이나 공포에 압도되지 않기 위해 분열, 투사, 회피 같은 생존법을 사용한다.

앞의 두 장이 유아기에 만들어지는 미숙하고 왜곡된 성정들이라면 세 번째와 네 번째 장은 성장 과정에서 적극적으로 성취해 나가는 긍정적인 가치들이다. 동일시, 자기애, 자기 존중 등으로 구성된 세 번째 장 '긍정적 선택'은 개인적 성장을 위해 유익한 덕목들이고, 친절, 공감, 용기 등으로 구성된 네 번째 장 '성장의 덕목'은 타인과 관계 맺기, 사회적으로 기능하기 위해 필요한 요소이다.

책을 쓰는 동안, 비전문가로서 배타적 전문 영역을 침해하는 듯한 꺼림칙함이 없지 않았다. 그런 마음 때문에 전문 분야에 대해 언급할 때는 출전을 밝히고 직접 인용하는 방식을 택했다. 따옴표 속에 들어 있지 않더라도 전문 개념들은《정신분석 용어사전》,《융 분석비평 사전》,《라캉 정신분석 사전》등 세 권의 책에서 인용했음을 밝힌다. 정신분석학과 심리학이 서로 소통되지 않고, 각 학문 분야 내에도 여러 학파가 존재하면서 서로 다른 이론을 주장한다고 알고 있다. 비전문가로서 편리했던 점은 어떤 이론이나 주장이든 마음에 드는 대로 내 것으로 사용할 수 있었다는 점이다. 그 점, 모든 분야의 전문가들께 감사드린다.

사람마다 자기 몫의 삶이 있듯 책에도 운명이 있는 모양이다. 《사람 풍경》이 처음 출간된 후 독자들의 입소문을 타고 조용히 퍼져 나갈 때는 20년 전의 나와 비슷한 생각을 가진 사람이 많구나 싶었다. 잘생긴 모습으로 재출간되어 뒤늦게 베스트셀러가 되었을 때는 이 책이 대기만성의 팔자를 타고났구나 싶었다. 이번에 새롭게 단장된 모습으로 세 번째 출간하면서 느끼는 점은 이 책이 아무래도 장수할 운명을 타고난 게 아닌가 하는 것이다. 그것은 책을 읽은 후 주변 사람들에게 소개하고 선물해 준 독자 여러분의 덕분일 것이다. 늘 감사하는 마음이다.

2012년 1월

김형경

Contents

Chapter 1
기본적인 감정

Chapter 2

무의식적 생존법

Chapter 3

긍정적 선택

Chapter 4
성장의 덕목

기본적인 감정

Chapter 1

무의식
사랑
대상 선택
분노
우울
불안
공포

우리 생의 은밀한 비밀 창고

무 의 식

외국을 여행할 기회가 있다면 꼭 한번 가 봐야지 하고 꿈꾸던 곳이 몇 군데 있었다. 카뮈의 작품을 읽으며 동경해 온 알제리의 오랑 지방, 유르스나르의 소설에서 읽었던 하드리아누스 황제의 겨울 별장, 시장 개방 이후 예술가들이 늘어서서 작품과 동전을 교환한다는 프라하의 카를 다리……. 그중에 고대 로마의 지하 묘지인 카타콤도 있었다.

카타콤에 대한 처음 이미지는 중학교 때 단체 관람으로 보았던 '대서사 스펙터클' 영화에서 비롯되었다. 기독교 박해를 그린 그런 영화에는 박해받는 기독교인들이 지하 묘지에 예배실을 만들어 놓고 신앙을 지켜 나가는 장면이 있었다. 그 후 추리 소설의 범행 장소로, 로맨스 영화의 밀회 장소로 잊을 만하면 한 번씩 카타콤을 만나곤 했고, 그때마다 낯선 상상력이 부풀어 올랐다. 죽은 자와 산 사람이 함께 존재하는 땅속 세상이라니……. 아마도 내게 카타콤은 삶과 죽음, 불안과 평화, 박해와 저항 등의 이미지가 혼합되어 부풀어 오른 밀가루 반죽 같은 것이었을 것이다.

로마 교외에는 서른 군데쯤 되는 카타콤이 있다고 했다. 그중 관광객이 가장 많이 찾는다는 산 칼리스토 카타콤을 관람하기로 하고, 오전에 콜로세움을 본 다음 근처에 있는 버스 정류장으로 갔다. 그 버스 정류장은 로마 시를 둘러싸고 있는 고대 성곽 바로 바깥에 있었다. 성문을 나서자마자 눈 아래로 비스듬히 펼쳐지는 풍경은 로마 시내와 완전히 다른 모습이었다. 시선이 닿는 곳까지 이어지는 푸른 초원과 과수원들, 장발 같은 머리채를 흔들며 서 있는 나무들뿐이었다. 그 푸른 전경과 화사한 햇살, 팔다리를 간지럽히는 미풍에 마음이 홀렸을 것이다. 가이드북에는 아피아 구가도라 불리는 그 길 어디쯤에 모세가 꽂은 지팡이가 자랐다는 나무가 지금도 서 있다고 쓰여 있었다. 그 길을 얼마간 걷다가 버스를 타야겠다고 생각하면서 낯선 시골길로 걸어 들어갔다.

결론부터 말하면 그날 카타콤을 보지 못했다. 오른쪽으로는 푸른 구릉을, 왼쪽으로는 과수원을 끼고 햇살과 바람 속을 걷는 동안은 괜찮았다. 신발 위에 뽀얗게 흙먼지가 쌓이고 이제 그만 버스를 타야겠다고 생각했을 때 그동안 버스 정류장을 하나도 보지 못했다는 것을 알아차렸다. 멈춰 서서 지도를 찬찬히 살펴본 후에야 길을 잘못 들었음을 알았다. 성문 근처에서 도로가 두 갈래로 나뉘었다가 1.5킬로미터쯤 전방에서 다시 만나게 되어 있었다. 내가 들어선 길은 차가 다니지 않는 옛 도로이고, 버스가 다니는 새 길은 오른쪽 구릉 너머에 있었다.

방법은 없었다. 계속 걷는 것밖에. 이따금 승용차나 스쿠터가 지나가기도 했지만 사람은 만나지 못했다. 두려움과 지루함과 허망함 같은 것 속에서 지쳐 갈 무렵 저 앞에 큰 도로가 보였다. 마침내 버스를 타고 카타콤에 도착했을 때는 마지막 관람객이 입장한 직후라고 했다.

다음 날 다시 카타콤으로 향했다. 그날은 오전부터 서둘러 버스 정류장에서 한 걸음도 더 걷지 않고 바로 버스를 탔다. 그랬건만 카타콤에 도착하자 이번에는 오전 관람 시간을 아슬아슬하게 놓치고 말았다. 카타콤은 아무 때나 마음대로 들어갈 수 있는 게 아니라 정해진 시간에 가이드의 안내를 받아야만 입장할 수 있었다. 점심시간, 시에스타 시간까지 포함해 오후 첫 입장 시간까지 두 시간 이상을 또 기다려야 했다. 전날 오른쪽으로 끼고 걸었던 끝없는 푸른 초원을 이번에는 그 위에서 걸었다. 더위와 침묵과 나른함 속에서 푸른 구릉을 끝까지 걸어갔다 오거나, 나무에 기대앉거나, 차가운 음료를 마시거나 하면서 시간을 보냈다.

오후 두 시 반이 되자 안내소 문이 열리고 관리자가 나타났다.

그는 기다리고 있던 관광객들을 향해 영어, 프랑스어, 독일어, 일본어 가이드가 있으니 원하는 곳에 줄을 서라고 말했다. 그런 다음 주의 사항이 이어졌다. 사진을 찍지 말 것, 내부를 함부로 만지지 말 것, 반드시 가이드를 따라다닐 것. 일행과 떨어져 다른 길로 들어섰다가 미로 속에 갇혀 사망한 채 발견된 일본인 관광객의 이야기도 덧붙였다.

카타콤 내부로 들어가면서야 왜 그토록 관람이 까다로운지 이해할 것 같았다. 카타콤 내부는 한마디로 좁고, 어둡고, 스산하고, 끝없는 지하 통로의 연결이었다. 통로는 폭 1미터, 높이 2, 3미터 정도 되어 보였는데 관람객을 위한 코스에만 희미하게 조명을 밝혀 놓았을 뿐 나머지 공간은 암흑처럼 컴컴했다. 카타콤으로 들어서자 네 그룹의 관람객은 서로 다른 코스로 사라졌고, 그중 한 그룹하고만 중간에 한 번 스쳤을 뿐 관람 코스조차 서로 달랐다. 그래도 환기는 잘 되는 듯 내부 공기는 쾌적했다.

시신을 안치하는 공간은 통로 양쪽 벽에 마련되어 있었다. 벽에 가로로 긴 직사각형 공간이 벽장처럼 안쪽으로 움푹하게 패어 있었는데 그곳에 사체를 넣어 두었다고 했다. 먼저 지하 통로를 파고 그 통로 양쪽으로 벽장 같은 묘혈을 파서 시신을 안치하고, 새로운 벽장이 필요할 때는 통로를 더 깊이 파서 위쪽 벽장 아래쪽에 새로운 벽장을 만드는 방식으로 지어졌다고 했다. 양쪽 벽에는 그런 벽장이 세로로 여러 개 나란히 만들어져 있었다. 그렇게 느껴서일까? 흐릿한 조명 아래 보이는 땅은 핏빛이 스민 듯 검붉어 보였고, 흙의 재질은 찰흙처럼 부드러우면서도 점성이 강해 보였다.

가이드는 그런 벽장을 양쪽으로 거느린 지하 통로가 땅속으로 40킬로미터쯤 미로처럼 뻗어 있으며, 지하로도 4층 깊이까지 지어져 있다고 설명했다. 시신을 벽장에 안치한 후 3년이나 5년이 지나면 뼈를 수습하고 그 자리에 다른 시신을 안치했다고 한다. 가이드를 따라 지하 내부를 이리저리, 오르락내리락 방향 감각도 없이 이동하면서 기독교인들이 사용했다는 예배실, 지하 생활을 형상화해 놓은 모형 전시물, 수습한 뼈만 따로 모아 두었던 공간 등을 둘러보았다. 절대로 외부에 노출되지 않을 구조, 원형이 그대로 보존될 수 있었던 과학성, 지구 깊이만큼 파고 내려가 영원히 사용할 수 있을 것 같은 실용성이 놀라웠다. 관람하는 내내 등 뒤에서 검은 미로가 목덜미를 잡아당기는 것 같은 공포감도 인상적이었다.

관람을 끝내고 입구와는 다른 쪽 출구로 나와 지상의 푸른 초원을 보는 순간, 뜻밖에도 '아, 이것이었구나' 하는 생각이 들었다. 카타콤을 보기 전에 상상했던 삶과 죽음, 박해와 저항, 불안과 평화의 이미지에 대해서가 아니었다. 오히려 의식과 무의식의 차이가 바로 그만한 것이겠구나 하는 게 확연히 느껴졌다. 전날 구릉과 과수원을 양쪽으로 두고 하염없이 걷는 동안에도, 시에스타 시간이 지나기를 기다리며 푸른 초원을 서성일 때도, 발밑에 그토록 이질적이고 거대하고 복잡하고 위험한 세계가 있을 거라는 사실을 상상하지 못했다. 인간의 표면과 이면에 대해, 의식과 무의식에 대해 그토록 선명하게 보여 주는 비유의 장면이 또 있을까 싶었다.

무의식이라는 용어에 대해 프로이트 학파와 융 학파는 정의하는 바가 서로 다르다. 프로이트는 최초에 자아의식이 있고, 그것을 억압당함으로써 무의식이 생겨난다고 보았다. 생존에 위험하거나 사회적으로 용납되지 않는 생각, 감정, 욕망 등이 숨겨지거나 떨어져 나가 쌓인 부산물 같은 것을 무의식이라고 보았다. 융은 무의식을 인격 형성의 모체라고 보았다. 최초에 넓고 깊은 바다 같은 무의식이 있고, 그 무의식에서 자아의식이 싹터 차츰 현실 세계를 의식하면서 영토를 넓혀 간다고 보았다. 대신 융은 의식에서 떨어져 나가 억압된다는 프로이트식 무의식에는 그림자, 아니마/아니무스, 콤플렉스 등의 이름을 붙였다.

용어야 어떻든, 학파 간에 주장하는 무의식의 엄밀한 의미가 무엇이든 "한 개인의 내면에는 이질적이고 독립된 세계가 존재하며, 그것이 우리 생의 비밀을 더 많이 쥐고 있으며, 아주 힘이 세다."는 것은 공통된 의견이었다. 무의식이 곧 우리 생의 은밀한 비밀 창고이자 보물 창고라는 것, 카타콤에서 그것을 눈으로 본 듯했다.

로마에서 내게 가장 인상적인 것은 시간의 착시 현상 같은 것이었다. 뱃속을 드러내듯 파헤쳐진 2천 년 전의 고대 유적과, 신비한 모습을 간직하고 있는 6백여 년 전의 중세 문화와, 첨단 문명을 갖춘 현대식 건축물이 한 공간에 나란히 서 있는 광경을 보고 있으면 의식에서도 착오 현상이 왔다. 《시간은 항상 미래로 흐르는가》라는 책 제목이 떠오르고, 의식이 낮고 어두운 곳으로 자맥질하는 것 같았다. 그 땅의 많은 특징들이 이해되기도 했다. 우리나라 노동자라면 일주일 만에 완성시켰을 건물 비계가 한 달이 지나도록 반도 올라가지 않은 것, 사람들의 말투나 제스처가 영화배우처럼 크고 과장되어 있는 것, 거리에서 그토록 자주 집시나 부랑자를 만나는 일이 그런 공간에서라면 다 그럴 법했다.

그럴 법한 것들 중에 방치된 유적지에서 사는 청년이 있었다. 그 유적지는 내가 숙소에서 나와 전차를 타고 로마 시내에 내리는 정류장 길 건너에 있었다. 자동차가 다니는 도로보다 5, 6미터쯤 낮게 움푹 팬 정사각형 공간이었는데 발굴된 유물은 모두 옮겨 간 듯 잡초 사이에 부서진 돌덩이만 드문드문 널려 있었다. 폐허처럼 보이는 그곳에서 한 청년이 허술한 텐트를 치고 야생 고양이들과 함께 살고 있었다.

그 청년은 야생 고양이 그림을 그리고, 그 그림을 팔아 번 돈으로 고양이 먹이를 사는 것 같았다. 천막 옆에는 그가 그린 야생 고양이 그림이 전시되어 있고 그 옆에는 이탈리아어가 적힌 현수막이 걸려 있었다. 해독하지 못하는 그 글자들을 볼 때마다 고양이를 사랑하자는 뜻일까, 고양이 그림을 판다는 뜻일까 혼자 상상하곤 했다. 텐트와 현수막 사이에는 가끔 빨래도 널려 있었다.

전차에서 내릴 때마다 길을 건너 숙제처럼 그 청년의 모습을 확인하곤 했다. 그는 이젤을 세워 놓고 그림을 그리거나, 텐트 옆에 쭈그리고 앉아 취사도구를 씻거나 머리를 감곤 했다. 텐트 안에서 낮잠을 자는지 눈에 띄지 않을 때도 있었고, 멀리 여행을 갔는지 며칠씩 보이지 않기도 했다. 거리가 멀어 그의 표정을 세밀하게 볼 수 없는 점이 아쉬웠고, 그가 오래 보이지 않으면 궁금증이 일었다. 그를 볼 때마다 그가 무의식을 사는 게 아닌가 싶었다. 유년의 어느 시기에 고양이와 관련된 치명적 상처가 있거나, 생계 유랑이나 노숙의 이미지로 받아들이는 무의식적 정서가 있는 게 아닐까. 그는 아마도 폐허와 고양이 사이에서 심리적인 안정감을 느끼고 미술적 재능도 더 잘 발휘할 것 같았다.

"무의식을 산다." 이런 표현이 문법적으로 성립되는지는 모르겠다. 하지만 정신분석을 받은 후 많은 사람들이 어떤 트라우마의 시기에 고착되어 살고 있다는 것을 알게 되었다. 어려서 한자 교육을 못 받은 게 한이 되어 뒤늦게 한자를 학습해 벽마다 커다랗게 한자를 써 놓는 할아버지나, 어려서 가난이 한이 되어 평생 쓰지도 못하는 돈을 벌기만 하는 사람들 이야기가 예사롭게 들리지 않았다.

나 역시 많은 부분에서 무의식을 살고 있었다. 무엇보다 먼저 내가 가지고 있는 자신에 대한 이미지가 유년에 형성된 것임을 알게 되었다. 나 자신이 초라하고 보잘것없고 무가치한 존재라는 느낌, 이 세상에 적합하지 않은 사람인 듯한 느낌, 춥고 어두운 골목에서 불 켜진 이웃의 창을 바라보는 듯한 느낌이 모두 유년에 만들어진 것이었다. 유년에 만들어진 그것은 또한 객관적 근거가 없는, 유년의 환상이거나 착오라는 것도 알게 되었다. 그런 착오가 생긴 데에는 엄마의 목소리가 중요했을 거라는 것도 짐작할 수 있었다. 유교적 덕목으로 무장한 채 그 가치로 자식에게 엄격한 교육을 했던 엄마의 목소리가 정신의 일부로 내면화되어 있었을 것이다.

그 사실을 알았을 때 농담처럼 엄마에게 물어보았다.

"엄마, 왜 그렇게 자식들에게 야단만 쳤어?"

엄마의 대답은 간단했다.

"잘하는 거야 당연하다고 생각했지. 교육은 잘못한 것을 바로잡는 일이지."

맞는 말이었다. 그렇다면 왜 잘한 일에 대한 칭찬에는 그리 인색했는지 또 물어보았다. 인정과 지지만 충분히 받았더라도 그토록 무가치하다는 느낌에 시달리지는 않았을 것 같았다.

"칭찬하면 자만심이 생길까 봐 그랬지. 겸손이 미덕인데."

또 맞는 말 같았다. 엄마 입장에서는 그것이 옳은 방식이며, 그 가치는 지금도 변함없을 것이다.

무의식을 산다. 이 말을 더 정확하게 이해한 것은 꿈을 통해서였다. 정신분석을 받을 때 꾸었던 꿈 중에 아기에게 양말을 신겨 주는 꿈이 있었다. 한 가족이 어수선한 분위기에서 외출 준비를 하는 가운데 한 아기가 가족들과 등을 돌린 채 혼자 양말을 신으려 애쓰고 있고, 꿈속에서 내가 그 아기에게 다가가 양말을 신겨 주었다. 그 꿈을 꾸었을 때 비로소 내면의 상처 입은 아기를 알아보고 보살피게 되었다는 사실을 알아차렸다.

여행 중 어느 날 우연히 그 꿈이 생각나면서 '꿈속의 그 아기가 몇 살쯤 되었을까?' 하는 의문이 일었다. 꿈속 장면을 더 유심히 살펴보았더니 아기는 두 살이나 두 살 반쯤 되어 보였고, 양말이 잘 신기지 않아 막 짜증이 날 참이었다. 하지만 어떻게든 그것을 잘 신어야 한다는 당위에 눌려 짜증도 내지 못한 채 쓸쓸하고 버겁고 절망적인 심정에 처해 있는 것 같았다.

그 후 몇 번 더 그 장면을 되돌려 보다가 문득 무릎을 치게 되었다. 그 아기가 바로 지금의 내 모습이었다. 혼자 양말을 신으려고 끙끙대는 아기는 커다란 공구함을 준비해 놓고 혼자 못을 박거나 전선을 배선하기 위해 애쓰는 지금의 내 모습과 정확하게 일치했다. 삶의 중요한 문제를 혼자 판단하고 결정할 때 가슴 가득 안곤 하는 쓸쓸하면서도 버거운 느낌도 그 아기의 것과 똑같았다. 지금의 내 삶의 방식조차 두세 살 무렵의 트라우마이며 그 시기에 형성된 그대로라는 사실이 도무지 믿기지 않았다.

ઝ

우리 삶의 중요하면서도 어처구니없는 비밀 한 가지는 우리 대부분이 세 살까지 형성된 인성을 중심으로, 여섯 살까지 배운 관계 맺기 방식을 토대로 하여 살아간다는 점이다. 정신분석가들은 인간 정신이 생후 3년에 이르기까지 60퍼센트, 여섯 살까지 95퍼센트 형성된다고 한다. 그들은 공통적으로 다섯 살까지가 아주 중요하다고 말한다. 정신분석을 받은 후 "세 살 버릇 여든까지 간다."는 속담이 얼마나 정확하게 인간 정신을 설명하는 말인가 싶어 놀란 일이 있다.

'자기의 심리학'을 주창한 제임스 F. 매스터슨은《참자기》라는 책에 이렇게 쓰고 있다.

"세상에는 완벽한 어머니도 없고 완벽한 자식도 존재하지 않기 때문에 모든 사람은 참자기가 생겨나서 독특하고 자율적인 자기에 통합되기 시작하는 생후 첫 3년의 상처를 안고 살아간다. 많은 사람들이 성인이 되어 겪는 어려움이 어린 시절의 사소했던 갈등의 잔재 때문이고, 그 결과 창조성과 자율성, 성적 친밀감에서 경미한 문제를 일으킨다는 뜻이다."

정신분석에서는 개인이 겪는 심리적 문제를 치유하는 방법으로 억압되어 있는 무의식을 의식의 차원으로 끌어올려 직면하고 의식 속에 통합하는 방법을 쓴다. 그때 무의식 속에서 억압되어 있는 요소들은 대체로 성격의 어두운 면, 감정의 부정적인 측면들이다. 그것을 드러내면 생존에 위험이 오고, 사회적으로도 용인되지 않기 때문에 내면 깊은 곳에 억눌러 놓은 것들이다.

기독교나 가톨릭에도 상담 심리학이 발달되어 있는데 그들은 억압된 무의식을 상처 입은 내면의 어린아이로 비유한다. 기독교 상담 심리학자인 찰스 셀은《아직도 아물지 않은 마음의 상처》라는 책에서 그 아이를 '성인 아이'라는 용어로 칭하고 있다. 가톨릭 상담 심리학자인 W. 휴 미실다인은《몸에 밴 어린 시절》이라는 책에서 말썽을 일으키는 고질적인 어린 시절을 '내재 과거아(內在 過去兒)'라고 표현한다.

분석 치료에서 "무의식을 의식 속에 통합한다."는 말을 상담 심리학에서는 성인 아이, 내재 과거아라 불리는 바로 그 '내면의 아이를 성인이 된 자신이 보살피는 일'이라고 설명한다. 휴 미실다인의 책에는 그 방법이 세 단계로 설명되어 있다

"첫 번째 단계는 혼란을 야기하는 행동과 그 감정이 어린 시절에서 발단되었음을 깨우치는 일이다. 두 번째 단계는 어린 시절을 우리에게서 떼어 버릴 수 없듯이 그러한 감정들 또한 우리 자신의 일부임을 승복하고 받아들이는 일이다. 세 번째 단계는 몇 가지 제약을 가함으로써 어린 시절의 그 감정이 자신의 행동을 지배하거나 능력 발휘를 방해하지 못하게 하는 것이다. 이러한 노력은 힘겨운 일이기에 인내와 용기를 필요로 하며, 계속 반복되어야 한다."

어린 시절이 문제가 되는 사람이 성인이 되어 겪는 대표적인 어

려움 가운데에는 성을 포함한 사랑, 돈을 포함한 현실적 삶을 관리하는 능력, 생을 활기 있고 즐겁게 받아들이는 놀이의 문제가 있다고 한다. 사실 그것은 생의 전반에 걸쳐 가장 중요하고 핵심인 문제일 것이다.

로마에서 하루에도 몇 번씩 고대 유적과 중세 문화와 현대 문명 사이를 몇 걸음 차이로 지날 때면 우리 정신에 대해서도 그 도시처럼 하면 될 것 같았다. 고대 유적을 발굴해 환한 햇살 아래 드러내듯 무의식을 의식의 차원까지 끌어올리고, 고대 유적 때문에 지하철을 더 많이 건설하지 못하는 불편을 감수하듯 무의식 때문에 생에 반복되는 문제가 있음을 인정하며, 그럼에도 바로 그 유적들을 자원으로 엄청난 관광 수입을 올리는 것처럼 우리도 무의식을 자원으로 살아간다는 사실을 깨닫고, 로마 지하에 아직 발굴되지 않은 고대 유적이 어마어마하게 매장되어 있는 것처럼 우리의 내부에도 감히 접근해 보지 못한 거대한 무의식의 영역이 있음을 항상 염두에 두면 될 것 같았다.

모든 심리적 문제의 원인이자 해결책

사랑

여행을 다니던 중 뉴질랜드의 오클랜드에서 두 달간 머문 일이 있다. 가까운 선배가 그곳에 살고 있어 그 곁에 머물며 쉬기도 했고, 가능하다면 작품을 쓰고 싶은 욕심도 있었다. 그래도 시간을 규칙적으로 운용하기 위해 어학원에 등록하고 오전에는 영어를 배우러 다녔다. 어학원 수강생들은 대체로 십 대 후반부터 이십 대 후반까지의 학생들이었고, 가끔 새치처럼 삼십 대나 사십 대 학생이 끼어 있었다.

가정법 과거에 대해 배우는 시간이었을 것이다. 예문을 말할 때 우리가 관용적으로 사용하는 농담, "내가 첫사랑에 실패하지 않았다면 여러분만 한 딸이 있을 것이다."라는 문장을 예로 들었다. 그것이 한국식 농담이라는 사실을 알지 못하는 외국 학생들 가운데 몇몇이 그 후 나를 맘, 혹은 마미라고 부르기 시작했다. 열일곱 살인 대만 여학생 페기, 열아홉 살인 태국 여학생 팝, 스무 살인 일본 여학생 아사코가 유독 그랬다.

맘이라고 부르기 시작한 후 아이들이 나를 대하는 태도도 조금 달라졌다. 수업 전이나 휴식 시간에 더 자주 다가와 전날 자신들에게 무슨 일이 있었는지, 그래서 기분이 어땠는지에 대해 이야기했다. 새 옷을 자랑하고, 클럽에서 만난 무례한 남학생에 대해 말하고, 방과 후의 계획에 대해 들려주었다. 그러면 나는 아이들과 눈을 맞춘 채 이야기를 흥미 있게 들어주고, 가끔 질문도 하고, 고개를 끄덕여 주었다. 새 옷을 입고 오면 예쁘다고 말해 주고, 귀에 매달린 이어링을 보면서 양쪽 귀에 뚫린 구멍이 모두 몇 개인지 함께 세어 보기도 했다.

가족과 떨어져 홈스테이를 하고 있는 어린 학생들은 다들 엄마를 필요로 하고 있었다. 그때 나는 그들의 엄마 대용이었고, 그들의 환상 속에 만들어진 엄마 이미지를 투사할 수 있는 대상이었을 것이다. 그 아이들은 애착의 감정을 표현할 대상이 있다는 사실만으로도 심리적 위안을 얻는 듯했다. 그 아이들을 보고 있으면 그들이 엄마와 어떤 방식으로 관계를 맺었는지, 어떻게 사랑받았는지도 짐작할 수 있었다. 그들이 앞으로 어떤 형태로 이성과의 사랑을 진행시켜 나갈지도 유추할 수 있었다.

아사코는 편안하게 옆에 와서 앉고 이야기도 친근하게 붙이고 모든 것이 자연스러웠다. 팝은 이따금 옆에 와서 앉았고 말을 걸 때는 조심스러워하는 태도를 보였지만, 나를 집으로 초대하고 싶어 할 만큼 깊은 친밀감을 품고 있었다. 페기는 가장 다정한 태도로 말을 걸었지만 한 번도 내 옆에 와서 앉은 적이 없었고, 내게 말을 걸 때는 대체로 책상 앞에 쭈그리고 앉아 자세를 낮추었다.

짐작컨대 그들 중 가장 편안하게 남성과 사랑을 나누어 나갈 사람은 아사코 같았다. 사랑을 표현하는 방식에도, 거절을 수용하는 태도에도 아무 저항이 없어 보였다.

가장 걱정되는 사람은 페기였다. 그 아이는 내게 과장된 친근감을 표현하는 것만큼 내면에서는 반대 감정으로 인한 어려움을 겪는 듯했고, 수업 시간에 한 번도 옆자리에 앉은 적이 없을 정도로 친밀감을 드러내는 방식이 편치 않았다. 의자 앞에 쪼그리고 앉는 자세에서는 자기 비하감이 엿보였고, 양쪽 귀에 뚫은 열세 개나 되는 구멍은 자기 파괴 행위처럼 보였다. 그 아이가 늘 높은 목소리, 큰 제스처, 화려한 옷차림으로 사람들의 관심을 끌려고 하는 모습도 마음에 걸렸다. 그 무엇보다 가슴 아팠던 점은 그 아이가 학급의 다른 학생들에 비해 눈에 띄게 빼어난 미모, 월등히 총명한 감각을 가지고 있다는 사실이었다.

하루는 페기가 어두운 표정을 지은 채 교실 안을 서성이고 있었다. 무슨 일이 있는지 물었더니 "아빠가 오클랜드에 왔다."고

대답했다. 그녀의 아빠가 새엄마와 함께 여행 중 오클랜드에 들렀으며, 수업이 끝나면 호텔로 아빠를 보러 가야 한다는 설명이었다. 그때 거짓말처럼 내 가슴 한켠으로 아린 통증이 지나갔다. 아빠를 만나야 하는 상황 앞에서 그토록 복잡하고 우울하고 심지어 고통스러운 표정을 짓는 아이를 내 소년기의 기억 속에서 찾아낼 수 있었다. 애착을 품은 대상에 대해 그 애착만큼 해결되지 않은 반대 감정을 가지고 있는 모습을 페기에게서 고스란히 보았을 것이다.

페기 아빠는 이틀간 오클랜드에 머문 후 떠났다. 그 이틀 동안 페기는 거의 울 것 같은 표정을 짓고 다녔고, 아빠가 떠난 바로 그날 저녁에 친구들을 불러내어 클럽에 갔다. 그 후 한동안 페기는 저녁마다 클럽에 가는 일에 열을 올리는 눈치였지만 나는 그녀에게 아무런 조언도 하지 못했다. 그때는 그 일만이 유일하게 페기가 심리적으로 살아남을 수 있는 방법 같아 보였다.

어학연수를 그만두고 다시 여행을 떠났을 때 나는 페기에게 긴 편지를 보냈다. 네가 얼마나 아름답고 총명한지, 얼마나 소중하고 사랑받아 마땅한 존재인지, 네 앞날이 얼마나 넓고 푸를 것인지에 대해 확신을 가지라는 내용을 담았을 것이다. 아주 조금이라도 그녀의 자기애와 자기 존중감을 키워 주고 싶었다. 편지를 못 받은 팝이나 아사코는 서운하겠지만 그들의 자아는 페기보다 강해서 편지를 못 받았을 때 느낄 상실감이 크지 않을 거라 생각했다.

생의 모든 문제는 '사랑'에서 비롯된다고 한다. 프랑스 정신분석의인 줄리아 크리스테바는 《사랑의 역사》라는 책에서 "인간의 한평생은 거대하고 영원한 사랑의 과정이다."라고 말하고 있다.

"분석가가 된다는 것은 모든 사람들이 결국은 사랑에 대하여 말하는 것으로 귀착된다는 사실을 깨닫는 일이다. 사람들이 더듬거리며 털어놓는 불평은 언제나 현재나 과거에서의 사랑의 결핍, 현실적이거나 상상적인 사랑의 결핍이 원인인 사안들이다. 나를 이 무한의 상황 속에, 고통이나 황홀 속에 위치시키지 않고서는 그 불평을 들을 수가 없다."

인간의 삶은 곧 사랑의 역사이며, 모든 피면담자가 정신분석의를 찾아가서 하는 이야기도 결국은 사랑에 관한 것이고, 분석 치료조차 총체적이고 면밀한 전이와 역전이의 스토리라는 것이다.

생의 모든 문제가 사랑에서 비롯된다고 할 때 그중 가장 중요하고 모든 문제의 핵심이 되는 사랑은 아기 때 엄마와 나누는 최초의 사랑이다. 아기에게 엄마는 최초로 경험하는 안락함, 즐거움, 쾌락, 행복감의 근원이다. 엄마와의 안락한 공생 체험은 사랑의 원형으로 자리 잡아 성인이 된 후의 사랑의 방식을 결정짓는다.

무엇보다도 엄마와 나누는 애착 경험은 아기의 정신을 형성하는 자양분이 된다. 우리는 흔히 인간 정신을 연금술에 비유하는데 그때 최초의 그리고 최고의 연금술사는 엄마라는 존재다. 아기는 99퍼센트 엄마가 만든다고 한다. 엄마가 아기와 친밀한 애착 관계를 맺고 정서적으로 충분히 반응해 주면 아기는 정신의 자율성, 창의성, 자신감을 발현시키지만 그렇지 못하면 아기의 정신 형성에 치명적인 구멍이 생긴다.

냉담하거나 엄격한 엄마, 무기력하거나 억압당한 엄마, 늘 병석에 누워 있는 엄마, 꿈을 좌절당하거나 우울한 엄마는 아기의 마음과 공감하고 아기의 정서에 적극적으로 반응해 줄 수 없다. 그런 엄마를 둔 아기는 정신의 성장에 결함을 안게 되어 거짓된 자기, 위축된 자기, 확장된 자기를 갖게 된다. 엄마의 손을 떠나 할머니나 이모, 고모의 손에서 자란 사람들도 마찬가지의 성향을 보인다.

어린 나이에 홀로 외국에 나와 있는 학생들에게서는 사랑의 문제가 어떻게 삶의 문제가 되는지 더 잘 보였다. 아이들은 대체로 사랑의 부재에서 오는 심리적 혼돈을 겪고 있었다. 그 아이들은 자신들을 옥죄어 오는 위태로운 감정이 외로움인지, 박탈감인지, 불안감인지 헤아릴 줄 몰랐다. 그 감정의 정체를 모르기 때문에 그것에 대처하고 처리할 줄도 몰랐다. 밤이면 비슷한 처지의 친구들과 어울려 클럽에 가거나 때로는 부모 대용품을 찾아 잠시 정착하는 방식으로 위태로운 감정에 대응하는 것 같았다.

유치도 그 어학원에서 만난 열여섯 살짜리 대만 여학생이었다. 아직 여리여리한 뼈대며 투명한 살색이며 뽀송뽀송한 솜털이 고스란히 보이는 어린 소녀였다. 머리카락은 노랗게 염색한 데다 눈에는 색깔 있는 렌즈를 착용하고 다녀서 눈동자가 초록색이다가 보라색이다가 했다. 어학 코스를 마치면 그곳의 고등학교에 진학할 예정이라고 했다. 어학원 베란다에서 담배를 피우고 있을 때 그 아이가 등 뒤에서 말을 걸었다.

"디스 이즈 디스."

그 아이의 손바닥 위에는 국산 디스 담배가 놓여 있었다. 한국인이 경영하는 당구장에서 샀다고 했다. 그녀는 내 옆에 서서 담배에 불을 붙여 물며 자신이 한국말을 할 줄 안다고 자랑스럽게 말했다. 어떤 한국말을 할 줄 아느냐고 물었더니 큰 목소리로 "남편"이라고 발음했다. 그 말이 무슨 뜻인지 아느냐고 다시 물었더니 천진난만한 표정을 한 채 "보이프렌드"라고 대답했다. 한국인 남자 친구가 가르쳐 주었다고 했다.

처음 말을 건 이후 유치는 이상할 정도로 나를 따라다녔다. 점심시간에는 한국 식당에서 비빔밥이나 치킨 덮밥을 먹었고, 소풍갈 때도 옆에 붙어 서서 걸으며 자신이 아는 한국에 대한 지식들을 나열했다. 유승준의 음악을 좋아한다면서 낮은 허밍으로 "나나나나……" 노래했다. 그 소풍에서, 바다가 보이는 언덕에 나란히 앉았을 때 유치가 낮은 목소리로 말했다.

"실은 그 한국인 남자 친구가 나를 떠났어요. 하지만 언젠가 그가 돌아올 거라 믿어요. 지금도 그를 기다리고 있어요."

왜 떠났는지는 모르지만 아마도 '지루해서' 떠났을 거라고 했다. '지루하다'는 표현에는 유치의 유년과 관련된 어떤 정서적 치명성이 존재하는 것 같았다.

그 말을 들려준 얼마 후부터 유치는 학교에 나오지 않았다. 대신 오클랜드 다운타운에서 남학생들 사이에 섞여 있는 그녀를 두 번 보았다. 첫 번째 만났을 때는 서너 명의 남학생들과 함께 걷고 있었는데 먼발치에서 나와 시선이 마주치자 걸음을 멈추었고, 그 자세로 잠시 가만히 서 있었다. 지금도 그 눈빛을 잊을 수 없다. 그토록 막막한 절망과 부박한 불안감을 전하던 눈빛을. 아마 그 눈빛에 고스란히 감응했던 나의 내면을 더 잊지 못하는지도 모르겠다. 내가 그 아이를 부르기 전에 유치는 고개를 돌려 나를 외면한 채 남학생들 사이로 섞여 들었다.

두 번째 유치를 만난 것은 내가 묵던 호스텔 로비에서였다. 그때도 유치는 두 남학생과 함께 앉아 아이스크림을 먹고 있었는데 첫 번째 만났을 때보다는 편안한 표정이었다. 그러나 나를 발견하고는 1초도 시선을 머뭇거리지 않은 채 곧바로 고개를 돌렸다. 이미 유치의 내면에 단절감의 셔터가 내려졌고, 사랑의 반대 감정인 분노가 자리 잡기 시작했다는 것을 짐작할 수 있었다.

유치는 유아기에 제대로 된 애착 관계를 맺지 못한 사람의 전형적인 태도를 보이는 것 같았다. 나를 갈망하면서도 내게 접근하는 것을 어려워하고, 내게 서운함이 있으면서도 그것을 표현하지 못

하고, 내게 투정하고 매달리는 대신 거리를 두었으며, 어느 순간 나를 향해 품었던 애착을 분노로 바꾸어 버렸다. 사실 유치가 그 모든 감정을 경험하면서 원한 사람은 나도 아니고, 그 한국인 남자 친구도 아니고, 그때 유치 곁에 있던 외국인 남학생들도 아니었다. 유치가 진정으로 원한 사람은 '엄마'였다. 대만에 있는 현실의 엄마뿐 아니라 저 유아기에 결핍되어 있었을 엄마의 보살핌과 정서적 공감이었을 것이다.

생애 초기에 엄마와 제대로 된 애착 관계를 맺지 못한 사람이 갖는 문제 중에는 타인과 친밀한 관계를 맺는 데 어려움을 느낀다는 점이 있다. 애착 관계를 맺는 방법을 배우지 못했기 때문만이 아니라 그 시기의 결핍이 정신의 일부로 형성되어 있어 무엇으로도 메워지지 않기 때문이다. 또한 그런 아기들의 내면에는 불만족스러운 현실의 엄마를 대신해서 이상적이고 미화된 엄마에 대한 환상이 자리 잡게 된다. 그 결과는 성인이 된 후에도 제대로 된 현실 인식을 갖지 못하거나 이상적인 연인을 찾아 방황하는 방식으로 나타난다.

지나치게 엄격하고 냉정한 엄마에게서 키워지다가 그 후 외할머니 손에서 자란 내게도 그런 어려움이 있었다. 이것은 죄악이 아닐까 싶게 현실 감각 없이 순진한 점, 사랑 앞에서 쩔쩔맨다는 점. 심지어 나는 오래도록 사랑을 필요로 하지 않았고, 사랑을 표현하는 데 어려움을 느꼈고, 상대방의 사랑의 감정을 믿지 못했다. 사랑과 분노를 함께 내밀고 침묵과 단절로 분노를 표현했다.

그렇게 했다는 사실과 직면한 후 그 성향이 많이 완화되었지만 그 모든 어려움들이 근본적으로 해결된 건 아니라는 것을 마음으로 느낄 수 있다. 유치의 모습이 잘 보였던 것도 그것이 곧 나의 내면이기 때문이었을 것이다.

우리가 생에서 만나는 모든 문제가 사랑에서 비롯되는 이유는 기대했던 사랑이 결핍되었을 때의 감정과 관계있기 때문이다. 분노, 우울, 불안, 공포, 중독, 질투, 시기심……. 그 치명적인 감정들을 뒤집어 보면 '사랑의 부재'라는 문제가 존재한다. 유치나 페기처럼 거리를 방황하는 청소년들, 폭주족들, 거식증이나 폭식증 환자들의 진정한 욕망도 사랑해 달라는 외침이다. 도박, 알코올, 마약, 일중독에 빠지는 사람들의 진정한 욕망도 사랑받고 싶은 욕망이다.

"사랑의 행위 속에는 고문이나 외과 수술과 아주 흡사한 것이 있다."

줄리아 크리스테바의 책에서 이 구절을 만났을 때 나는 아주 커다랗게 고개를 끄덕였다. 사랑의 고통에 대해 그렇게 잘 비유해 둔 말은 없을 것 같았다. 그리고 이제는 사랑이 고통스러운 이유에 대해서도 짐작할 수 있다. 사랑이 무의식의 서랍을 여는 행위이기 때문일 것이다. 사랑으로 진입하는 순간 내면에 있는 사랑의 원형, 엄마와 나누었던 최초의 사랑이 따라 나온다. 동시에 그 시기에 경험했던 분노, 불안, 공포, 좌절, 시기심 같은 감정들도 열린 무의식의 서랍에서 일제히 날아오른다. 그 감정들의 진짜 근원을 모르는 채 우리는 대체로 현실의 연인에게 자기 내면의 분노, 불안, 의심, 질투를 투사하게 되는 것이다.

사랑의 진정한 위력도 거기에 있을 것이다. 사랑할 때 내면에서 소용돌이치면서 올라오는 부정적인 감정들을 정면으로 끌어안을 수만 있다면, 아주 힘들고 고통스러울지라도 그 감정을 넘어서서 계속 사랑할 수 있다면 그것만으로도 무의식을 의식의 차원으로 통합시키는 일이 될 것이다. 사랑이 한 사람을 아름답게, 자신감 있게, 성숙하게 만드는 이유 역시 그 어려움을 이겨 낸 성과일 것이다. 사랑만 제대로 해낼 수 있다면 인간 정신의 많은 문제들이 해결된다고 한다. 정신분석은 사랑 앞에서 좌절하는 이들에게 필요한 일이라 한다.

타인을 중요한 존재로 생각하게 되는 과정

대상 선택

역시 오클랜드의 어학원에 다닐 때의 일이다. 함께 공부하는 대만 학생과 영화를 보러 갔다가 오클랜드 대학에서 공부한다는 그의 친구 세 명을 만났다. 그들과 함께 카페테리아에서 음료수를 마시며 영화가 시작되기를 기다리고 있을 때 한 자리 건너에 앉아 있던 말레이시아 어학생이 혼잣말처럼 이렇게 말했다.

"아 시바……."

나는 그 여학생이 자신의 모국어를 발음한다고 생각했다. 조금 있다가 그녀가 다시 한 번 "조가치……."라고 말끝을 얼버무리는 발음을 할 때도 그것이 한국어일 줄은 상상도 못했다. 그녀의 굴리는 듯한 발음 탓도 있었고, 우리가 영어로 대화 중이었기 때문이기도 했을 것이다. 우리 가운데에는 일본, 멕시코 학생들이 있었다.

"시바여, 개가트여, 미치여언."

그녀가 얼굴 가득 생글생글한 웃음을 띤 채, 마치 노래하듯이 멜로디까지 얹힌 억양으로 또 한 번 말했을 때에야 비로소 의심이 들었다. 그 말이, 발음은 서투르지만 틀림없이 한국어로 들렸다. 혹시 방금 한 말이 한국어냐고 물었더니 그녀는 열띤 채 그렇다고 대답했다. 무슨 뜻인지 알고 사용하느냐고 물었더니 욕이라는 건 알고 있다고 말했다. 어디서 배웠느냐고 묻자 남자 친구가 한국인이었는데, 자신에게 화낼 때 자주 그 말을 썼다고 했다. 지금은 그 남자 친구와 헤어졌지만 심심할 때나 화날 때 가끔 그 욕을 발음해 본다고 했다. 그러면서 덧붙였다, 재미있다고.

생각해 보니 재미있을 것도 같았다. 아무도 알지 못하는 욕을 불특정 다수를 향해 뱉을 때의 쾌감 같은 것이 있을 것 같았다. 만약 가봉이나 파키스탄 욕을 배워 아무도 알아듣는 이 없는 외국인들 사이에서 기분에 따라 한두 마디씩 사용해 본다면……? 상상만으로도 발바닥이 간질거릴 만큼 재미있었다. 그럼에도 한편으로는 쓸쓸함이 오래 남았다. 그의 한국인 애인이 웃음 띤 얼굴로, 다정한 눈빛으로, 쓰다듬는 손길로 그 말을 하지는 않았을 것이다. 자신을 모욕했던 말을 기억하면서 즐거워하고, 심지어 오락처럼 그 말을 사용하는 여성을 보는 일이 가슴 서늘했다. 유치에게 '남편'의 바른 뜻을 알려 주지 않았던 것처럼 말레이시아 여학생에게도 그 욕이 무슨 뜻인지 알려 주지 않았다.

사랑이란 세상에 존재하는 무수히 많은 사람 가운데에서 어떤 한 사람을 특별하고 소중한 존재로 인식하게 되는 과정이라고 한다. 전문 용어로는 '대상 선택'이라고 하며, 프로이트는 대상 선택의 기준을 의존적 대상 선택과 자기애적 대상 선택, 크게 두 가지로 나눈다.

의존적 대상 선택이란 말 그대로 의존할 대상을 사랑으로 선택하는 것이다. 아기가 엄마에게 그토록 애착을 품는 이유는 엄마가 먹을 것을 주고, 보살펴 주고, 정서적으로 교류하며, 생존에 필요한 것을 책임지고 있는 사람이기 때문이다. 최초의 사랑의 속성이 의존이듯 우리는 무의식적으로, 자동적으로, 자신의 생존에 필요한 사람을 알아보고 그를 사랑하게 된다.

언젠가 텔레비전에서 앞을 볼 수 없는 남편과 걷지 못하는 아내의 한몸 같은 삶을 소개하는 다큐멘터리 프로그램을 본 적이 있었다. 그 부부는 서로의 눈과 다리 역할을 하며 어디를 가든 함께 다녔다. 내레이터는 그들의 삶이 얼마나 깊은 결속으로 맺어진 지극한 부부애의 선형인가를 이야기하면서 이혼율이 급증하는 이 시대에 귀감이 될 만한 사례라고 극찬했다. 아마도 그것이 사랑의 가장 핵심적이고 진솔한 속성이 아닐까 싶었다. 각자의 절박한 욕망을 얼마나 잘 충족시켜 주는가, 상대방이 필요로 하는 것을 얼마나 많이 가지고 있는가에 사랑의 유지 여부가 달려 있을 것이다.

사람마다 생존에 더 절박하게 필요하다고 느끼는 것이 다르기 때문에 의존적 대상을 선택하는 기준도 다양하다. 어떤 이는 권력이나 명예를, 어떤 이는 돈이나 쾌락을 선택한다. 오클랜드에서 만났던 그 말레이시아 여학생은 자신의 피학적 성향을 충족시켜 줄 가학적 남성을 무의식적으로 찾아냈을 것이다. 의처증 남편과 거짓말쟁이 아내, 인정 중독인 남편과 칭찬 방어기제를 가진 아내, '나를 따르라' 식의 지배형 남편과 순종적이고 유아적인 아내 등이 서로 필요한 것을 가지고 있는 상대를 알아본다.

이십 대 중반에 나의 이상형은 '백과사전 같은 남자'였다. 직장생활을 시작한 후 자신의 무지와 무식을 날마다 발견하던 시절의 기준이었다. 지금은 백과사전을 책장에 꽂아 두는 것으로 만족한다. 의존적 대상 선택의 기준을 가진 사람이 조심해야 할 것은 바로 그 기준이 되는 결함 속에 영원히 매몰될 수도 있다는 점이다.

이른 나이에 결혼하는 사람은 대체로 의존적 대상 선택의 기준을 가지고 있을 확률이 높다. 그에 비해 너무 늦게까지 결혼하지 않는 사람은 자기애적 대상 선택의 방식을 가지고 있는 경우를 본다. 그런 이들은 유아기에 엄마와의 애착 관계가 순조롭지 못해 그 사랑을 자기 자신에게 돌린 이들이다.

자기애적 대상 선택의 특징은 우선 자기 이미지와 닮은 사람에게 사랑을 느낀다는 점이다. 타인을 사랑할 때도 그 대상을 사랑하는 게 아니라 그 대상에 비친 자기 이미지를 사랑한다. 자기 이미지가 미화되고 부풀려져 있기 때문에 사랑하는 대상도 실제보다 이상화시켜 흠모하는 경향이 있다. 물론 그것은 상대방의 참모습이 아니기 때문에 관계가 지속되면서 이상화된 이미지가 깨어지면 그 모든 잘못이 상대방에게 있는 듯한 실망감을 안게 되고, 사랑도 종말을 고하는 경우가 많다.

자기애적 사랑이 불행한 진짜 이유는 상대방에 대한 이해나 공감, 배려가 없다는 점이다. 상대방에게 비친 자신의 이미지를 사랑하고, 자기 멋대로 사랑을 쏟아붓기 때문에 상대방의 의견이나 감정은 고려되지 않는다. 자신이 쏟아붓는 사랑에 대해 상대가 즐거워하는지 부담스러워하는지, 심지어는 경멸하고 혐오하는지조차 관심이 없다. 이런 사랑의 보편적 사례는 짝사랑이고, 극단적이고 불행한 사례는 스토커의 사랑일 것이다.

한 남성이 중년이 되어 아련한 그리움을 안고 대학 시절 첫사랑의 연인을 수소문해서 만났다고 한다. 그 남성은 첫사랑을 매우 아름답고 행복하게 기억하고 있었기 때문에 그녀를 만나러 나갈 때 기대와 흥분으로 잠을 이루지 못했다. 그런데 그를 만나러 나온 첫사랑 여성이 이렇게 말하더라고 한다.

"그 시절, 나는 한 번도 너를 사랑해 본 적이 없어. 그냥 네가 하자는 대로 따랐을 뿐이지."

그 남성은 너무나 큰 충격을 받은 나머지 그 후 한동안 만나는 사람들에게 어떻게 그럴 수 있느냐고 호소하고 다녔다. 그 남성처럼 자기애적 사랑을 하는 사람은 상대방의 내면과 공감하거나 소통하는 데 관심이 없다. 상대방의 감정이나 반응에는 상관없이 그저 자기감정에 도취되어 사랑을 주고 또 줄 뿐이다. 아내가 무슨 생각을 하고 있는지 모르는 채 아내를 지배하고 통제하는 방식으로 사랑하는 가부장제 남편들에게서도 그런 사례를 자주 본다. 그들은 소외감과 심리적 불편을 견디지 못한 아내가 어느 날 "이혼하자"고 하면 이유를 알 수 없어 당황하고 화부터 낸다. 꼬박꼬박 월급봉투 가져다주고, 주말마다 외식도 시켜 주고, 철마다 옷도 사 주는 것으로 아내에 대한 사랑을 다했다고 생각하기 때문이다.

사실 모든 사랑이 의존적 대상 선택이나 자기애적 대상 선택으로 설명되지는 않는다. 사랑에는 그보다 더 미묘하고 자각하지 못하는 많은 기준이 있고, 그것은 더 힘이 세고 즉각적이고 운명적이다. 프로이트가 발표한 '신경증 환자의 특별한 기준'이 그것에 대한 설명이 될 수 있을지도 모르겠다. 프로이트는 많은 신경증 환자들을 연구한 결과 그들이 사랑을 선택하는 몇 가지 기준이 있음을 알아냈다. 방해하는 제삼자, 최상의 가치, 창녀에 대한 사랑, 연인을 구원하려는 태도 등 네 가지 기준이 그것이다.

그중 가장 보편적으로 많이 보이는 것이 '방해하는 제삼자' 기준인 것 같다. '방해하는 제삼자'는 전형적으로 오이디푸스 콤플렉스가 발현된 기준일 것이다. 오이디푸스 단계에서 아이들은 반대 성의 부모에게 깊은 애착을 드러내면서 동성의 부모를 방해하는 세력으로 느낀다. 이 시기에 충분한 애착 관계를 형성한 후 자연스럽게 그 감정으로부터 떠나오지 못하게 되거나, 어떤 이유로든 그 욕구를 억압당하면 아이의 내면에는 반대 성의 부모를 욕망하는 마음이 남게 된다.

몇 해 전, 초등학교 친구들이 동창회를 한다면서 연락을 해 왔다. 열한 살 이전의 기억이 거의 없기 때문에 한편으로는 그 모임에 가기가 두렵고, 같은 이유에서 가 보고 싶기도 했다. 그런데 그 동창회에서 나를 가장 놀라게 한 사람은 초등학교 5, 6학년 때 호감을 품었던 남자 친구였다. 이제 중년이 된 그는 내 아버지의 중년 시절 모습과 놀랍도록 닮아 있었다. 친구는 갈빗집을 경영한다고 했는데, 하얀 바지에 검은 가죽 재킷을 입고 또 다른 친구가 경영하는 단란주점 무대에 서서 베이스 기타를 연주했다. 내 옆자리에 앉게 되었을 때 그는 낮은 바람결 같은 말투로 속삭였다.

"나는 순 날건달처럼 살았어."

얼굴 생김뿐 아니라 깡마른 체격, 누구에게나 사람 좋은 사람으로 여겨지는 성격, 아직도 밤무대에서 노래하는 것을 즐기는 로맨틱한 성향, 적당히 허랑하지만 진적으로 방탕하지는 못한 삶의 태도……. 그것은 내가 아버지에 대해 가지고 있는 이미지와 면밀하게 일치했다. 이미 정신분석을 받으면서 내가 한때 사랑했거나 호감을 품었던 이들이 그런 공통점을 가지고 있으며, 그것이 해결되지 못한 나의 문제라는 것을 알았다. 하지만 그 기준이 어린 시절에도 그토록 정확하게 작용하고 있었다는 사실은 새삼 놀라웠다.

신경증 환자의 기준 가운데 '최상의 가치'는 자기애적 선택 기준이 더 강화된 형태가 아닌가 싶다. '창녀에 대한 사랑'은 최상의 가치의 뒷면이자 자기 존중감이 약한 자의 사랑법인 듯하다. '연인을 구원하려는 태도'는 가난이나 악의 구렁텅이로부터 상대를 구원하고자 하는 마음에서 비롯된 사랑이라고 하는데, 그런 방식으로 상대를 지배하려는 이타주의적 방어기제의 발로가 아닐까 싶다.

간혹 주변에는 사랑을 선택하는 기준이 없는 듯 보이는 이들도 있다. 대상에 상관없이 전 방위의 이성과 사랑이 가능해 보이는 이른바 '선수'들이 그렇다. 그들의 기준은 아마도 '방어 의식'이 아닐까 싶다. 현실에서 직면해야 하는 불안, 분노, 외로움, 긴장감 등을 해소하기 위해 간단없이 의존할 누군가를 찾아 헤맨다. 그 행위의 극단에는 사랑 중독이나 성 중독이 있을 것이다.

뉴질랜드 크라이스트처치에서 말을 걸어 왔던 청년도 그런 사람 같아 보였다. 성당 앞 광장 벤치에 앉아 택시를 기다리고 있을 때 한 청년이 옆자리에 와서 앉았다. 그는 자신을 소말리아 사람이라고 소개했다. 난민으로 떠돌다가 뉴질랜드에 들어왔으며 노동자 자격으로 체류 중이라고 했다. 그는 불안정하게 떠도는 자의 전형적인 표상을 하고 있었다. 다리는 늘어뜨린 채 건들거리고 눈빛은 잠시도 한곳에 고정되지 않은 채 이리저리 움직이고 있었다. 외신 사진들에서 본 소말리아 어린이들의 모습이 떠오르기도 했다. 나는 그 청년의 말에 보통보다 더 친절하게 대응했고 친절은 아마도 오해를 불러일으킨 듯했다. 그는 결국 이렇게 물었다.

"오늘 밤, 나와 함께 즐기지 않을래?"

그가 원한 것이 친밀감 나누기인지 섹스인지, 혹은 둘 다인지는 모르지만 그때 내가 느낀 감정은 낭패감이었다. 반사적으로, "우리 한국 여자들은 그런 식으로 행동하지 않아."라고 대답해 놓고 뒤늦게 부끄럽기도 했다. 그냥 "노!"라고만 해도 됐을 텐데 내 강박관념까지 드러내 보인 것 같아서였다. 대부분의 남성들이 그러하듯 제안을 거절당하자 그는 곧 자리에서 일어났다. 나는 그의 제안 한 가지를 거절했을 뿐인데 그는 자신의 존재 전체를 거절당한 것 같은 태도로 멀어져 갔다.

휘청거리며 멀어지는 그 뒷모습을 보고 있자니 그가 감당하고 있을 쓸쓸함이나 결핍감 같은 것이 전해지는 것도 같았다. 그에게도 떠나온 조국에 대한 그리움이 있을 것이고, 고국에 두고 온 순정한 사랑이 있을 것이다. 떠노는 자의 내면에 출렁거리는 불안감도 있을 것이고, 못난 조국에 대한 애증도 있을 것이고, 이국 삶에서 만나는 피 마르는 모멸감도 있을 것이다. 낯선 동양 여성에게 함께 즐기자고 제안할 때 그가 원한 것은 불안감과 외로움을 잠시 해소할 수 있는 어떤 도피 행위였을 것이다. 그 불안감과 외로움을 안고 있는 한 그는 아마 또 다른 여성을 찾아가 제안할 것이다.

"오늘 밤, 나와 함께 즐기지 않을래?"

사실 사랑을 선택하는 특별한 기준이란 '사랑을 선택하는 병리적 기준'이라는 말과 상통한다. 그 기준들은 단일하게 작용하는 게 아니라 두 가지, 혹은 세 가지 요인이 중첩되어 나타나는 것 같다. 예전에 우리 부모들이 첫눈에 반하는 사랑을 조심하라고 경계했던 것은 그런 사랑이 바로 병리적 기준에 의해 무의식적으로 선택된다는 것을 알고 있었기 때문일 것이다.

사랑의 속성, 사랑의 기준에 대해 알고 난 후 한동안 혼돈스러웠다. 사랑이 의존성이거나 자기애의 투사거나 신경증일 뿐일 때, 어떤 대상 선택도 병리적 관계 맺기일 뿐일 때, 그렇다면 어떻게 사랑해야 하는가. 그런 의문을 품고 있던 중 앤서니 기든스의 《현대 사회의 성·사랑·에로티시즘》이라는 책을 만났다. 그 책은 현대인에게 자주 문제가 되는 사랑과 성의 병리적이고 중독적인 성향에 대해 고찰하고 있다. 그 책에서 저자는 병리적, 중독적 사랑 대신 친밀성을 근간으로 하는 '합류적 사랑'이라는 개념을 제시한다.

합류적 사랑이란 상대방에게 사로잡히는 대신 자아 발전을 최우선으로 하고, 즉각적인 희열을 욕망하기보다는 단계적으로 발전하는 관계를 지향한다. 헌신을 요구하며 상대방을 압박하기보다는 선택의 자유를 존중하며, 관계 내에서 지배하고 지배당하기

보다는 상호성을 이루는 방식이다. 무엇보다도 상대방과 하나가 되려는 융합의 욕망(그 욕망이야말로 엄마와의 행복한 공생 관계를 꿈꾸는 유아기의 환상이다)을 벗고 상대방의 안녕과 성장에 관심을 쏟으며 상대방을 그냥 내버려 두는 초연함이 필요하다고 말한다.

대상 상실의 감정, 혹은 돌아오지 않은 사랑

분 노

이탈리아 로마의 보르게세 공원을 보러 갔을 때의 일이다. 빽빽하고 울창한 숲이 가도 가도 끝없이 이어져, 이 공원은 내가 자란 소도시만 한 게 아닐까 생각하며 길가 나무 의자에 앉아 잠시 쉬고 있었다. 1, 2분쯤 지났을까, 운동복 차림으로 달리던 남자가 달음질을 멈추더니 내 쪽으로 다가왔다. 그는 목까지 차오른 거친 숨을 고르면서 말을 건넸다. 어디서 왔느냐, 이름이 무엇이냐. 두 마디쯤 대답하자 그는 자연스럽게 옆자리에 와서 앉았다. 땀 냄새와 몸의 열기가 선명하게 전해질 정도로 가까운 거리였다. 더구나 그는 상체 전체를 내 쪽으로 향한 채 왼손을 내 어깨 뒤쪽 의자 등받이에 걸쳐 놓았다. 그러면서 여행 중이냐, 직업이 무엇이냐를 계속 물었다.

내게 약간의 위기감과 함께 방어의식이 발동된 것은 그때였다. 그의 모든 것이 무례하게 느껴졌다. 자신을 소개하지 않은 채 일방적으로 몰아붙이듯 질문을 퍼붓는 태도, 비스듬히 앉아 의자 등받이에 팔을 올려놓은 자세, 길가에 떨어진 과일을 바라보는 듯한 방식까지. 그때부터 내가 선택한 방법은 그의 말에 대답하지 않는 것이었다. 그는 여러 질문을 더 했지만 내가 대답이 없자 "쯧쯧……" 혀를 차며 벤치에서 일어났다. 그가 혼잣말처럼 "큰일이야……"라고 중얼거리며 멀어질 때는 안도의 한숨을 쉬었을 것이다. 그것은 여행 중 말을 걸어오는 남자를 만난 최초의 경험이었다.

저녁에 숙소로 돌아와 같이 살던 유학생에게 낮의 일을 이야기해 주며 그런 때는 어떻게 하면 되는지 물었다. 그런데 그녀의 대답이 의외로 경쾌했다.

"언니, 걱정하지 말아요. 여기 남자들은 어느 순간이든 분명하게 '노'라고만 말하면 더 이상 추근대지 않아요. 아무리 친근하게 지냈다 해도 마찬가지예요."

그 말은 진짜로 내게 많은 용기를 주었다. "리브 미 얼론, 플리즈." 그렇게 한 마디만 했으면 만사가 깨끗하게 해결되었을 것을, 그토록 쉬운 일을 두고 쩔쩔매며 촌스럽게 굴었다는 게 오히려 약올랐다.

다음 날은 미술관을 보기 위해 또다시 보르게세 공원에 갔다. 보르게세 미술관을 보고 나왔을 때는 정오 무렵이었는데, 많은 사람들이 미술관 앞마당에 서서 하늘을 올려다보고 있었다. 무슨 일인가 싶어 그 사람들을 둘러보는데 누군가 등 뒤에서 말을 걸어왔다. 정장 차림의 중년 남성이었다. 그는 팔을 들어 하늘을 가리키며 태양을 보았느냐고 물었다.

"지금 달이 태양을 가리고 있는 중이다. 아주 희귀한 일이다. 그 선글라스를 쓴 채 보면 보일 것이다."

그가 손끝으로 가리키는 곳에는 진짜로 달에 가려진 태양, 다 가려지지 않은 한쪽 귀퉁이가 초승달처럼 보이는 태양이 있었다. 일식이었다. 그것을 알려준 데 대해 감사의 뜻을 전하자 그는 이 공원 안에 미술관이 또 하나 있는 것을 아느냐고 물었다. 이제부터 그리로 갈 참이라고 하자 그는 마침 자신도 그리로 가는 길이니 안내해 주겠다고 했다. 보르게세 미술관에서 근대 미술관까지는 도보로 20분쯤 걸리는 거리였다.

그 길을 걸으며 그는 자신을 교수라고 소개했다. 간단하고 의례적인 이야기들이 오간 후 그는 1988년에 서울을 방문한 적이 있다면서 서울의 한 호텔 이름을 댔다. 그때 서울 친구들이 자기에게 아주 친절하게 대해 주었던 점을 아직도 고맙게 기억하고 있다면서 덧붙였다.

"그때의 친절에 보답한다는 의미에서 당신에게 로마 관광을 안내하고 싶다."

역시 아는 것이 힘이었다. 이번에는 전날처럼 긴장하지 않고 차분하고 여유 있게 그의 제안을 거절했다. 로마 관광은 이미 끝냈고 내일이면 다른 도시로 이동할 예정이라고. 그러자 그는 다른 제안을 했다. 그렇다면 이탈리아 음식을 대접하고 싶은데, 저녁 식사를 함께 하는 것은 어떻겠느냐고. 저녁에는 친구와 약속이 있다고 말하자 그는 세 번째 제안을 했다. 그것까지 사양하자 그는 다음부터 문득 말이 없어졌다.

쨍쨍한 햇볕 속을 아무 말 없이, 그는 나의 느린 걸음에 보조를 맞추어 천천히 걸었다. 그에게서는 훼손당한 자존심을 참아 내고 있는 태도가 감지되었다. 미술관이 보이자 걸음을 멈추고 저것이 근대 미술관이다, 저쪽 계단을 올라가면 입구가 있다, 좋은 여행이 되기 바란다고 말했다. 낮빛은 여전히 굳어 있었지만 그는 끝까지 예의를 지켰다. 나는 다시 한 번 당신의 친절에 감사한다고 말한 후 멀어지는 그의 뒷모습을 한동안 바라보았다. 전날 숙소의 유학생이 했던 말이 저것이구나 싶었다. 자신의 욕망을 정직하게 표현하고, 그와 똑같은 정도로 상대의 의사를 존중하며, 거절당했을 때의 감정을 성숙하게 처리하는 태도. 그런 모습을 보고 있자니 그까짓 저녁 한 끼 같이 먹이도 되지 않았을까 싶기도 했다. 저녁에 숙소로 돌아가 유학생에게 그 이야기를 했더니 그녀는 펄쩍 뛰었다.

"이쪽 문화에서 저녁 식사에 초대한다는 건 단순히 밥만 먹는다는 뜻이 아니에요."

그녀는 타인을 집으로 초대해 식사를 대접하는 것을 평범한 일로 여기는 한국인 유학생들이 범하는 오류에 대해 들려주었다. 예전에 자신과 같은 집에 살던 한 여학생이 필리핀 청년을 집으로 초대한 일이 있었다고 한다. 거리에서 만난 노동자였는데 밥이라도 한 끼 따뜻하게 해 먹이고 싶어서였다는 것이다. 그날 그녀는 약간 불안한 마음을 안은 채 먼저 저녁 식사를 하고 방에 들어가 있었다.

방문객이 오고 두 사람이 식사를 시작한 후 두어 시간쯤 흐른 후부터 주방 쪽에서 목소리가 높아지기 시작했다. 여학생의 목소리가 아니라 필리핀 청년의 목소리가 분노에 차서 높게 터져 나왔다. 그가 분노하면서 반복한 말은 "네가 날 초대하지 않았느냐!"는 거였다. 주방과 거실을 오가며 우당탕거리는 소리가 들리고 여학생의 비명까지 들렸을 때 그녀는 전화기를 들고 경찰을 불렀다고 한다.

"그들에게 저녁 초대에 응한다는 건 식사 이상을 허락한다는 의미죠."

왜 그 친구에게 그 사실을 미리 일러 주지 않았느냐고 묻자 그녀의 대답은 간단했다. 의외로 조용히 끝날 가능성도 있고, 또 그 친구의 진짜 의중을 몰랐기 때문이라고.

분노에 대한 이야기를 하기 위해 사랑에 대한 이야기를 먼저 꺼냈다. 모든 분노는 사랑의 뒷면이어서 애착을 품은 대상을 잃었을 때나, 애착의 감정을 박탈당했을 때 느끼는 감정이다. 간단하게 말하면 '돌아오지 않은 사랑' 이고 전문 용어로는 '대상 상실의 감정' 이라 한다. 대상 상실의 분노는 특별히 의존적 사랑의 뒷면일 것이다.

심리학 용어에 '엘리자베스 퀴블러 로스 박사의 5단계' 라는 것이 있다. 사랑하는 사람을 잃었을 때 뒤에 남은 사람이 겪는 감정 상태를 말하는데 '분노 · 부정 · 타협 · 우울 · 수용' 의 다섯 단계를 거친다고 한다. 세상을 뜬 배우자나 떠난 연인에 대해 가장 먼저 느끼는 감정이 "네가 어떻게 내게 이럴 수 있느냐."는 분노의 감정이다. 그 다음에는 떠난 사실을 인정하지 못한 채 환상 속에서 그를 잡고 있는 부정의 단계, 그 다음에는 그 상실감을 간신히 인정하고 텅 빈 듯한 현실과 타협하는 단계, 그 다음에는 자신의 슬픔을 애도하는 우울의 단계, 마지막으로 그 모든 사실을 수용하고 넘어서는 단계를 거친다.

필리핀 청년의 분노는 전형적으로 '거절당한 사랑' 으로 인한 분노였다. 심지어 그는 여성이 준다고 약속한 적도 없는 사랑을 혼자 기대했다가 그것이 돌아오지 않자 그 사랑을 분노로써 표출한 셈이었다. 거절당한 사랑을 분노로 표현하는 일은 아주 흔하다. 헤어지자고 말하는 연인에게 주먹을 휘두르고, 배우자의 외도를 알았을 때 목에 칼을 들이미는 행위, 사랑을 고백했다가 거절당하면 화를 내거나 심지어 뒤에서 음해하고 다니는 행위 등이 그런 것들이다. 모든 이들에게 사랑을 주겠다는 제안은 곧 "나를 사랑해 줘!"라는 의미이기 때문이다.

분노의 또 한 가지 속성에는 '자기애적 분노'가 있다고 한다. 우리는 누구나 태생적으로 나르시시스트의 요소를 가지고 있기 때문에 저마다 자신이 소중하고 특별하고 선하고 정당한 사람이라는 신념을 가지고 있다. 그런 자기 이미지가 침해당했을 때 느끼는 분노를 자기애적 분노라고 한다. 타인이 자신에 대해 나쁘게 말하면 화가 나고, 타인이 자신의 성취에 대해 비판하면 분노하고, 타인의 사소한 지적에 대해서도 저항감을 느끼는 것이 자기애적 분노다.

자기애적 사랑처럼 자기애적 분노에도 상대에 대한 공감이나 배려가 없다. 상대방은 그 사람을 모욕하거나 그의 자존심에 상처 줄 마음이 없었음에도 자기애적 분노에 사로잡힌 사람은 자신의 분노밖에 볼 줄 모른다. 눈이 나쁘거나 잠시 딴 생각에 팔려 친구를 못 보고 지나치게 되면 그 친구는 상대가 자신을 무시했다고 생각하며 분노한다. 전화 메시지에 응답이 없거나 전화가 연결되지 않을 때에도 상대방이 일부러 전화를 받지 않는다고 생각하며 분노의 감정을 느낀다. 사업상의 거절에 대해서도 마치 자기 존재 전체를 거절당한 듯한 분노를 느낀다. 심지어 상대가 주겠다고 약속한 바 없는 사랑을 일방적으로, 근거 없이 기대했다가 그것이 오지 않는다고 분노하기도 한다.

여행하는 동안 내게도 걷잡을 수 없이 분노가 일었던 경험이 있다. 바티칸의 베드로 성당 박물관에서였다. 그 박물관은 얼마나 넓은지 가이드북에는 전시실을 둘러보는 코스가 소요 시간별로 서너 가지가 안내되어 있을 정도였다. 미로 같은 전시실을 어찌어찌 지나자 아래로 내려가도록 된 계단이 나타났다. 계단 꼭대기에서서 아래쪽 방을 내려다보니 큰 사무실 정도의 공간이 있었고, 그 안에는 콩나물시루가 절로 연상될 정도로 사람들로 가득 차 있었다. 빽빽하게 선 사람들은 모두 고개를 치켜들고 천장을 올려다보고 있었다.

그곳이 바로 미켈란젤로의 저 유명한 천장화 '천지창조'가 있는 방이었다. 계단에 서서 그 방의 총체적인 모습을 본 뒤 계단을 내려가 빼곡한 사람들 틈으로 들어섰다. 사람들의 열기, 웅성거리는 소음, "노 포토그래피 플리즈!"라는 관리인의 외침, 만원 지하철을 타고 있는 듯한 부대낌까지 모든 게 어수선했다. 그럼에도 그 소란과 소음과 부대낌 속에서도 그림은 무섭게 시선을 당기는 데가 있었다. 목덜미가 아프도록 목을 꺾고 그림을 올려다보면서 '저걸 그리다가 척추가 굽었다지, 아무래도 저 그림을 그린 것은 신의 손길일 거야…….' 그런 생각도 했을 것이다. 내가 보는 바로 이 각도에서, 내 감정이 담긴 사진 한 장을 갖고 싶기도 했다. 그 생각을 할 때는 고개 숙여 손에 들린 카메라를 내려다보았을 것이다.

바로 그때 누군가가 내게 소리치는 것이 느껴졌다. 고개를 들었더니 관리인 사내가 쐐기 박듯 무슨 말인가를 남긴 채 단호히 몸을 돌려 계단 쪽으로 걸어갔다. 그의 뒷모습을 보면서야 그가 무슨 말을 했는지를 깨달았다. 그는 카메라를 내려다보고 있는 내 모습을 보고 내가 사진을 찍었다고 판단하고, 내게 개별적으로 주의를 준 것이었다. "사진 찍지 못하게 되어 있다, 찍지 마라!" 그런 말을 했던 것이다. 그는 자기가 할 말만 하고, 그것도 부당하게 행동하고, 내 대답을 듣거나 해명할 기회도 주지 않고 자기 자리로 돌아가 버렸다.

뒤늦게 상황을 알아차렸을 때 내가 느낀 감정은 분노였다. 그 분노는 얼마나 뜨거운지 순식간에 머리끝까지 달구는 것 같았다. 그 부당함을 참을 수 없었고, 누군가 내게 그런 식으로 말했다는 사실을 참을 수 없었다. 머리카락 끝까지 타오르는 듯한 분노의 감정에 휩싸인 채 그 자리에 굳어 가만히 서 있었다. 처음에는 분노의 감정만이 나를 온통 채우고 있었다. 잠시 그러고 있자 서서히 열기가 식으면서 내가 불필요하게 크게 분노하고 있음을 알았고 내 분노의 본질이 보이기 시작했다.

내 분노에는 우선 그가 나를 부당하게 모욕했다고 느끼는 감정이 있었다. 또한 자신이 그런 모욕적인 언사를 들어서는 안 되는 특별한 사람이라고 생각하는 나르시시즘이 있는 것 같았다. 그러니까 그 분노는 자기애적 분노였다. 조금 더 감정이 가라앉자 비로소 관리인의 입장에서 볼 수 있었다. 그가 의도적으로 나를 모욕한 게 아니라 자신의 업무를 수행했을 뿐이고, 그 과정에서 약간의 착오를 일으켰을 뿐이라는 사실이 이해되었다. 분노는 천천히 5분에서 10분쯤에 걸쳐 가라앉았고, 그 시간 동안 나는 '천지

창조' 밑에 가만히 서 있었다.

좀 더 시간이 지나자 또 다른 것들이 이해되었다. 내가 당면한 사안에서 일어날 법한 감정보다 더 크게 분노했다는 것, 그렇다면 그것은 무의식에 있는 분노가 올라온 것이라는 사실이었다. 무의식에 억압된 분노의 근원도 짐작할 것 같았다. 잘못을 지적하고 야단치는 방식으로 일관했던 엄마의 교육법에 대해 어린 내가 품었던 감정이었을 것이다. 물론 엄마도 당신의 입장에서는 최선이라고 생각되는 교육을 한 것이었을 뿐 어린 나를 모욕하려는 의도는 아니었을 것이다. 그렇다면 무의식에 억압된 분노는 서너 살짜리 아이의 감정이며, 동시에 그 아이의 착각이 만든 감정일 뿐이었다.

신경증 환자의 사랑 기준이 있듯 분노에도 신경증적 분노가 있다고 한다. 신경증적 분노는 당사자의 무의식에 억압되어 있는 분노가 외부의 사소한 일에 자극받아 터져 나오는 형태의 감정이다. 무의식에 억압된 분노는 아기 때 형성된 것이며 특히 욕구를 좌절시키는 엄마를 향해 품는 감정이다. 엄마는 아기가 경험하는 최초의 사람이면서 동시에 최초의 분노의 대상인 것이다. 아기는 분노의 대상이 또한 사랑의 대상이기 때문에 분노의 감정을 표출하지 못한 채 내면 깊은 곳으로 억눌러 감춘다. 그렇게 해서 억압되고 내면화된 분노는 신경증의 원인이 되며 언젠가는 되돌아와 우리의 삶을 공격한다. 우울, 불안, 공포, 중독 등이 모두 억압된 분노가 간접적으로 표현되는 방식이다.

"화는 우리의 적이 아니라 우리의 아기다. 그윽한 마음으로 화를 끌어안아야 한다."

틱낫한 스님의 《화》에는 신경증적 분노에 대해 이렇게 간결하게 표현되어 있다.

우리는 누구나 내면에 억압된 분노를 가지고 있다. 아기 때 엄마에게 표출하지 못한 분노뿐 아니라 성장하면서 그 감정이 사회적으로 용인되지 않는다는 것을 알고 계속 분노를 내면으로 억눌러 감춘다. 그렇게 억압된 분노는 어떤 식으로든 간접적으로 표출되면서 그 사람의 삶을 공격한다.

자기 일을 미루거나 매사에 소극적으로 행동하기, 사람들을 피해 혼자 있기, 타인과 세상을 의심하기, 전혀 말을 하지 않고 침묵 속에 앉아 있기, 높고 떨리는 목소리로 말을 많이 하기, 습관적으로 불평불만 늘어놓기, 짜증스럽고 신경질적인 말투로 이야기하기, 타인의 말에 말꼬리 달기……. 이런 것이 분노가 간접적으로 표현되는 방식이다. 의존성, 자기희생, 속임수, 자기 파괴적 행동도 억압된 분노와 관계가 있다. 무엇보다 분노는 가장 믿을 만한 사람에게 표출되어 친밀한 관계를 그르치고 생을 퇴행시키는 원인이 된다. 분노가 가장 극단적인 형태로 내면화될 때는 자살로 나타난다.

심리학자인 게일 로즐리나와 마크 워든이 함께 쓴 《차라리 화를 내십시오》라는 책에는 이런 구절이 있다.

"혹시 당신이 알고 있는 사람들 가운데 사려 깊고 헌신적이고, 이상주의적이고 감성적인 그런 사람이 있는가? 충직하고 성실하며 항상 믿을 수 있는 그런 사람 말이다. 남을 위할 줄 알고 모든 것을 이해하며, 이웃과 무엇이든 나누고자 하는 마음을 가진 그런 사람 말이다."

이 대목을 읽고 나는 많이 놀랐다. 그 모습은 정신분석을 받기 전까지 내가 그렇게 살고자 꿈꾸면서 실천하던 이상으로서의 인간형이었다. 그런데 그 책에는 그런 순교자와 같은 모습을 가진 사람들이 내면에 분노가 억압되어 있는 사람이라고 기록되어 있었다. 그런 이들은 상대방에게 주먹을 휘두를까 봐 자신의 손목을 절단하는 듯한 삶을 산다고 한다.

분노는 사랑처럼 누구에게나 있는 지극히 정상적이고 당연한 감정이다. 평소에 어떤 부당한 일 앞에서도 그다지 화가 나지 않는다면 그것이 더 비정상적인 상태라고 한다. 사랑이 생의 모든 문제의 근원이듯 사랑의 뒷면인 분노를 어떻게 처리하느냐에 따라 한 사람의 삶의 질이 좌우된다. 분석 치료가 역점을 두는 대목도 바로 분노를 다루는 법이다. 분노가 자신의 감정의 일부임을 정직하게 인정하고, 분노의 근원을 직면하고, 분노를 자신의 의식으로 통합시켜 체험하도록 한다.

정신분석을 받을 때 내게 가장 문제가 되었던 감정도 분노였다.

면담자는 나의 분노를 터뜨리기 위해 자주, 의도적으로 나를 자극하는 발언을 했고 그럼에도 나는 화를 표현하는 일에 어려움을 느꼈다. 처음으로 분노의 감정을 표출했을 때는 그 저항감이 얼마나 컸던지 입술에 물집이 생길 정도였다. 그 후 오래도록 내면의 분노를 꺼내 보고, 그것을 체험하고 또 넘어서는 시간을 보냈다. 그것은 거의 5, 6년에 걸쳐 계속된 것 같다.

이제 나는 화를 잘 내는 사람이 되었다. '화를 잘 낸다' 함은 분노를 느낄 때 그 감정의 근원을 빨리 알아차리고, 화가 났다는 사실을 적대감 없이 상대에게 표현하고, 그런 다음 그 감정을 넘어설 수 있게 되었다는 뜻이다. 분노는 누구의 탓도 아니고 누구의 것도 아닌 오직 나의 것임을 인정하게 되었다는 뜻이다.

분노의 본질에 대해 간결하고 명쾌한 정의가 하나 있다.

"5분 이상 화가 난다면 그것은 나의 문제다."

화를 잘 낸다 함은 어떠한 분노도 5분 안에 처리할 수 있다는 뜻이기도 하다.

정신의 착오, 혹은 마음의 요술 부리기

우울

독일 뮌헨의 국립과학박물관을 둘러보고 나오는 길이었다. 여행을 하면서 가장 자주 느낀 감정은 좀 더 일찍 이런 체험들을 했다면 인생이 많이 달라지지 않았을까 하는 아쉬움이었다. 뮌헨의 그 박물관을 둘러보면서는 사춘기 이전에 이런 박물관을 구경했더라면 지금과는 다른 삶을 살지 않았을까 싶었다. 그곳에는 내가 소년기에 품었던 모든 궁금증에 대한 답이 있었다. 기차가 지나가는 굴은 어떤 구조로 지어졌기에 그 무거운 산을 이고도 무너지지 않는지, 펌프는 얼마나 깊은 땅속에서 어떤 방식으로 물을 데려오는지, 비행기나 배의 내부가 어떻게 생겼는지……. 그 모든 의문에 대한 과학적 원리가 시청각 교재를 통해 설명되어 있었다.

박물관을 나와서도 그런 생각을 하며 걷고 있었다. 만약 어린 시절에 그 모든 과학 원리들을 이해했더라면 모호한 상상력을 키우는 대신 논리적인 사고력을 키웠을 것이고, 소설가가 되는 대신 과학자가 되었을지도 모르겠다고. 그런데 이상했다. 어느 순간, 의식하지도 못한 새에 기분이 아주 낮은 곳에 가라앉아 있었다. 이해할 수 없는 쓸쓸함이나 낯섦, 서러움 같은 감정이 자꾸만 치밀어 오르며 묘한 무력감을 불러내고 있었다.

날씨가 흐리고 기온이 쌀쌀하다고 해도 그토록 기분이 걷잡을 수 없이 낮은 곳으로 추락할 이유는 아니었다. 거리는 안전하고 쾌적하고, 관광객을 상대하는 사람들은 늘 그렇듯이 친절했고, 무엇보다 체리가 아주 맛있었다. '이상하다……' 생각하다가 문득 얕은 재채기를 토했는데, 바로 그 순간 목에 걸려 있던 무엇이 바깥으로 터져 나가는 느낌과 함께 주르륵 눈물이 흘러내렸다.

내가 외로운가? 슬픈가? 혹은 피곤한가? 설사 그 모든 감정들이 사실이라고 해도 그것이 눈물을 흘릴 만한 사안은 아니었다. 그럼에도 기분은 깊고 어두운 지하로 내려가는 계단의 초입에 서 있었다. 그 계단을 내려가지 않기 위해서는 밥을 많이 먹는 게 가장 좋은 방법 같았다. 중국 식당에 들어가 완탕 수프에 고추기름을 듬뿍 부어 맵고 뜨거운 국물을 마시고 나자 거짓말처럼 기분이 괜찮아졌다. 그 후 오래도록 그 일시적 우울증의 원인이 밥이나 뜨거운 국물 음식을 못 먹어서 생긴 것인 줄 알았다.

그 돌연한 우울증의 진짜 이유를 깨달은 것은 그로부터 3년쯤 후였다. 어렸을 때 아버지로부터 사서삼경을 배웠다는 안동 출신의 후배가 있었다. 그녀는 아버지가 돌아가시자 장례를 치른 후 친구들과 스터디 그룹을 만들어 논어 강독을 시작했다. 내가 보기에 논어는 공연 예술 기획자로 일하는 그 후배의 직업이나 일상과 전혀 무관해 보였다. 무언가 막연하고 애매한 추측만을 안은 채 후배에게 "왜 갑자기 논어를 공부하느냐?"고 물었을 것이다. 후배는 얼굴 가득 행복한 웃음을 띠면서 대답했다.

"나는 그 일이 즐거워요."

명쾌하고도 정확한 대답이었다. 아버지를 잃은 상실감을 견디기 위해, 아버지와 한학을 공부하면서 느꼈던 유년의 행복감을 다시 맛보기 위해, 자신의 내면에서 아버지가 계속 살아 있기를 바라는 희구를 담아 그 일을 시작한 게 아닐까 하는 추측에 정확하게 부합되는 대답이었다. '대체 인간은 유년으로부터, 그리고 부모로부터 얼마나 멀리 갈 수 있을까?' 그런 생각을 하다가 문득 뮌헨에서의 그 기억이 떠올랐다. 이유 없이 눈물이 주르륵 흘렀던 그 우울증의 근원이 소름끼치도록 선명하게 이해되었다. 역시 아버지였다.

과학 교사였던 아버지의 실험 도구들을 장난감으로 가지고 놀고, 아버지가 챙겨 주던 동식물 도감을 보며 꿈을 키우던 유년의 어느 시기가 떠올랐을 것이다. 무의식에서 과학박물관과 아버지가 연결되었고 우울증이 뒤따랐을 것이다. 아버지와 나누었던 일을 떠올리며 행복해하는 후배와는 달리 아버지가 연상되면서 우울증이 따라온 것은 아버지에 대한 내 감정이 그랬기 때문일 것이다. "아빠가 왔어요."라고 말하며 한없이 복잡한 표정을 짓던 페기가 내 속에도 있었다.

생의 가장 중요한 문제가 사랑이고 다음으로 중요한 감정이 분노라면, 그것들의 연장선상에서 세 번째로 주의 깊게 돌봐야 하는 감정은 우울증이라고 한다. 프로이트 학파 정신분석가들은 분노가 억압되어 제대로 표출되지 못할 때 우울증이 생긴다고 보았다. 외부로 표출되지 못한 감정들이 내면으로 돌려져 자기 파괴, 우울증, 자살 등의 형태로 나타나게 된다. 그러니까 우울증은 돌아오지 않은 사랑, 잃어버린 대상에 대한 슬픔의 감정이라는 것이다.

프로이트 다음 세대 정신분석가들은 이 개념이 뒷받침할 만한 확실한 증거가 없다고 주장한다. 그들은 우울증이 상처받고 불완전하며 텅 빈 원초적 자아의 신호라고 보았다. 인간은 그 태생에서부터 어떤 근본적인 결함, 선천적인 결여로 인해 고통받고 있다고 생각한다는 것이다. 멜라니 클라인은 유아가 심리적으로 성장하는 과정에서 반드시 거치는 '우울적 자리'라는 개념을 제시한다. 줄리아 크리스테바는 우울증에 대해 고찰한 《검은 태양》이라는 책에서 자기애적 우울증 환자에게 슬픔은 그가 애지중지하는 대상의 대용물이라고 정의한다. 그런 이들은 우울증으로 고통 받으면서도 그 안에 한없이 앉아 있는 쪽을 택한다.

사실 우울증은 너무나 흔하고 보편적인 것이어서 오늘날에는 거의 정신의 감기쯤으로 인식된다. 그럼에도 우울증의 근원은 아직 제대로 밝혀지지 않았다. 우울증에 대해 밝혀진 것이란 그것이 자살에 이르는 위험한 증상이며, 원인을 모르기 때문에 해결책이 없으며, 암, 비만과 함께 21세기 인류를 위협하는 가장 위험한 질병으로 꼽힌다는 점이다. 우울증이 오이디푸스적 죄의식과 관련 있다고 생각하는 이도 있고, 부정적인 행위나 생각에 대한 유혹 때문이라고 생각하는 사람도 있다.

뮌헨에서의 가벼운 우울증 이후 좀 더 심각한 우울증과 맞닥뜨렸던 것은 프랑스 파리에서였다. 그 도시에 도착한 첫날부터 충격적인 일이 있었기에(그 이야기는 '질투' 꼭지에 있다) 처음에는 그 충격의 여파인가 했다. 그러나 이틀 사흘이 지나도 기분이 회복되지 않을 뿐 아니라 점점 더 낮은 곳으로 가라앉았다. 이유를 알 수 없는 그 우울증에서 벗어나기 위해 나름대로 적극 노력했다. 베트남 식당에 가서 따뜻하고 매콤한 국물도 마셔 보았고, 숙소 옆 미용실에서 머리도 잘랐다. 자신에게 선물을 주듯 위로가 될 만한 기념품을 샀고, 따뜻한 물에서 오래 목욕했다. 그럼에도, 아무리 노력해도 기분이 나아지지 않았다.

그제야 이 우울증의 원인이 날씨 때문이 아닌가 의심해 보았다.

도착한 첫날부터 날이 흐리고 안개비 같은 것이 오락가락했는데 일주일이 지날 때까지 허공에는 비와 안개와 습기가 가득 차 있었다. 아무리 옷을 껴입어도 몸이 추웠고, 사흘째 저녁에는 미열이 오르면서 잔기침이 나오는 감기 증상이 있었다. 그렇게 닷새쯤 지났을 때 이상한 불면의 밤이 찾아오기도 했다. 일조량이 부족할 때 생긴다는 계절 우울증이라는 게 이것인가 싶었고, 보들레르의 '파리의 우울'이 어디서 탄생했는지 짐작할 것 같았다.

파리에서는 그야말로 우울증의 위력을 절감했다. 우울증이 한 인간의 생기 있는 감성과 감각을 어떻게 마비시키는지를 온몸과 마음으로 이해할 듯했다. 파리에 머무는 동안 매일 두세 군데씩 유적지나 관광지를 방문했지만 특별히 인상적이거나 감동적인 것이 없었다. 시끌벅적하기만 했던 루브르 박물관, 어수선하고 미완성인 듯한 느낌을 주었던 노트르담 성당, 뚱하게 누워 있어서 바보 같다는 느낌을 주었던 샹젤리제 거리…….

그것은 루브르나 노트르담의 문제가 아니라 나의 문제였다. 우울증에 감각과 감성이 마비되어 대상을 깊이 받아들이지 못했고, 무엇보다 내면이 부정적인 정서에 지배당하고 있어 사물이 다 그렇게 보였다. 지금 돌이켜 생각해도 파리라는 도시는 기억나지 않는 꿈처럼 모호하고 불온한 대상으로 떠오른다. 그때 우울과 무기력 상태에서 내가 본능적으로 원한 것은 단 하나였다. 따뜻한 햇볕 속에 한나절만 가만히 앉아 쉬고 싶다는 것. 파리에 좀 더 머물렀다간 몸과 마음에 아주 나쁜 일이 일어날 것 같았다. 결국 짐을 싸들고 프랑스의 가장 남쪽 도시, 따뜻할 거라 짐작되는 지중해 연안 도시 니스를 향해 도망치듯 떠났다. 니스에 도착해 따뜻한 햇볕과 옥색 대기 속에서 하루쯤 지나자 거짓말처럼 우울증이 가벼워졌다.

파리에서 우울증의 위력을 경험한 후 뒤늦게 또 한 가지를 이해할 수 있었다. 그동안 내 삶이 길고 긴 만성적인 우울증 상태였구나 하는 것이었다. 삶이 어딘가에 막혀 자연스럽게 흐르지 못하는 듯한 느낌, 불투명한 막이 한 겹 의식을 덮고 있는 듯한 느낌이 바로 우울증의 증상이었다. 이십 대의 그 막막하고 암울한 느낌, 삼십 대의 그 무력하고 적막한 상태가 죄다 우울증이었다. 더 이상 이렇게 살 수는 없다고 느꼈지만 어떻게 살아야 할지 알 수 없는 상태, 생이라 부르는 것의 실체나 본질에서 유리된 듯한 느낌, 그것도 모두 우울증의 증상들이었다. 나중에 안 일인데 보통 사람들의 정신 건강을 위협하고, 그들이 정신과 치료를 받기로 결심하게 되는 중요한 이유 역시 우울증이라고 한다.

여행 중 가장 심각한 우울증과 맞닥뜨렸던 것은 오클랜드에서였다. 새로운 것을 보면서 쉴 새 없이 이동하는 것이 여행의 본질인데 한 장소에 오래 머무르다 보니 일상이 정체되는 것과 함께 마음에도 적체감이 따라왔다. 날이 갈수록 마음의 생기가 없어지면서 무기력하고 우울해졌다. 중학교 2학년 때 배웠던 영어를 다시 배우고 있는 것도 바보짓 같았고, 기대했던 작품 쓰기가 잘 되지 않는 것도 답답했고, 주말마다 호스텔 복도에 자욱이 깔려 있던 밤꽃 냄새도 불편했다.

오전에 어학원 수업이 끝나면 오클랜드 시내를 걷거나, 요트대회가 펼쳐지는 바닷가에 가거나, 오클랜드 도메인이라 불리는 넓은 공원에 머무는 것이 하루 일과였다. 어느 날 그 공원을 걷다가 문득 무릎이 꺾일 듯 몸과 마음이 무너지는 순간이 있었다. 쓰러지듯 잔디밭에 앉았고, 그 길로 슬금슬금 나무 밑으로 몸을 숨겼다. 그 나무는 실버들 같은 나뭇가지들이 마치 땅에 파라솔을 꽂아 놓은 모양으로 자라 있었다. 며칠 전에 그 나무 파라솔 밑에서 한 쌍의 남녀가 기어 나오는 것을 본 적이 있었다.

낙엽이 자잘하게 깔린 나뭇가지 밑은 안온했으나 눅눅한 기운이 있었고, 낙엽 썩는 냄새가 올라왔다. 남녀가 머물렀던 흔적 위에 보자기를 펴고 누워 나뭇가지 사이로 쏟아져 들어오는 햇살을 올려다보았다. 앞뒤 맥락 없이 마종기 시인의 시 한 구절이 떠올랐다. '낚시'라는 제목이었을까. 햇살이 들끓는 한낮의 고요 속에서 낚시질을 하다가, 무연히 낚시찌를 바라보다가, 문득 북받쳐 오르는 감정을 토로한 내용이었다.

"더 이상 이렇게 살 수는 없다고 / 중년의 흙바닥 위에 엎드려 / 물고기같이 울었다"

하필이면 그때 그곳에서 그 시구가 떠오른 것이 다행이기도 하고 불행이기도 했다. 그 시와 함께 뜨거운 울음이 치밀어 오른 것은 불행이고, 그 시가 훌륭한 위로가 되어 준 것은 다행이었을 것이다. 나무 밑에서 기어 나오면서 남은 어학 코스를 포기하고 적도 근처 열대 섬으로 떠나는 티켓을 예약했다. 아직도 그때 어떤 대상이 의식의 어떤 경로를 따라 들어와 감정의 어떤 선을 자극했는지 모른다. 뮌헨에서의 우울증의 원인을 아주 나중에 깨달은 것처럼 언젠가는 그때의 우울증의 뿌리도 알게 되는 때가 오겠거니 생각할 뿐이다.

삶에 장애가 되는 사랑이나 분노의 감정이 유아기에 형성된 것이듯 우울증 또한 현실의 문제에서 생긴다기보다는 의식의 어느 부분에 이미 존재하는 것이라 한다. 그래서 미국의 정신과 의사들은 우울증과 기타 정서 장애에 접근하는 '인지 요법'이라는 것을 개발했다. 우리를 불편하게 하는 모든 기분은 우리의 '인지' 또는 생각에 의해 만들어지는 것이므로, 바로 그 정신적 왜곡들을 정확히 가려내고 제거하여 기분을 효과적으로 다스릴 수 있도록 하는 치료법이라고 한다.

"우울함을 느낄 때 당신의 사고는 부정성에 의해 지배받고 있다. 그런 때는 자신뿐 아니라 세계 전체를 어둡고 침울한 용어로 지각한다. 당신의 정서에 혼란을 일으키는 부정적 사고에는 거의 언제나 커다란 왜곡이 포함되어 있다. 그 비합리적이고 뒤틀린 생각이 당신 고통의 중요한 원인이다."

데이비드 M. 번즈의 《우울한 현대인에게 주는 번즈 박사의 충고》는 인지 요법에 대해 소개하고 있는 책이다. 그 책에는 우울증의 근간이 되는 인지 왜곡, 즉 정신의 착각이 열 가지로 정리되어 있다. 전부 아니면 전무라는 태도, 하나의 부정적 사건을 총체적인 패배로 인식하는 태도, 긍정성보다는 부정성에 치우치는 태도, 독심술가나 점쟁이처럼 마음대로 결론짓는 태도, 어떤 일을 확대하거나 축소해서 인식하는 태도 등등.

생각해 보면 내게도 우울증이 찾아올 때면 의식의 왜곡 현상이 늘 함께 오곤 했다. 무엇보다 압도적으로 자신에 대한 부정적인 감정들이 들끓어 올랐다. 초라하고 보잘것없다는 자기 비하감, 근거를 알 수 없는 죄의식, 아무 일도 해낼 수 없을 것 같은 무력감, 전망이 보이지 않는 절망감……. 바로 그런 생각이 인지 왜곡, 즉 마음의 착각이며 유아기의 환상이라는 것을 이제는 알게 되었다. 우울증은 내 마음이 혼자 북 치고 장구 치는 난장판이며, 정신의 착오일 뿐이었다.

이제 나는 우울증을 다스릴 줄 알게 되었다. 우울증이 찾아오면 틀림없이 이런 상황 가운데 하나다. 일주일 이상 운동을 하지 않았거나, 너무 오래 사람을 만나지 않은 채 틀어박혀 있었거나, 심하게 추위에 노출되거나 햇볕을 적게 쬐었을 경우다. 우울증에서 빠져나오는 가장 좋은 방법은 운동이다. 운동복으로 갈아입고 20분 정도만 걷거나 달리면 부정적인 생각들이 가라앉고, 40분 정도 지나면 마음이 편안해지고, 한 시간쯤 지나면 창의적인 아이디어가 솟아오른다. 이렇게 사소한 심리적 메커니즘을 깨닫는 데, 이처럼 손쉬운 대처법을 터득하는 데 그토록 많은 시간이 걸렸다는 게 가끔 약 오른다.

사랑하는 대상을 잃을까 두려워하는 마음

불안

중국에서 괴질이 발생하고, 그것에 사스(SARS)라는 이름이 붙어 뉴스에 처음 보도된 것은 2003년 3월 말이었다. 그 며칠 후인 4월 4일 나는 베이징으로 가는 비행기를 탔다. 그때 전염병 발생 지역으로 들어간 것은 특별히 용기 있거나 어리석어서는 아니었다. 당시 언론에서는 그것이 동물의 배설물을 통해 전염되는 접촉성 전염병이라고 보도했다. 감염자와 접촉하지 않고 외출 후 손만 잘 씻으면 아무 문제가 없다고 했고, 그 말을 믿었을 것이다. 실제로 베이징에 도착해 보니 호들갑스러운 국내 보도와는 달리 별다른 긴장감이나 위기의식이 느껴지지 않았다. 베이징에 도착한 후 오히려 사스라는 질병에 대해 잊어버렸을 정도였다.

사스 따위는 없는 듯 조용하던 중국에서 4월 10일이 되자 보건성 장관의 이름으로 담화가 발표되었다. 작은 전단으로도 배포된 그 담화 내용에는 현재 중국에 괴질이 돌고 있으며, 그 괴질을 '비전형성 폐렴(非典型性 肺炎)'이라고 이름 지었으며, 예방약 복용을 권하고 있었다. 최고의 의사들이 만들었다는 처방전 다섯 가지도 소개되어 있었다. 중국이 사회주의 국가구나 하는 것을 그때 실감했을 것이다.

사스는 아직 바이러스의 정체도 밝혀지지 않았지만, 그 예방약이 무슨 효과가 있을까 싶었지만, 그래도 중국 정부가 권하는 예방약을 먹었다. 다섯 가지 방제 중 내가 먹은 것은 '창출 12g, 백출 15g, 황기 15g, 방풍 10g, 곽향 12g, 더덕 15g, 금은화 12g, 관중 12g'으로 처방된 약이었다. 아파트 단지 안에는 정년 퇴임한 북경의대 교수가 개업한 개인 병원이 있었다. 의사는 그 처방대로 약을 먹으면 위가 아프다면서 율무를 첨가해서 약을 지어 주었다. 그 약은 아침저녁으로 하루 두 번, 하루걸러 복용하여 열흘에 걸쳐 먹도록 되어 있었다.

예방약을 먹는 동안 이런저런 소문이 들리기 시작했다. 내가 묵는 아파트 단지에는 한국인이 많이 살았고, 그들의 언어 문제나 가사를 도와주는 조선족 아주머니도 많았다. 시장이나 슈퍼마켓에서는 조선족 아주머니들이 불안한 눈빛을 교환하며 낮은 목소리로 "어디서 괴질로 수백 명이 죽었다더라." 하는 이야기를 주고받는 것을 볼 수 있었다. 대학 병원 실습생들은 휴교했고 외국 유학생들은 자기 나라로 귀국한다고 했다. 그 사이 아파트 주변의 노천 장터들이 폐쇄되었고 아파트에 대한 대대적인 소독이 있었다. 그럼에도 중국 정부는 사스에 대해 어떤 내용도 보도하지 않았고 그 침묵 속에서 불안감만 가중되고 있었다.

중국 정부는 4월 21일이 되어서야 기자회견을 열고 사스에 대해 공식 발표했다. 위생성 부장, 부부장이 배석한 그 자리에는 외신 기자가 많이 참석했고 텔레비전으로 중계되었다. 중국 정부는 중국 내 사스 환자가 1807명 발생했고, 그중 79명이 사망했다고 발표했다. 베이징에만 환자 339명, 사망 18명, 의사 환자 402명이 있다고 했다. 지금 바이러스의 정체를 밝히기 위해 노력하고 있으며, 더 이상의 감염을 막기 위해 환자를 격리 수용하고 위생을 철저히 하는 노력을 하고 있다고도 했다.

질문 시간이 되자 대만의 한 여기자가 유난히 높고 떨리는 목소리로 중국 정부가 고의로 사스 발생을 은폐한 게 아니냐는 질문을 했다. 그전까지는 긴장감만 감돌던 회견장 분위기가 그 질문을 도화선으로 거칠어졌다. 위생성 관리들은 신경질적으로 감정을 드러냈고 기자들의 질문은 다그치듯 했다. 이를테면 한 외국인 기자가 "나는 어제 입국했다. 지금 베이징은 얼마나 안전한가?"라고 묻자 위생성 관리는 "지금 당신이 이렇게 살아 있다. 그것이 내 답이다."라고 대답하는 식이었다. 그들의 비이성적이고 분노에 찬 태도가 오히려 사태의 심각성을 확연히 드러내고 있었다.

그 기자회견 이후 모든 일이 급전직하로 변화했다. 베이징 중의약대학에 다니는 동생이 정오쯤 귀가해 그날부터 학교가 휴교에 들어갔다고 했고, 학생 가운데에도 환자가 20명쯤 발생했으며 사망한 의사도 있다고 했다. 하룻밤 새 환자가 100명 늘었다는 소문도 있다고 전했다. 텔레비전은 버스, 대합실, 공중 시설들에 대한 소독이 대대적으로 이루어지고 있다는 보도를 내보냈고 '조기 발견, 조기 보고, 조기 격리, 조기 치료'라는 구호도 등장했다.

기자회견 이후 중국 정부는 매일 사스 상황을 보도했다. 하룻밤 새 환자가 100명 늘었다는 소문이 사실로 확인되었다. 베이징만 보더라도, 21일에는 339명이던 환자가 23일에는 693명, 24일에는 774명, 25일에는 877명이 되었다. 사망자 수도 21일 18명에서 23일에는 35명, 24일에는 39명, 25일에는 42명으로 늘었다.

공황 상태는 기자회견 이튿날부터 나타났다. CRC숍이라는, 홍콩계 자본으로 지어진 대규모 슈퍼마켓에서 가장 먼저 쌀이 떨어졌다. 이어 잡곡, 식용유, 라면, 물 등이 있던 진열대가 비어 가기 시작했다. 불과 하루 만에 2층짜리 대형 슈퍼마켓이 텅 비는 광경을 눈앞에서 목격했다. 그날 저녁 뉴스에서는 사재기를 너무 많이 하지 말 것을 당부했지만 다음 날이 되어도 슈퍼마켓 매장에는 상품이 없었다.

4월 24일부터는 초등·중학교가 휴교에 들어갔고 거리에서도 사람들이 보이지 않게 되었다. 텅 빈 거리에 이따금 보이는 사람들은 마스크로 입을 가린 채 침묵과 고요 속에서 그림자처럼 움직였다. 짐을 싸들고 베이징을 떠나 고향으로 돌아가는 사람들이 줄을 이었고, 시골집에 전화를 걸어 "엄마, 차표가 없대. 나 무서워……." 하면서 우는 여성도 보였다.

아파트 한 동을 통째로 격리시켰다는 보도가 있었고, 동남아 어디로 가던 비행기에서 사스 환자가 발생하자 비행기를 어느 섬으로 착륙시켜 격리했다는 보도도 있었다. 갑자기 모든 것이 정지하는 느낌이었다. 시간도, 일상도, 삶도 멎고 살아 움직이는 것이라곤 긴장, 불안, 공포의 감정뿐이었다.

그 무렵 어느 날, 아주 상반되는 두 장면을 보았다. 하나는 부모와 두 아이가 마스크를 쓰고 긴장과 불안이 가득 찬 눈빛으로 여행 가방을 꾸려 집을 떠나는 장면이었다. 나는 그들과 엘리베이터를 함께 타고 있었는데 온 가족이 두 겹으로 마스크를 쓰고도 낯선 이의 얼굴을 외면했다. 엘리베이터를 내려 조금 걷다가 좀 전에 본 가족과 비슷한 연배의, 똑같은 구성원으로 이루어진 가족을 또 보았다. 그들은 공원에서 배드민턴을 치고 있었다. 마스크를 쓰지 않은 채 서로 유쾌하게 말을 건네며 밝고 활기찬 동작으로 운동에 열중했다.

똑같은 도시, 똑같은 아파트, 똑같은 전염병 환경에서 그것에 반응하는 방식이 그토록 다를 수 있다니……. 서로 다른 두 가정의 분위기는 아마도 그 집 가장이 사스에 대해 느끼는 불안감에 의해 형성되었을 것이고, 가장이 느끼는 불안감은 아마도 그의 내면에 이미 형성되어 있는 '불안감에 대한 센서'의 차이에서 비롯된 게 아닐까 싶었다.

그때 처음으로 전염병 상황에 대해 일관되게 관찰자의 입장을 취하고 있는 나의 태도에 대해서도 점검해 보았다. 그 공포와 공황 상태를 객관적으로 관찰하고, 다양하게 생각해 보는 내 태도 역시 불안감으로부터 자신을 방어하기 위한 한 방식이었다. 불안이나 공황의 감정에 압도되지 않기 위해 그것들을 멀리서 냉정하게 바라보고 있었던 셈이다. '객관화', '지식화'가 아주 오래되고 뿌리 깊은 나의 방어기제임을 다시 한 번 확인했을 것이다.

불안감의 역사는 인류의 역사만큼이나 뿌리 깊다. 생각해 보면 양서류에서 진화해 처음 뭍에 발을 내디딘 인류의 조상이 가장 압도적으로 느낀 감정은 불안감이었을 것이다. 불안감은 생을 위협하는 자연적, 사회적 요인들에 대한 정상적인 반응이라고 한다. 프로이트는 불안의 개념을 '위험 상황에 대한 반응'이라고 정의한다. 유아기에는 애착의 대상인 엄마를 상실하거나 엄마의 사랑을 잃는 것이 가장 위험한 상황이어서 아기는 엄마가 보이지 않으면 울음을 터뜨린다. 그 울음은 불안감의 표현이면서 동시에 보살펴 달라는 외침이다.

자라면서 아기는 그런 불안감에 대처할 수 있게 된다고 한다.

엄마가 눈앞에 보이지 않을 때 느끼는 불안감은 엄마가 다시 나타나면 해소된다. 그런 일들이 반복되면서 아기는 엄마가 잠시 보이지 않아도 엄마가 곁에 있는 것처럼 위안을 느끼게 되고 불안감과 맞설 수 있는 믿음을 얻는다. 얼굴을 기둥 뒤에 숨겼다가 내보이며 "까꿍"하고 노는 놀이는 아기들이 분리 불안에 대처하는 놀이법이라고 한다.

조금 극단적으로 말하면 여행은 낯설고 위험한 환경에 방치되는 일이다. 여행 가방의 크기는 그 주인의 불안감의 크기와 비례하는 게 아닐까 하는 의문을 품고 한동안 여행자들의 가방과 주인의 얼굴을 번갈아 관찰한 적도 있었다. 처음 여행을 떠날 때는 나도 여행 가방이 컸다. 그 큰 가방 속에 온갖 종류의 상비약을 고루 준비해 갔다. 소화제, 진통제, 지사제 같은 것 말고 또 다른 비장의 준비물이 있었는데 그것은 쑥과 마늘로 만든 환약이었다. 여행지에서 먹을 낯선 음식들에 대해 내 몸이 어떻게 반응할지 자신이 없어서였다. 쑥과 마늘은 곰도 사람으로 만들어 준다는 명약이라고 믿고 장복하기로 했다.

로마에 도착하고 난 일주일 후, 내가 무슨 일을 하고 있는지 알아차렸다. 거의 매일 쑥과 마늘뿐 아니라 소화제와 정로환을 먹고 있었다. 물을 갈아 먹어 배탈이 났기 때문이었는데 나중에 알고 보니 설사는 심장 박동 증가, 근육의 긴장 등과 함께 불안감에 대한 대표적인 신체적 반응이었다. 한국에서라면 자연 치유력을 믿으며 그냥 버텨 볼 상황에서도 우선 약부터 먹었다. 평생 입에 대

본 적 없고, 비상 상황에서나 쓰려고 준비해 간 우황청심환도 일없이 집어 먹었다. 내가 약을 많이 먹는구나 자각했을 때 내가 불안해하고 있음을 알아차렸다.

아마 그 무렵의 어느 날이었을 것이다. 로마 시내 한가운데서 시에스타 시간을 만나 텅 빈 거리에 망연히 서 있게 되었다. 몇몇 관광객들만 움직이고, 그들을 상대하는 한두 군데 상점만 문을 열어 놓았을 뿐 거리에는 숨 막히는 열기와 느닷없는 고요뿐이었다. 사방을 둘러보면 눈에 들어오는 모든 글자들이 암호 같기만 한 그 거리에서 문득 생각지도 않았던 시 한 구절이 떠올랐다.

외국은 잠시 여행에 빛나고
삼사 년 공부하기에나 알맞지
십 년이 넘으면 외국은
참으로 우습고 황량하구나

마종기 시인의 시라는 사실만 명확할 뿐, 제목도 앞뒤 구절도 기억나지 않는 채로 오직 그 단락만이 떠올랐다. 여행 첫 주에 나는 벌써 '참으로 우습고 황량하구나' 하는 감정을 내면에서, 혹은 외부에서 알아차리고 있었나. 그것이 누구의 내면에나 있는 뿌리 깊은 생존에 대한 불안감이라는 것을, 내면의 불안감이 외국이라는 낯설고 위험한 환경에서는 더 면밀하게 감지된다는 것을. 그 후로도 여행 내내, 그 시구는 후렴처럼 자주 머릿속에 떠오르곤 했다.

이렇게 말하기가 조심스럽지만 여행지에서 만난 한국인들에게서 가장 두드러지게 느낀 감정은 불안과 분노였다. 밀라노든 파리든 퀸스타운이든 그들은 묻지도 않았는데 그곳이 살기 좋다고 말했다. 높은 목소리로, 혹은 빠르고 강한 말투로 그 말을 했다. 그런 말을 들을 때마다 어떤 점이 그렇게 좋은지 빠짐없이 물어보았다. 밀라노에서 98평짜리 아파트를 임대해서 그곳에 파견 근무 중인 한국 기업체 직원들을 상대로 하숙을 치는 아주머니는 이렇게 대답했다.

"우리나라는 아버지나 오빠 같은 사람들이 개인의 사생활까지 간섭하잖아요. 그런데 이 사람들은 가족끼리도 간섭하지 않고, 시어머니가 아들 집에 와도 며느리가 들어오라고 하지 않으면 문밖에 서 있다가 돌아가야 해요."

파리 민박집 여주인은 이렇게 말했다.

"우리나라 아파트 단지의 중산층 아줌마들을 봐요, 그 치맛바람과 무리 짓기가 얼마나 사나운지. 여기는 그런 게 없어서 좋아요."

볼로냐에서 영화를 공부하는 친구는 이탈리아의 좋은 점에 대해 이렇게 말했다.

"이 나라는 합리적이야. 뭐든 원칙이 통한다니까."

그들의 이야기를 들을 때마다 그들이 좋다고 말하는 바로 그 지점에 그들의 트라우마가 있는 게 아닌가 싶었다. 생에서 문제가 되는 그 하나의 상처만 해결되면 나머지는 다 괜찮아질 바로 그 아킬레스건에 대해 이야기하는구나 싶었다. 퀸스타운에서 만났던 한국 식당 주인은 뉴질랜드가 살기 좋은 이유를 이렇게 말했다.

"그냥 모든 게 다 좋아요. 외로운 것과 돈을 많이 벌지 못한다는 것만 빼면."

그의 딸은 더니든에 있는 의대에 다니고 아들은 고등학생이라고 했다. 그가 좋다고 말하는 것이 교육 환경인지, 청정한 자연 환경인지는 알 수 없었지만 인간의 삶에서 외로움과 경제적 문제를 빼면 무엇이 더 중요한가 하고 또 생각해 보았다.

여행을 다녀온 후 나는 외국에 오래 살다 온 사람에게 외국 생활이 어땠느냐고 묻지 않게 되었다. 외국으로 이민 떠나는 사람을 보면 말리고 싶어지기도 한다. 그들이 자신들의 터전에서 그토록 멀리 떠나는 이유가 일종의 방어적 행동이 아닌가 혼자 짚어 보기도 한다. 외국 생활은 틀림없이 내면에 있는 원초적 불안감과 더욱 첨예하게 맞닥뜨리는 환경이었다.

모든 감정이 그렇듯이 불안에도 정상적인 불안과 병적인 불안이 있으며, 그 경계를 명료하게 구분하기 어렵다고 한다. 다만 정도가 심하고 오래 지속되며, 무력감을 동반하면 그것을 비정상적인 불안, 불안 장애로 분류한다. 특히 불안 장애는 실제로 존재하는 위험에 대한 반응이 아니라 위험에 대한 막연한 생각으로 인해 몸과 마음이 무력하게 느껴지는 상태다. 하늘이 무너질까 봐 늘 걱정했다는 옛 중국의 기우라는 사람이나, 물이 무서워 다리를 건너지 못하고 심지어 얕은 도랑가에조차 서 있지 못했다는 히포크라테스 시대의 어느 환자는 대표적인 불안 장애의 사례다.

불안 장애는 많은 부분에서 원인이 제대로 밝혀져 있지 않다고 한다. 다만 추측되는 원인 중 한 가지는 유아기에 엄마의 사랑이 일관되게 제공되지 않았기 때문이라는 것이다. 사랑과 분노를 번갈아 가며 내밀거나, 표면적으로는 사랑을 주는데 내면적으로는 질투나 분노를 투사하거나, 조건을 내세워 사랑을 주었다 뺏었다 하면 그것을 받는 아기의 마음에 불안이 자리 잡는다.

전문가들은 일관되게 사랑하지 않을 거면 차라리 일관되게 냉담한 부모가 낫다고 한다. 일관되게 냉담하면 아기는 다른 곳에서 애착 대상을 찾고 관계를 만든다는 것이다. 우울증에 대한 인지 치료처럼 불안 장애도 그 근원이 실제로 존재하지 않는 위험에 대한 과잉 반응이며, 유아기의 환상이라는 것을 알아차리는 데서 해결책을 찾아야 한다.

첫 여행지에서 내 불안감을 알아보기 시작한 후 더 자주 그것을 알아볼 수 있었다. 나는 얼마나 긴장하고 있었는지 알람이나 모닝콜 없이도 새벽 여섯 시면 어김없이 눈을 떴다. 시차 때문에 겪는다는 생체 리듬의 혼돈도 느끼지 않았다. 시간에 늦어 기차나 버스를 놓쳐 본 적이 없었고, 하루 세 끼를 꼬박꼬박 챙겨 먹었다. 일상에 대한 그 정확함이 모두 불안감의 소산이었다.

이미 나의 내면에 들어 있던 불안감도 뒤늦게 알아보았다. 공부도 하지 않으면서 책가방에 온갖 책과 참고서를 그득 넣어 가지고 다니던 학창 시절이나, 일거리가 없으면 허전해서 어쩔 줄 몰라 했던 직장 생활 시절의 버릇이 모두 불안감이었다. 그중에서도 내 불안감을 가장 잘 드러내는 말이 있었으니 그것은 "생이 안정되면……."이라는 막연한 가정법이었다.

나는 늘 "생이 안정되면……."이라고 꿈꾸어 왔다. 생이 안정되면 그것을 베이스캠프 삼아 멀리 여행을 떠나고, 한두 해쯤 노동 없는 무위한 나날을 보내면서 다급하게 살아온 자신에게 긴 휴가를 주리라 마음먹고 있었다. 빡빡한 노동의 나날 속에서 그런 꿈을 꿀 때 삶이 안정된다는 뜻은 전세 계약 기간에 따라 바뀌지 않는 주소, 노동 없이도 한두 해쯤 편안하게 지낼 수 있는 은행 잔고, 삶의 조타륜을 명백히 내 손안에 쥐고 있다는 확신 등이었다. 그러나 바로 그 꿈과 비슷한 삶의 조건에 다가갔음에도 마음속에는 그토록 꿈꾸어 온 '안정'이 오지 않았다. 고생 고생하다가 살 만해지면 암에 걸린다는 속설처럼 그 시점에서 오히려 몸이 아프기 시작했다.

"생이 안정되면……."

그 욕망이 나의 불안감을 극명하게 드러내는 말이었다는 것도 여행 중에 알아차렸다. 오클랜드 도메인의 파라솔 모양 나무 밑에서였다. 정지된 여행의 일상 속에서 문득 우울증이 오고, 바로 그

'멈춤'이 우울증의 원인이었음을 알았을 때 깨달았을 것이다. 생이란 본디부터 그렇게 유동적이고 불안정하고 소란스럽고 깨어지기 쉬운 것이라는 것을. 본래 그런 삶을 유독 불안정하게 느꼈던 것은 내면의 불안감 때문이었으며, 그것 때문에 정상적인 삶조차 불안하게 받아들였다는 것을.

내면의 불안감을 인식하고 수용하자 오히려 불안정하다고 느껴 온 삶의 조건들을 파도타기하듯 누릴 수 있을 것 같았다. 삶의 안정을 꿈꾸는 대신 어떻게 파도타기의 중심을 잘 잡을 것인가에 대해 생각해야 한다는 것도 알았다. 그것은, 적어도 내게는, 소중하고 의미 있는 발견이었다.

분노가 가면을 쓰고 다른 대상에게 옮겨진 것

공 포

첫 여행지인 로마에 도착했을 때 가장 먼저, 가장 압도적으로 맞닥뜨린 감정은 공포였다. 처음 로마 시내로 나갔던 날, 귀가 먹먹할 정도로 울려 대는 스쿠터 소음, 숨쉬기 힘들 정도로 심한 매연, 발길에 차이는 쓰레기들, 살갗의 숨구멍조차 틀어막힐 것 같은 후텁지근한 열기……. 그 혼돈스러운 환경 속에서 심장이 오그라드는 듯한 공포심을 느꼈다. 객관적 환경이 두려운 게 아니라 그 환경이 자아내는 낯설고 무질서하고 혼돈스러운 분위기가 두려웠다.

거리에서 만나는 사람들에게서도 혼돈과 무질서의 분위기가 느껴졌다. 내 손에 들려 있는 지폐를 달라고 손짓하는 집시 여인, 관광객의 표정을 살피면서 역 주변을 무리지어 배회하는 아랍인 청년들, 큰 목소리와 과장된 제스처로 자신의 삶을 연기하는 듯 보이는 현지인들, 닳고 닳은 과잉 친절 너머로 은밀한 불신과 적대감을 드러내는 상인들……. 내 눈에는 로마라는 도시 전체가 어떤 원시적이고 거친 힘에 의해 떠밀려 가는 것 같았다.

두 번째로 로마 시내에 나갔던 날, 무리지어 걸어오는 예닐곱 명의 청년들과 거리에서 맞닥뜨리게 되었다. 그들은 횡대로 늘어서서 도로를 점령한 채 내 쪽으로 걸어오고 있었는데 십여 미터 전방에서 그들을 발견하는 순간 온몸이 딱딱하게 굳는 듯한 공포가 밀려왔다. 나는 그들 사이를 뚫고 지나갈 자신이 없었다. 걸음을 멈춘 채 내면에서 올라오는 공포의 감정을 느껴 보았고, 지체 없이 횡단보도로 가서 길을 건넜다. 건너편 도로에서 지나가는 청년들을 바라보면서 내가 느끼는 공포가 얼마나 비이성적인지, 그럼에도 또한 얼마나 생생한지를 자각하고 있었다.

그 두 번의 경험을 통해 다시 한 번 환기했을 것이다. 공포심은 이미 오래전부터 나의 내면에 존재하는 정서적 장애이며, 내가 보고 있는 로마라는 도시와는 아무 상관이 없다는 것을. 그 공포심을 극복하지 못하면 여행을 포기하게 될지도 모르겠다는 생각이 들었다.

여행은 낯선 환경 속에 혼자 방치되는 일이며, 앞으로도 무수히 많은 돌발적인 사건들과 변수들로 이루어질 텐데 벌써부터 그렇게 위축될 수는 없었다. 그 낯선 도시, 미심쩍어 보이는 사람들, 거친 환경이 빚어내는 분위기에 적응하고 공포심을 이겨 내기 위한 훈련이 필요하다고 판단했다. 아마도 로마라는 도시에 적응할 수 있는가가 내 여행의 앞날에 대한 시금석이 될 듯했다.

일주일쯤 기간을 잡았을 것이다. 그 기간 동안 아침마다 작은 가방에 하루 동안 쓸 돈, 여권 복사본, 물 한 병, 선글라스와 지도만 챙겨 들고 집을 나섰다. 그리고는 특별한 목적지를 정하지 않은 채 로마 시내를 발 닿는 대로 걸어 다녔다. 거리에서 스쳐 지나가는 사람들의 낯빛을 유심히 관찰했고, 손 내미는 집시 여인과 오래 눈을 마주쳤고, 역 근처에 무리지어 서 있는 청년들 옆으로 천천히 지나가기도 했다.

그렇게 나흘쯤 지났을 때 비이성적인 공포심이 극복된다고 느껴지던 명확한 순간이 있었다. 역 근처에서 한 무리의 아랍인 청년과 맞닥뜨렸을 때였다. 이번에는 그들을 피하지 않고 그들 사이를 똑바로 지나갔고, 그러면서 그들 중 한 사람의 눈길을 정면으로 마주 보았다. 그와 시선을 맞닥뜨리고 있을 때는 마치 시선이 심장에서 나오는 듯 심장이 팽팽하게 긴장하는 게 느껴질 정도였다. 그럼에도 시선을 피하지 않았고 눈에 더 힘을 주어 상대방의 시선을 마주 보았다. 그런데 놀랍게도 그 청년이 눈을 내리깔면서 내 시선을 피했다.

바로 그 순간이었다. 거칠고 폭력적으로 보이던 그 청년이 일순간 나약하고 비겁한 자의 전형적인 모습을 하고 있는 게 보였다. 그 역시 조국을 떠나 낯선 땅을 떠도는 이방인일 뿐이라는 것, 그가 살아가는 방법이 배회와 소매치기일 뿐이라는 것, 그것이 진정한 그의 실체였다. 그의 실체가 보이자 공포심이 사위면서 동질감이나 연민 같은 게 그 자리를 대신했다. 내 공포는 대상에 대한 이미지가 거대하게 부풀려져 있었던 데서 온 착각일 뿐이었다. 그렇게 일주일쯤 지나자 최초의 공포와 충격이 많이 완화되었고 여행을 계속할 수 있는 자신감도 얻었다. 내가 로마에서 사용했던 그 방법이 불안 공포에 대한 '인지 학습 치료'와 같은 것이라는 사실을 나중에 알았다.

공포심은 불안처럼 낯설고 위험한 환경에서 느끼는 정상적인 반응이라고 한다. 사실 인류의 유전자 속에 불안감과 함께 가장 선명히 기록된 감정이 공포심일 것이다. 적의 위협, 부족한 먹을거리, 위험한 환경으로부터 자신을 방어하기 위해서 먼저 불안과 공포의 감정이 발달되었어야 했을 것이다. 공포는 대체로 불안과 함께 이야기되며 더러 중복되기도 한다. 불안이 막연하고 비이성적인 위험과 관련된 반면 공포는 구체적이고 대상이 있는 위험에 대한 반응이라고 한다.

정상적인 공포심은 틀림없이 삶의 안전핀 역할을 한다. 여행지에서 차를 태워 주겠다는 낯선 이의 호의를 거절하는 것, 이국의 밤거리에 함부로 나서지 않는 것, 위험할 것 같은 지역으로 가지 않는 것은 우선 공포심 때문이었다. 하지만 그런 태도가 나의 안전을 지켜 주었을 것이다.

그럼에도 불구하고 공포심에 대해서는 할 말이 없을 정도로 나는 평생 겁이 많았다. 스릴과 서스펜스에 빛난다는 공포 영화를 본 적이 없고 주먹을 난타하는 권투 중계를 보지 않았다. 심지어 선수들이 몸과 몸을 직접 부딪치는 농구나 축구 같은 스포츠 종목도 싫어해서 내가 즐기는 스포츠란 야구나 배구 같은 것뿐이었다. 불을 끄면 방안의 사물들이 문득 무서운 형상을 하며 몸을 일으키는 것 같아 평생을 방에 불을 켜 놓은 채 잠들었다.

그저 남들보다 조금 더 겁이 많다고만 생각했던 내 공포심이 아무래도 병적이구나 자각하던 때가 있었다. 본격적으로 몸이 아프기 직전 어느 무렵이었을 것이다. 방문에 작은 인형을 하나 매달아 두었는데 어느 날 밤 우연히 그 인형에 시선이 닿았을 때 덜컥 숨이 막히는 듯한 느낌이 왔다. 인형이 살아 있는 무서운 물체, 금방이라도 눈을 빛내고 입을 벌리면서 내게 달려들 듯한 공포의 대상이 되었다. 이미 효수당해 공중에 매달려 있는 죽은 사람처럼 보이기도 했다.

순식간에 온몸에 소름이 돋으면서 서늘한 기운이 몸을 관통했고 공포라는 감정에 몸이 설컹 베어지는 듯했다. 뒤이어 숨을 쉴 수 없게 심장이 압박되어 왔다. 한 손으로는 가슴을 누른 채 다른 손으로는 신문지를 찾아 들고 인형을 외면한 상태로 방문 쪽으로 다가갔다. 그리고는 손만 뻗어 신문지로 인형을 감싸 떼어 낸 다음 현관 바깥의 쓰레기통에 던져 넣었다.

그 행동을 하는 동안에는 그것이 이상하다는 생각이 없었다. 격렬했던 공포가 가라앉고 나자 아무래도 자신의 행동이 이상하게 여겨졌다. 몇 달째 거기 있던 인형이, 늘 보아 왔던 그것이 한순간에 그토록 무섭게 보이다니, 그것은 틀림없이 인형 탓이 아니었다.

그 공포심은 점점 심해져서, 정신분석을 받기 직전에 가장 고통스럽고 불편했던 감정도 공포였다. 허공이나 어둠 속에서 온갖 종류의 비현실적인 환영을 보았고, 그들이 등장하는 악몽을 꾸거나 가위눌렸고, 기어이 잠자리에 들기조차 두려워졌다. 나중에는 밤에 혼자 집에 있을 수가 없었고, 아예 낮에도 집에 들어갈 수 없게 되었다. 그때의 공포는 비이성적이고, 비의적이고, 이해 불능이고, 근거 없는 것이었지만 그것의 한가운데 있을 때는 너무나 생생하여 이성적인 판단은커녕 숨조차 쉴 수 없었다.

정신분석을 받고 깨달은 것은 그 폭발적인 공포의 감정이 모두 억압된 분노라는 사실이었다. 아기 때부터 억압되고 내면화된 분노는 다른 감정이나 신체적 증상으로 표출되는데 그중 대표적인 것이 공포심이라고 한다. 쥐를 유난히 무서워하는 남학생, 거미를 병적으로 두려워하는 여학생을 분석했더니 남학생은 아버지에 대한 분노를, 여학생은 어머니에 대한 분노를 억압하고 있더라는 이야기는 정신의학의 고전적 상식이다.

공포의 종류도 다양해서 넓은 거리나 광장을 불편해 하는 광장 공포증, 타인의 시선에 당황하거나 모욕감을 느끼는 사회 공포증, 다른 사람은 알아차리지도 못하는 신체의 결함을 계속 늘어놓는 기형 공포증, 비행기 타는 데 두려움을 느끼는 비행 공포증 등이 있다. 또한 단순하고 특별한 대상, 즉 특정 동물이나 곤충, 뾰족한 물체, 어둠, 천둥, 꽃, 물 등이 공포심의 대상이 되기도 한다. 공포의 대상이 그토록 다양하다는 것은 분노가 그토록 여러 가지 가면을 쓴다는 뜻이기도 할 것이다.

위에 열거한 공포증 중에서 내게 있었던 것은 어둠에 대한 공포, 뾰족한 물체(책상 모서리)에 대한 공포, 그리고 경미한 정도의 사회 공포증이었다. 나는 한동안 타인의 구체적, 추상적 시선을 불편해했고, 낯선 사람 앞에서 수줍어했고, 긴장된 상황에서 절로 얼굴이 붉어지곤 했다. 마침내 통제할 수 없을 정도로 압도당했던 비이성적인 공포는 막다른 곳에 도달한 분노가 신경증적으로 표출된 것이었다.

여행 다니면서 아쉬웠던 것 중 하나는 공포심만 없었다면 여행이 얼마나 자유롭고 풍성했을까 하는 것이었다. 낯선 곳으로 갈 때마다 늘 내면에서 이는 두려움을 다스려야 했고, 혼자 낯선 도

시의 밤거리로 나갈 수 없어 밤 문화나 야경을 제대로 구경한 적이 없었다. 기차가 결항하는 바람에 한밤의 낯선 시골 역에서 막막히 다음 기차를 기다려야 했을 때, 길을 잘못 들어 인적 드문 산길을 오래 걸어야 했을 때, 그런 때는 공포심 때문에 다른 감성들이 마비되는 것을 느꼈다.

그렇게 공포심을 느끼고 그것을 이겨 내고 하던 어느 날, 놀라운 사실 한 가지를 깨달았다. 내가 느끼는 공포심의 배면에는 대체로 남성의 잠재적인 폭력성에 대한 환상이 있다는 것이었다. 어떤 특정한 남성이 아니라 막연한 남성, 추상적인 남성, 아주 큰 덩어리로 인류의 반인 남성에 대한 공포심이 있었다.

여행에서 가장 처음 느꼈던 공포심부터 그랬다. 타이 항공 비행기가 방콕에 잠시 기착했을 때 걷기 운동도 할 겸, 담배도 피울 겸 흡연 구역을 찾아갔다. 긴 공항 청사를 걷고 또 걸어 흡연실을 발견했을 때, 그 안에는 시커먼 옷을 입은 남성들만 예닐곱 명쯤 웅크리고 있었다. 전방 30미터쯤의 거리에서 그 장면을 확인한 후 잠시도 망설이지 않고 그대로 발길을 돌렸다. 자정 가까운 시각에 시커먼 남성들이 웅크리고 있는 좁은 공간으로 들어가지 않는 것, 그것은 공포심이었다. 그 후 로마에서 느꼈던 강렬한 공포심도 한 무리의 남성들을 보면서였고, 보르게세 공원에서 무례한 태도로 말을 붙여 왔던 남성에게서 느꼈던 감정도 돌이켜 보면 공포심이었다.

적도의 섬 뉴칼레도니아의 한 숙소에서도 그런 경험이 있었다.

그 숙소는 널찍한 베란다가 달려 있고, 베란다에는 둥근 테이블과 긴 의자가 비치되어 있어 그곳에 앉아 있는 것이 좋았다. 그런데 자정 가까운 시각에 담배를 피우기 위해 베란다에 나갔다가 그만 안으로 문이 잠기고 말았다. 객실마다 달린 베란다는 독립적으로 설치되어 있고 베란다 사이의 거리는 3미터도 넘어 보였다. 양옆 숙소의 창에는 이미 불이 꺼져 있었고, 내 방은 5층이었고, 가로로 긴 건물의 날개 쪽 끝에 있었다. 아래쪽으로 이따금 자동차가 지나갔지만 저쪽 건물 현관에 가서 멈췄고, 현관 쪽을 향해 아무리 소리 질러도 들을 만한 사람이 없었다.

꼼짝없이 베란다에서 밤을 보내야 하나 보다 싶었다. 이상하게도 그런 위기 상황이 오면 오히려 마음이 차분하게 가라앉으면서 더욱 냉정해졌다. 적도 지방의 밤 날씨는 따뜻해서 추위에 떨지 않아도 되는 점이 다행스러웠고, 비스듬히 누울 수 있는 긴 의자가 있는 것도 행운이지 싶었다. 의자 위에 최대한 편안하게 누워 몸과 마음을 이완시켰다. 그런 상태로 여섯 시간쯤 보낼 각오를 하고 마음을 비우자 거짓말처럼 옆 숙소에 불이 켜지며 창이 열렸다. 그 창을 향해 소리 지르자 일본인으로 보이는 여성이 고개를 내밀었다. 안에서 문이 잠긴 상황을 설명하고 프런트에 연락해 달라고 부탁했다.

이제 위기 상황에서 벗어나는구나 싶은 안도감 때문이었는지도 모른다. 긴장이 풀어지고 마음이 이완되어서였는지도 몰랐다. 창을 통해 방을 들여다보고 있는데 잠시 후 방문 손잡이가 돌아가고 문이 열렸다. 문을 열고 들어서는 사람은 덩치가 얼마나 큰지 몸이 문틀을 가득 채울 정도였다. 그런 거구가 복도에 켜진 조명을 역광으로 받은 채 문간에 잠시 서 있었다. 그 역시 약간의 경계심과 함께 방의 분위기를 살피기 위해 그랬겠지만, 그가 잠시 동작을 멈춘 순간 내가 느낀 감정은 뜻밖에도 공포였다. 이성적으로 생각하면 오히려 안도감이나 반가움을 느껴야 할 텐데 오히려 근거 없지만 강렬한 공포의 감정이 마음을 가득 채웠다.

내 공포심의 성분 중에 남성의 잠재적 폭력성에 대한 환상이 있음을 깨달은 것은 좀 충격이었다. 직장 생활을 하면서 남성들이 자기 가정을 지키기 위해 얼마나 애쓰는지, 가부장제를 어깨에 메고 얼마나 분투하는지, 날마다 얼마나 고된 노동과 굴욕감을 참아내는지 많이 보았다. 남편에게 떼쓰고 요구하기만 하는 철없는 아내들이 한심하게 여겨질 만큼 남성과 동일시된 감정을 느끼기도 했다.

가끔은 남성들이 그토록 힘들게 일하는 이유가 다만 개인적인 성취욕이나 가장으로서의 의무감 때문이 아니라 그들 내면에 있는 비이성적인 경쟁심이나 공격성 때문이 아닐까 싶기도 했다. 그런 때는 그 비이성적인 경쟁심이나 공격성 또한 가여웠다. 그런데, 그럼에도 불구하고, 나의 내면에 있는 남성에 대한 공포심은 너무나 선명했다.

❧

여행에서 돌아온 후 한동안 여성들을 만날 때면 공포심을 화제에 올려 보았다. 나의 공포심이 특별한 것인지, 아니면 여성들의 일반적인 특성인지 알고 싶어서였다.

그런데 뜻밖에도 많은 여성들이 공포심이 없었다면 삶이 한결 풍요로웠을 거라고 생각하고 있었고, 남성의 잠재적 폭력성에 대한 공포심을 가지고 있었다. 내가 이야기를 나누어 본 거의 대부분의 여성들이 남성의 폭력에 노출된 경험을 가지고 있었다. 창밖에서 몰래 엿보는 남성, 골목길에서 뒤따라와 목에 흉기를 들이대고 지갑을 빼앗는 남성, 사랑의 이름으로 폭력적인 남성, 가부장의 이름으로 폭력을 휘두르는 아버지나 남편에 대한 기억을 이야기했다.

그러고 보면 사회적으로 날마다 일어나는 유괴, 연쇄살인, 강도 등의 범죄도 대체로 남성이 여성을 상대로 저지르는 것이었다. 그런 경험들 속에서 여성들에게는 남성에 대한 잠재적 공포심이 형성되었을 것이며, 나의 공포심이 유난스러운 건 아니었구나 하는 안도감이 생겼다.

그런데 재미있는 일은 거의 모든 남성들이 여성이 느끼는 공포에 대해 공감은커녕 이해조차 못한다는 점이었다. 아무리 등산을 좋아해도 웬만한 여성들은 평일 낮에 혼자 산에 오르는 일에 두려움을 느낀다. 텅 빈 산에서 사람이라도 만나면 그게 제일 무섭다고 입을 모은다. 평일 낮에 혼자 북한산 등반을 즐기는 남자 선배에게 나의 부러움과 두려움을 이야기했더니 그는 내 말을 전혀 이해하지 못했다. 심지어 자상한 목소리로 나를 설득하려 했다. 산에 가는 사람들은 절대로 위험하지 않다고, 겁내지 말고 한번 가 보라고. 그것이 그 선배뿐 아니라 많은 남성들의 공통된 생각이라는 사실을 알았을 때는 또 놀랐다. 남성과 여성이 얼마나 다른지를 확인하면서.

인류학자인 리처드 랭햄과 영장류 동물학자인 데일 피터슨이 쓴《악마 같은 남성》이라는 책은 남성의 폭력성에 대해 고찰한 책이다. 그 책을 보면 남성은 힘에 대한 욕망을 가지도록, 점점 폭력적이 되도록 진화해 왔다고 한다. 공격적인 연합을 만들어 자신을 보호하고 집단을 수호하기 위해 싸워 왔다. 힘을 갖는 것이 자신들의 생존에, 후손 번식에, 더 많은 자유와 명예를 획득하는 데 유익한 전략이었기 때문이다.

남성에 비해 물리적으로, 사회적으로 현저히 힘이 약한 여성은 그런 남성들과 함께 살기 위해 온화하고 부드러운 기질을 강화하는 쪽으로 진화해 왔다고 한다. 남성의 폭력성을 두려워하면서 또한 폭력적인 남성에게 의존하는 것이 여성의 생존법이었다. 아이러니하게도 여성은 남성의 폭력성을 두려워하면서도 가장 힘이 세고 폭력적인 남성에게 매력을 느낀다. 가장 폭력적인 남성이 가장 훌륭한 보호자가 되며, 그래야 훌륭한 자손을 얻을 수 있기 때문이라는 것이다. 남성이 폭력성을 강화하도록 진화해 온 데는 일정 부분 여성의 책임도 있다는 것이 그 책의 주장이었다.

이제는 예전에 비해 겁이 많이 없어졌다. 공포심의 근원이 유아기에 만들어진 환상이며, 실재하지 않는 대상에 대해 느끼는 감정이며, 유전자 속에 깃들인 생존법이기도 하다는 사실을 안 것은 유익했다. 주변 남성들을 구체적으로 떠올려 보며, 그들 대부분이 내게 폭력을 휘두른 적이 없음을 뒤늦게 자각했을 때는 자신에 대해 좀 어처구니없다는 느낌이었다. 폭력은커녕 보호와 도움을 더 많이 받았다는 사실을 인식하면서 남성들에게 살짝 미안하기도 했다.

여행 중 불안, 공포 상황에 처하고 그것을 이겨 내고 하면서 나도 모르는 새 인지 학습 치료를 한 것도 공포를 이겨 내는 데 도움이 되었을 것이다. 그러나 근본적으로는 공포의 근원인 억압된 분노가 해소되었기 때문이라고 믿고 있다. 내면에 억압된 분노를 인식하고, 그것을 꺼내서 직면하고, 천천히 해소시키는 긴 기간을 보냈기 때문일 것이다. 언제부턴가 공포에 대해 별로 의식하지 않게 되었고 어느 날 문득 겁이 많이 없어진 것을 알아차렸다. 물론 오래된 버릇처럼 아직도 스릴과 서스펜스 넘치는 액션 호러 영화는 보지 못하지만.

이제 나는 누군가가 "겁이 많다.", "무서운 것이 정말 싫다."고 진저리치듯 이야기하면 속으로 생각한다. '좋은 사람'이라는 평을 듣는 사람이겠구나, 쉽게 화를 내지도 않겠구나, 그러나 내면에는 엄청난 양의 분노가 억압되어 있겠구나. 그 억압된 분노로 인해 서서히 자신의 삶을 파괴하고 있겠구나…….

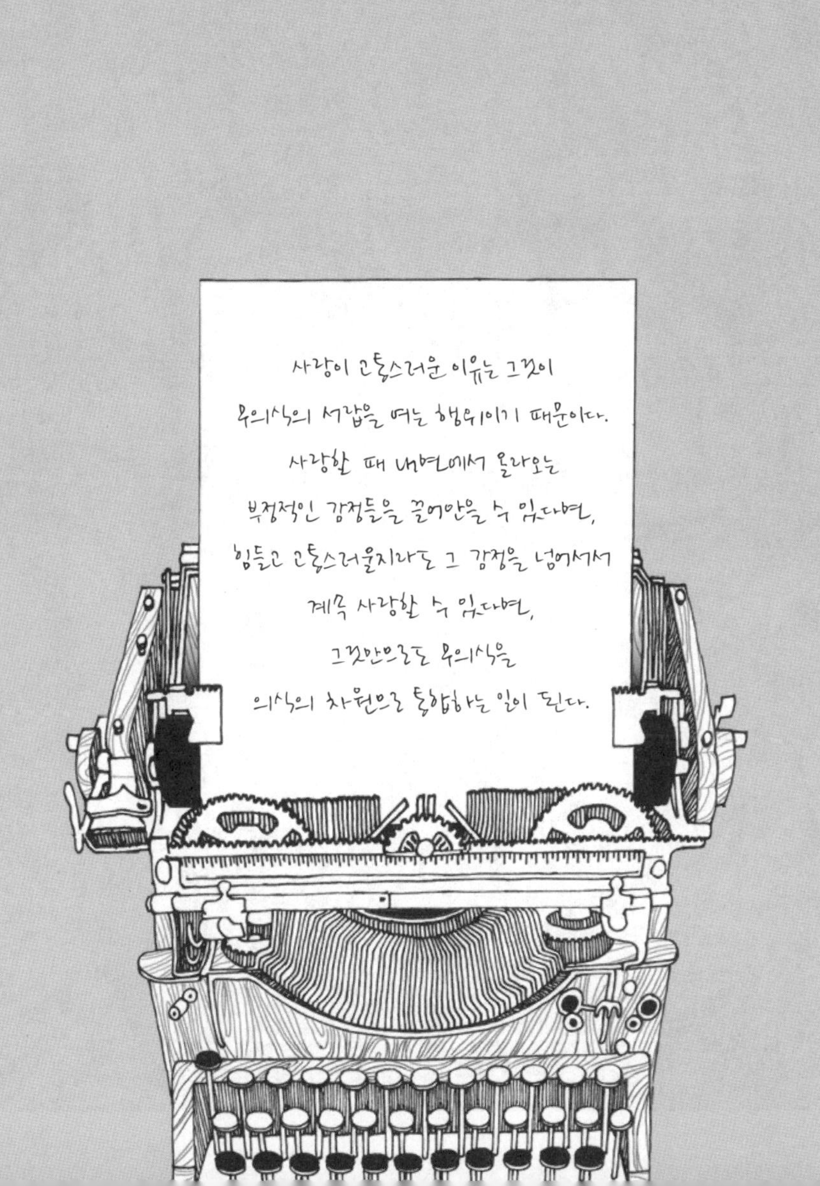
사랑이 고통스러운 이유는 그것이
무의식의 서랍을 여는 행위이기 때문이다.
사랑할 때 내면에서 올라오는
부정적인 감정들을 끌어안을 수 있다면,
힘들고 고통스러울지라도 그 감정을 넘어서서
계속 사랑할 수 있다면,
그것만으로도 무의식을
의식의 차원으로 통합하는 일이 된다.

무의식적 생존법

Chapter 2

의존
중독
질투
시기심
분열
투사
회피

심리적 안정을 얻기 위해 사용하는 대상

의존

나폴리에서 로마로 가는 기차 안에서 있었던 일이다. 오십 대쯤으로 보이는 남성 역무원이 다가와 "어느 나라에서 왔느냐?"고 물었다. 대답하는 동안 그는 벌써 맞은편 의자에 앉더니 "너희 나라 전화 카드를 가지고 있느냐?"고 또 물었다. 테이블이 가운데 놓여 있고 의자가 마주 보게 설치되어 있었는데 한 객실에 손님이 서너 명밖에 없을 정도로 한산했다. 내가 전화 카드가 없다고 말하는 동안 그는 벌써 재킷 주머니에서 지갑을 꺼냈다. 그의 지갑에서는 한 움큼이나 되는 전화 카드가 나왔는데 그는 내게 아무런 양해도 구하지 않고 그 카드들을 테이블 위에 늘어놓기 시작했다.

"이건 터키 것, 이건 일본 것, 이건 스위스 거……."

그의 손은 굵고 투박했지만 전화 카드를 다루는 솜씨는 날렵했다. 다양한 색깔, 갖가지 문양, 낯선 글자들이 쓰여 있는 전화 카드는 국제 규격이 있는지 크기가 모두 똑같았다. 그중에는 한국통신에서 발행된 카드도 보였다.

물론 나는 전화 카드보다 그것을 늘어놓는 역무원을 더 유심히 보았다. 그는 커다란 덩치에 배가 많이 나온, 이제 막 노년으로 접어드는 사내였는데 카드에 대해 아주 자랑스러워하는 듯한 표정을 짓고 있었다. 그 자랑스러운 것들을 내게 보여 주고 싶어 하는 것 같았고, 그것을 보여 줄 수 있어 몹시 행복한 것 같아 보였다. 그럼에도 그는 비현실적인 몽상가라기보다는 계산 빠른 수완가 같은 표정을 짓고 있었다. 전화 카드를 나열하면서 그는 그것을 자신의 취미생활이라고 말했고, 내 눈에는 그것이 그의 정신의 일부처럼 보였다. 그는 약 10분 동안 전화 카드를 늘어놓고 자랑한 다음 고스란히 간추려 지갑에 다시 넣고 자리를 떴다. 무엇엔가 홀린 것 같은 기분이었다.

며칠 후 일요일에만 열리는 로마의 한 벼룩시장에 갔더니 다 쓴 전화 카드를 판매하는 상인이 여럿 보였다. 그들은 임시로 조립한 판매대 위에 세계 각국의 다양한 전화 카드들을 진열해 놓고 있었다. 몇몇 고객들이 꿈꾸는 듯한 표정으로 전화 카드들을 살펴보다가 그중 한두 장을 구매했고, 어떤 이는 자신이 소장하고 있는 카드를 가지고 와서 다른 카드와 교환해 갔다. 전화 카드 수집은 그 나라의 유행인 듯했다. 나중에 밀라노에서는 공중전화를 걸고 돌아서자 등 뒤에 서 있던 노인이 내가 방금 다 쓴 전화 카드를 달라고 손을 내밀었다. 그는 전화 카드 한 장을 받아 들고 세상을 다 얻은 듯 미소를 지었다.

의존성에 대한 이야기를 하려는 참이다. 인간은 사회적 동물이기 때문에 혼자 살 수 없고, 반드시 누군가와 서로 돕고, 교류하고, 의존하면서 살아야 한다. 크고 작은 소모임을 만들고 비슷한 취미로 무리를 짓고, 연합회를 구성하고 동맹을 맺는 이유도 우리가 불안정하고 나약한 존재들이기 때문이다. 무엇보다 우리는 애착을 주고받을 대상을 필요로 하며 그 행위를 통해 자신의 존재를 확인한다.

모든 인간에게 최초의 의존 대상은 물론 엄마다. 아기에게 엄마는 음식이고, 옷이며, 잠자리며, 생존의 전부를 의존하는 대상이다. 그중에서도 중요한 것은 정서적인 의존이다. 아기가 엄마에게 정서적으로 의존하고, 엄마와 감정을 교류하고 공감할 수 있을 때에 아기의 잠재력이 최대한으로 발현된다. 엄마에게 의존할 수 있는 것, 그리하여 생존에 대한 안정감을 가질 수 있는 것, 그것이 아기의 정시 발달에 중요한 영향을 끼친다.

아기는 성장하면서 점차 엄마에게서 분리, 개별화되어 나오는데 그 시기에 엄마를 대신할 대용물을 필요로 한다. 전문가들은 그것을 '중간 대상'이라고 부른다. 유아기 때는 엄마를 대신하는 특별한 담요에 애착을 보이거나 인형이나 장난감에 집착한다. 성장하면서 심리적으로 의존하는 애착의 대상도 변화한다. 초등학생에게 글짓기를 가르치는 친구 말에 의하면 학원에 오는 아이들은 어김없이 무엇인가를 하나씩 손에 쥐고 온다고 한다. 인형이든 로봇이든 구슬이든. 전문가들은 그것을 '대상의 대리물'이라고 일컫는다.

스스로 원하는 것을 찾아 수집할 수 있는 나이가 되면 의존성은 수집 취미의 형태를 띠기도 한다. 우표나 전화 카드가 더 많이 수집 대상이 되는 이유는 그것이 타인과 소통하는 수단이라는 상징성 때문이 아닌가 싶다. 일본의 오타쿠 현상도 중간 대상에 대한 집착과 관련 있으며, 인터넷에서 유행하는 아바타 같은 것도 전형적인 중간 대상일 것이다.

의존성이 선택하는 대리 대상은 손에 넣을 수 있는 물질적인 것만이 아니다. 술이나 담배에 의존하거나, 쇼핑이나 사이비 종교에 몰입하는 것, 자주 만신을 찾아가 앞날을 묻는 것 역시 의존성의 발현이다. 요즈음 가장 보편적으로 사용되는 대표적인 의존 대상은 휴대전화 같아 보인다. 휴대전화기를 손에 꼭 감싸 쥐고 다니는 모습이나, 휴대전화가 없을 때 불안해하는 태도가 다 그렇게 보인다. 휴대전화는 우표와 전화 카드의 연장선상에 있는, 타인과 소통하는 도구라는 상징성을 갖고 있다. 휴대전화에 매달린 장식품 역시 또 하나의 애착의 대상 같아서 그것이 소유자의 욕망을 반영하는 경우를 자주 본다. 커다란 하트 문양, 금으로 만든 돼지, 연예인 얼굴 사진을 매달고 다니는 사람의 욕망은 각각 다를 것이다.

오래도록 나는 자신을 자주적이고 독립적인 사람이라 생각해 왔다. 성인이 된 후 누구의 도움도 받지 않고 생의 모든 문제를 스스로 해결해 왔다. 그러나 정신분석을 받으며 자각한 것은 '내 일은 내가 알아서 한다.'는 식의 과도한 자주성이 의존성의 뒷면이라는 것이었다. 나 역시 내면에는 누군가에게 보호받고 도움받고 싶은 마음이 어마어마하게 억압되어 있었다.

그 의존성이 어떤 형태로 표출되어 왔는지도 보였다. 중학교 때는 우표나 옛날 돈을 수집했고, 성인이 된 후에는 불필요하면서도 자잘한 물건을 사들이는 쇼핑 습관이 있었다. 미래에 대한 막연한 두려움 때문에 만신을 찾기도 했고, 이성적으로 이해되지 않는 생의 비의를 직접 알아보고자 명리학을 공부하기도 했다. 마음이 갈피를 못 잡고 황황할 때마다 '어디 든든한 말뚝이 있어 마음을 묶어 놓았으면 좋겠다.'고 생각하곤 했는데, 그때는 말뚝으로 상징되는 것이 일종의 의존 대상이었을 것이다.

그중 내가 가장 의존했던 대상은 종교였다. 이십 대 중반부터 무슨 일만 생기면 절에 갔고 아무 일이 없을 때에도 절에 갔다. 절에 가면 요사채 방 한 칸을 얻어 머물면서 책을 읽거나 천천히 산길을 걷거나 했는데 그중에서 가장 좋아한 일은 법당에 가만히 앉아 있는 것이었다. 그러면서 마음을 쉰다고, 마음을 다독인다고 생각했을 것이다. 의존성을 자각한 후에야 그런 행위의 심리적 배경을 제대로 짚어 낼 수 있었다. 나는 엄마 무릎에 기대앉듯 법당에 앉아 있었고, 엄마에게 투정부리듯 백팔 배를 했을 것이다.

로마에서 묵었던 집은 방 세 칸짜리 아파트였다. 그 집을 임대한 여학생은 배낭여행하는 학생들을 상대로 민박 영업을 했는데 손님이 오면 두 여학생이 한 방에서 자고 비워진 방에 손님을 묵어가게 했다. 그렇게 묵어가는 배낭여행자 중에 미술을 공부한다는 두 여학생이 있었다. 그들은 그리스에서 오는 길이며 로마에서 사흘 머무를 예정이라고 했다.

내 눈에 그들은 친구라기보다 엄마와 딸의 관계처럼 보였다. 엄마 역할을 하는 여학생이 일찍 일어나 아침 식사를 준비하고 점심용 샌드위치를 만들고 있으면 늦잠에서 일어난 딸 역할의 여학생이 혀 짧은 소리로 "커피"라고 말했다. 엄마 역할을 하는 여학생이 기꺼운 마음으로 커피를 타 주고 아침 식탁을 차리면 딸 역할을 하는 여학생은 "맛있다"고 말하며 먹기만 했다.

식사 후 엄마 역의 여학생이 설거지를 끝내고 화장실에 가려 하면 그때까지도 나른한 표정으로 앉아 있던 딸 역의 여학생이 문득 아이 같은 목소리로 "화장실 내가 먼저 쓸 거야."라고 말했다. 엄마 역할의 여학생은 또 기쁜 마음으로 화장실 사용을 양보했다. 그 집에 묵는 동안 두 사람의 관계는 늘 그런 식이었다. 그러나 그들은 자신들의 행동을 자각하지 못하는 듯했고, 그런 역할 분담에 아무런 불편도 느끼지 않는 듯 행복한 동행을 하고 있었다.

그들은 의존성의 전형을 보여 주는 것 같았다. 그 관계에서 딸 역할을 하는 여학생만 의존적이고 엄마 역할을 하는 사람이 더 자주적인가 하면 그것은 아니었다. 그들은 동일한 의존성을 서로 반대 성향으로 표출하고 있을 뿐이었다. 의존하는 사람이 자신의 욕구를 직접적으로 표출한다면 자주적으로 보이는 여학생은 그 욕망을 반대 행동으로, 타인을 보호하고 돌봐 주는 행동으로 표현하는 것뿐이었다. 두 사람 모두 자신의 삶을 스스로 보살피고 운용하는 고통을 피하고자 하는 마음 때문에 의존할 상대를 필요로 하고 있었다. 그들과 같은 관계를 '상호 의존', 혹은 '공의존 관계'라 한다.

의존성에도 건강한 사람의 정상적 의존과 미숙한 사람의 병리적 의존이 있다고 한다. 병리적 의존성은 유아가 엄마에게 기대하듯이 누군가가 전폭적인 애정을 보여 주고, 엄마처럼 전능한 존재가 자신의 문제를 요술처럼 해결해 주기를 바란다. 이런 성향이 생기는 이유는 유아기 때 엄마에게 의존하고자 하는 아기의 욕구가 충분히 충족되지 못했기 때문이다. 엄마와 충분한 애착 관계를 형성하지 못했거나, 엄마의 정서적 보살핌이 부족했거나, 엄마에게 치명적으로 거부당한 경험이 있을 때 병리적 의존성이 생긴다.

두 여학생의 사례처럼 의존성은 자주 우정이나 사랑처럼 보인다. 아니, 의존성의 가장 대표적인 사례가 사랑이며, 사랑의 중요한 속성 또한 대상에게 심리적으로 의존하는 일이다. 사랑에 빠진 연인이 이렇게 말하는 것을 자주 듣는다.

"너 없이는 살 수 없어."

하지만 그렇게 말했던 사람이 연인과 헤어지면 가장 먼저 다른 연인을 찾는다. 그런 이가 사랑이라고 믿는 것의 속성이 의존성이어서, 그는 늘 누군가 심리적, 정서적으로 의존할 대상을 필요로 하기 때문이다.

오스트레일리아에서 몇 년 살았다는 한국인 여성을 뉴질랜드 퀸스타운의 한 식당에서 우연히 만나 이야기 나눈 적이 있다. 그녀는 외국인 남성들과 사귈 때 가장 적응이 안 되고 불쾌한 대목이 '업 투 유(It's up to you.)'라고 했다. 그들은 "영화 보러 갈래?" 해도 업 투 유, "나가서 저녁 식사할래?" 해도 업 투 유, "휴가 함께 보낼래?" 해도 업 투 유라고 한다는 것이다. 그것이 그들의 몸에 밴 '레이디 퍼스트'의 여성 존중 태도인지는 몰라도 한편으로는 아무것도 책임지지 않으려는 이기적이고 우유부단한 태도로 보인다고 했다. 그중 가장 황당한 경우는 "나랑 자고 싶니?" 하고 물었을 때 돌아오는 '업 투 유'라고 했다. 황당할 뿐 아니라 모욕감까지 느껴진다고 했다.

그녀와 함께 깔깔거리고 웃으며 그 이야기를 들었지만 한편으로는 가슴이 서늘했다. 서양식 합리주의와 동양식 온정주의가 만나 일으키는 갈등 같기도 했고, 가부장제에 길들여진 여성이 자주적이고 독립적인 여성을 원하는 서양 남성의 태도에 대해 느끼는 소외감 같기도 했다. 그 여성이 그동안 보아 온 한국 남성들은 비싼 음식 값을 혼자 다 내고, 영화 티켓을 미리 끊어 놓고 기다리고, 헤어지자고 말하면 끝끝내 더 큰 것을 제시하는 남자였을 것이다.

그녀는 계속해서 서양 남자들이 얼마나 개인주의적이고, 인정머리 없는지를 이야기했다. 방세도 반씩 내고, 생활비도 반씩 나누는 건 야만적이지 않느냐고 동의를 구했다. 그나마 최근에는 '좋은 남자'를 하나 만났다고 했다. 그가 "나를 이용할 수 있을 만큼 이용하라."고 했다는 것이다. 그녀는 그를 통해 오스트레일리아 영주권을 얻을 생각이라고 했다. 나는 그녀가 그 과도한 의존성 때문에 자신의 삶을 정지시키거나, 평생 불만족과 불행감을 안고 살지 않기만을 바랐다.

콤플렉스와 콤플렉스는 금방 서로를 알아보기 때문에, 내 의존성이 자주성의 가면을 쓰고 있을 때 내게는 직접적으로 의존성을 표출하는 사람이 많았다. 처음 만났는데 유난히 친근한 태도로 접근하는 사람들은 대체로 우정의 이름으로 의존성을 표출하고자 하는 이들이었다. 그런 이들은 자주 전화를 해서 자신이 어떻게 고통스러운지를 두세 시간씩 토로했다. 어떤 이는 외로울 때나 휴식이 필요할 때마다 찾아왔고, 어떤 이는 아침 아홉 시에 전화를 걸어 자신의 볼일을 대신 보아 달라고 했다. 또 어떤 이는 그냥 자기 옆에 있어 주기만 해도 마음이 안정될 거라면서 집으로 와 달라고 했다.

예전의 나는 기꺼운 마음으로 그런 일을 했다. 그것이 인간적 도리이고 이타주의이며 휴머니즘이라고 생각하면서 하던 일을 멈추고 달려 나갔다. 그런 식으로 자신의 존재가 쓸모 있고 인정받는다고 착각하기도 했고, 스스로 관대한 사람이라는 오인 속에서 그 일을 했는지도 몰랐다. 그러나 그 모든 행동이 내면의 고통이나 삶의 어려움과 맞서지 못한 채 관심을 외부로 돌리는 방어적 태도였으며, 무엇보다도 억압된 의존성이 반대 행동으로 표출된 것임을 알게 되었다.

나의 의존성을 깨닫고 나자 타인들의 의존성이 보이기 시작했다. 사람들이 그토록 아무 근거 없이, 부당할 정도로 심하게 의존적이라는 사실을 알았을 때는 충격을 받기도 했다. 하지만 그 이유도 짐작할 것 같았다. 우리가 태어나 처음 배우는 생존법이 의존이기 때문일 것이다. 우리는 혼자 걷는 데도, 말하는 데도, 심지어 혼자 밥을 먹는 데도 그토록 긴 시간이 걸린다. 심리적으로 독립하고, 사회적 경제적으로 혼자 서는 데는 20년 이상의 시간이 걸린다. 그 기간 동안 우리가 사용하는 생존법이 의존이며, 의존할 대상을 재빨리 알아보는 능력일 것이다.

예전부터 다른 사람들의 이야기를 들어주거나 그들의 일을 대신해 줄 때 내면에서 올라오던 소리가 있었다. "너나 잘 살아라." 비로소 그 목소리의 진정한 의미를 이해할 것 같았다. 여행에서 돌아온 후 다시 일상으로 복귀했을 때 나는 이타적 행위, 타인을 보살피는 행동을 모두 중단했다. 의지를 발동시켜 중단한 것이 아니라 자연스럽게 그런 행동을 하지 않게 되었다. 그런 방식은 서로 병적으로 의존하는 상태여서 두 사람 모두에게 위험한 관계였다. 그런 관계에 고착되면 내면의 좋은 성향을 발현시킬 수 없고, 성장을 향해 노력할 수 없고, 내 삶을 추진시킬 수 없다는 것을 알았다.

그 대신 한동안 내 몸과 마음의 건강, 내 욕망, 내 삶에 필요한 것을 보살피고 돌보는 시간을 가졌다. 타인의 입장보다 내 입장을 먼저 생각했고, 부당한 의존성이 느껴지는 부탁, 심리적으로 저항감이 드는 청을 거절했다. 달라진 내 태도에 대해 나와 상호 의존적으로 관계를 맺었던 친구들이 분노하는 것이 느껴졌지만 그것은 그들의 자기애적 분노일 뿐이어서 내가 어떻게 해 줄 수 있는 게 아니라는 것도 알고 있었다.

한밤에 전화해서 서너 시간씩 고통을 호소하고 어떤 문제에 대해 상담해 주기를 바라는 후배가 있었다. 그와 전화 통화를 서너 번 반복한 다음 이렇게 말한 적이 있다.

"서운하겠지만 잘 들어. 지금 네가 원하는 것은 나의 조언이 아니라 엄마의 사랑이야. 그것도 유년기의 아기가 환상 속에 창조해 둔 이상화되고 미화된 엄마의 보살핌이야. 그러니 아무리 나와 많은 이야기를 나눈다 해도 네가 원하는 것을 얻을 수는 없어. 이런 일이 계속된 후에 네가 도달하는 곳은 문제가 해결되는 곳이 아니라 나에 대해 화가 나는 지점일 거야. 네 안에 억압되어 있는 엄마에 대한 분노를 내게 투사하게 될 거야. 네 속에서 엄마를 부르며 투정하는 아기는 다른 누구도 보살펴 줄 수 없어. 성인이 된 네가 스스로 보살펴야 해."

다행히 그 후배는 현명해서 내가 하는 말을 제대로 이해했고, 자신이 어떻게 해야 하는지 알아차린 것 같았다. 그 후 한동안 소식이 없더니 일 년쯤 후, 한층 밝고 건강해진 목소리로 모든 것이 잘 해결되었고 잘 지내고 있다는 안부를 전해 왔다.

라캉은 정신분석의 끝에서 피면담자가 느끼는 감정에 '고립무원의 느낌'이 있다고 한다. '아무한테도 도움을 기대할 수 없다.'는 느낌이라고 한다. 그것이 바로 의존성이 극복되는 지점, 우리가 진정으로 독립할 때 맞는 감정이 아닐까 싶다.

황인숙 시인의 시집《자명한 산책》에 실린 첫 번째 시는 '강'이다.

> 당신이 얼마나 외로운지, 얼마나 괴로운지
> 미쳐 버리고 싶은지 미쳐지지 않는지
> 나한테 토로하지 말라
> 심장의 벌레에 대해 옷장의 나방에 대해
> 찬장의 거미줄에 대해 터지는 복장에 대해
> 나한테 침도 피도 튀기지 말라
> 인생의 어깃장에 대해 저미는 애간장에 대해

빠개질 것 같은 머리에 대해 치사함에 대해
웃겼고, 웃기고, 웃길 몰골에 대해
차라리 강에 가서 말하라
당신이 직접
강에 가서 말하란 말이다

강가에서는 우리
눈도 마주치지 말자.

시의 전문이다. 이 시를 읽으면서 혼자 슬그머니 웃었던 일이 있다. 황인숙 시인은 표면적으로는 초연하고 관대한 사람처럼 보인다. 그래서 꽤나 많은 의존적인 사람들로부터 얼마나 외로운지, 미쳐 버리고 싶은지 등을 하소연하는 대상이 되었던 모양이구나 싶었다. 그런데 한 영화 잡지 편집자로 일하는 또 다른 친구가 이 시에 크게 공감한 듯 시 전문을 '편집자의 말'에 인용해 둔 것을 보았다. 그 친구도 그릇이 크고 세상의 갈등이나 통념들을 훌쩍 넘어선 사람처럼 보인다. 의존성에 대해 생각하면 이 시가 떠오르고, 덩달아 그 두 사람이 떠오르고, 그들의 내면에는 무엇이 있을까 생각해 보게 된다.

의존성이 심화 극단화된 상태

지금은 담배를 끊었지만 1980년부터 20년 동안 나는 체인 스모커였다. 여행하던 당시에도 애연가여서 거리에서, 공원에서, 박물관 계단에 앉아 담배 피우는 즐거움을 누렸다. 타인의 어떤 행위에 대해서도 어떤 종류의 시선도 던지지 않는 그 개인주의적 자유로움을 만끽하면서. 아니다, 가끔은 나의 흡연에 관심을 갖는 이가 나타나곤 했다.

그런 이들은 발길을 막아서며 검지와 중지를 펼쳐 눈앞에 들어 보였다. 주먹 쥔 손에서 중지만 위로 세워 보이는 제스처가 세계 공통어이듯, 검지와 중지를 펴서 앞으로 내미는 제스처도 세계 공통어였다. 그들은 다양한 계층의 다양한 사람들이었고 담배를 받은 후의 태도 역시 갖가지였다. 파리에서 담배를 청했던 홈리스로 보이는 중년 남성은 담배를 받은 후 로맨틱하고 멋진 미소를 지어 보였다. 로마에서 담배를 청했던 집시 여인은 내가 담배를 건네기도 전에 담뱃갑을 집어 갔다.

많은 사람들에게 담배를 나눠 주었지만 그중 잊히지가 않는 사람은 암스테르담 중앙역 앞에서 담배를 청했던 소녀였다. 그녀는 기껏해야 십 대 후반쯤으로 보였는데 군살 없는 몸매와 아름다운 얼굴이 누구의 시선이든 끌 정도였다. 숙소에서 막 나온 직후였으니 아침 아홉 시 무렵이었을 것이다. 거리는 사선으로 비치는 아침 햇살을 반사하며 몽환적인 분위기를 띠고 있었고, 길 옆 운하의 물이 반사해 올리는 빛이 더해져 신비해 보이기까지 했다.

그 몽환적이고 신비한 거리에 잠시 서 있다가 담배를 꺼내 붙였을 때 그녀가 아침 빛을 후광처럼 거느린 채 다가왔다. 그녀는 십 미터쯤 전방에서부터 검지와 중지를 펼쳐 보이고 있었는데 내가 가방에서 담배를 꺼내는 동안 그 손이 수전증 환자처럼 심하게 떨렸다. 얼굴은 마비된 듯 표정이 없었다.

가이드북에서 그런 내용을 읽기는 했다. 네덜란드는 마약 거래나 복용을 단속하지 않으며, 밤이면 암스테르담 중앙역에는 마약 중독자들이 무리 지어 모여든다는 것을. 아마 그녀는 간밤에 그 역에 모였던 무리들 가운데 한 사람이었을지도 몰랐다. 그때쯤 약

기운이 떨어지면서 잠에서 깨었을지도 몰랐다. 나는 그녀에게 반쯤 남은 담뱃갑을 그대로 넘겨주었다. 그 수전증이 가라앉으려면 담배 한 개비로는 어림도 없을 거라는 생각에서였다. 내내 시선을 내리깔고 있던 그녀는 손바닥에 놓이는 담뱃갑을 본 후 문득 고개를 들어 내 얼굴을 바라보았다. 내가 고개를 끄덕여 보이자 가면 같은 얼굴에 무슨 표정을 지으려 애쓰며 "메르시, 땡큐!"를 반복했다.

그녀가 제 길을 간 후에도 나는 그 자리에 서서 멀어지는 뒷모습을 조금 더 바라보았다. 그녀의 뒷모습은 출렁이는 물결 위를 떠가는 나무토막 같았고 내 마음에서도 물결이 출렁이는 듯한 서늘함이 지나갔다. '만약 저 소녀가 내 동생이라면…….' 다시 걸음을 옮기면서 그런 생각을 하기도 했다. 그렇다면 녹초가 되도록 두드려 패서라도 마약 중독 클리닉에 데려갔을 것이라고.

중독은 의존성이 가장 심화, 극단화된 형태다. 대상에 대한 의존이 너무 심해 그것이 없이는 심리적 안정을 얻을 수 없고 일상생활이 유지되지 않을 때, 그것을 중독이라고 한다. 중독의 심리적 근원에도 유년의 결핍이 있다. 애착의 대상이던 엄마를 잃은 아기, 엄마를 생존에 필요한 도구로 사용할 수 없었던 아기, 엄마와 정서적인 교류와 공감을 나누지 못한 아기가 나중에 커서 중독에 취약한 정신을 갖게 되기 쉽다.

《현대 사회의 성·사랑·에로티시즘》이라는 책에 의하면 현실적 삶의 고통으로부터 도피하기 위해 몰입하는 모든 기제가 다 중독의 대상이 된다고 한다. 현대 사회로 접어들면서 중독 대상은 무수히 많아져 성과 사랑뿐 아니라 술, 담배, 음식, 쇼핑, 도박, 관계, 속도감 등으로 다양해졌다. 요즈음 새롭게 등장한 대표적인 중독 대상은 인터넷이 아닐까 싶다. 중독 대상은 흔히 미화되고 숭배되는 경향이 있는데 그것이 당사자가 환상 속에 만들어 둔 '이상적이고 좋은 엄마'의 대용이기 때문이다.

오래도록 담배는 내가 가장 중요하게 의존했던 대상이었고, 그 의존성은 중독에 가까웠다. 담배가 없으면 불안해했고, 자정이 넘은 시각에도 담배를 사러 나갔고, 담배를 살 수 없는 상황에서는 낯선 이에게 얻어서라도 담배를 피워야 했다. 여행 중에도 마찬가지였다. 뉴질랜드 남섬을 여행하던 때의 일이다. 네이피어라는 도시에서 아침 일찍 버스를 탔는데 서두르느라 담배를 살 시간이 없었다. 주로 관광객을 실어 나르는 뉴질랜드 버스들은 아침 일찍 출발하는 대신 오전 열 시쯤 휴게소에 멈춰 티타임을 갖곤 했다. 그때 담배를 사리라 생각했는데 버스가 한 시간쯤 가다가 산꼭대기에서 고장 나고 말았다.

그때 내게 가장 필요한 것은 담배였다. 고장 난 버스 바깥에서 산길을 걷거나 동행끼리 이야기를 나누는 사람들을 둘러보았다. 그들 중 손가락에 담배를 끼운 채 둥글게 선 사람들 사이에서 쾌

활하게 이야기를 이끌어 가는 마오리족 여성이 보였다. 그녀는 덩치에 비해 섬세한 손가락과 꾸미지 않은 미소를 갖고 있었다. 그녀에게 다가가 담배를 한 대 얻자고 말했다. 그녀가 내미는 담뱃갑에는 담배가 오직 한 개비밖에 들어 있지 않았다. '돛대'는 장모도 주지 않는다는 우리네 속담을 생각하며 "하나밖에 없는데 괜찮겠느냐?"고 물었다. 그녀는 유쾌한 목소리로 괜찮다고, 자기는 한 갑 더 있다고 대답했다.

그녀에게는 정말로 예비된 한 갑이 더 있었다. 잠시 후 버스에 올라가 새 담뱃갑을 꺼내 와 불을 붙이더니 내게 다가와 한 대 더 피우겠느냐고 물었다. 그때 그녀는 다만 외국 관광객에 대한 친절 정도가 아니라 담배를 준다는 행위에서 무한한 기쁨을 느끼는 사람의 표정을 짓고 있었다. 누군가에게 도움을 준다는 사실에 대해 기뻐하는 심리, 그런 행위에서 자신의 존재 가치를 인정받는다고 느끼는 자의 마음에 닿는 것 같았다. 그것은 중독에 취약한 사람의 특성이기도 했다.

오래도록 담배에 의존해 온 나는 10년쯤 전에《담배 피우는 여자》라는 소설을 발표했다. 그 소설이 발표된 후 어느 매체로부터 '내가 담배를 피우는 이유'라는 주제로 수필을 써 달라는 청탁을 받았다. 그때 쓴 수필에는 흡연의 계기, 기능, 심리적 배경 등에 대해 그 시기에 이해한 내용들이 담겨 있다.

담배 이야기를 하려면 나는 늘 그때가 떠오른다. 1980년의 봄, 대학 3학년 때의 그 무겁고 우울한 분위기가. 지금이야 10·26이니 5·18이니 하는 몇 개의 아라비아 숫자만으로도 그 의미를 읽어 낼 수 있게 정의된 사건이지만, 그 사건들의 한가운데 있을 때는 모든 것이 참으로 혼란스러웠다. 나무들은 푸르게 물이 오르고, 철쭉이며 진달래는 흐드러지고, 봄빛은 끝도 없이 화사하고, 그 한가운데서 우리는 학내 시위를 하고 있었다. 나는 그저 무리의 뒤편에 서 있는, 얼마간의 정의감과 얼마간의 양식으로 참여하는 다수 가운데 하나였다.

그 봄의 어느 밤, 철야 농성을 하기 위해 저녁을 먹으러 나갔을 것이다. 학교 앞, 아직도 막걸리와 파전을 주 메뉴로 하여, 밥 한 공기를 시키면 김치 한 보시기와 단무지 무침을 반찬으로 내주던 술집에서였다. 동료들은 술을 마시고 있었고, 술을 못하는 나는 젓가락으로 밥알만 끼적거리고 있었을 것이다. 절망과 무력감으로 가슴이 답답하게 막혀 올 때 술을 마시지 못하는 것에 대한 보상 심리처럼 앞자리에 놓인 담배를 집어 들었다.

사실 담배에 불을 붙일 때까지만 해도 아주 많은 것을 각오하고 있었다. 목이 쓰라리고 기침이 나오고 눈이 매워지면서 눈물, 콧물이 쏟아지고…… 그런 부작용들을 예상했다. 그런데 이게 웬일인가? 담배의 첫 모금을 빨아들였을 때 오래전부터 담배를 피워 온 사람처럼 담배 연기가 쑤욱 몸 안으로 들어왔다. 순하고 부드럽게, 아무런 거부반응 없이. 그때 많이 놀랐을 것이다. 이렇게 쉽다니, 이렇게 별거 아니었다니……. 마음에서 어떤 벽 하나가 툭 소리를 내며 허물어지는 것 같았다. 편견과 관습과 자아의 작은 벽이…….

"때로 담배 한 대로 위안이 되는 일도 있지요. 담배 한 대로 위안이 되는 서글픔, 중압감, 배고픔, 추위……. 이렇게 아무도 없는 새벽 베란다에 나와 담배를 피울 때면 일상의 발길에 걸리는 자잘한 돌멩이들이 모두 담배 연기와 함께 휘발되는 것을 느낀답니다. 남편의 늦은 귀가나 저의 불면 같은 것까지도요."

《담배 피우는 여자》라는 소설의 한 대목이다. 담배를 피울 때면 실제로 그런 것을 느낀다. 담배 연기가 몸 내부를 쓰다듬듯 훑고 지나가면 날카롭게 곤두서 있던 신경이 누그러지고 온몸의 맥이 낮은 곳으로 가라앉는다. 그러면 견딜 수 없는 자괴심이나 외로움이나 배고픔이나 추위…… 그런 일들이 그 맥처럼 희미하게 풀어진다. 모든 긴장이 이완되고 갈등이 제 풀에 풀려나간다. 담배가 인간을 붙드는 첫 번째 힘은 그 위안의 기능에 있을 것이다. 담배가 가지고 있는 두 번째 기능은 휴식일 것이다.

"힘든 노동을 한 후에, 심장과 폐가 크게 움직이고 온몸의 근육이 모두 움직이고 난 다음, 그다음에 피우는 담배 맛은 다 그럴 겁니다. 등산을 하고 난 후 산의 정상에서, 집안 청소를 한 후 반들거리는 거실을 바라보며, 힘든 계약을 따낸 후 계약서의 도장을 바라보며, 그때 피워 무는 담배 맛이 다 그럴 겁니다. 비어 있는 폐의 세포마다 나른한 기운이 차오르고, 긴장되었던 근육이 편안하게 이완되고, 그리고 마음마저 온화하게 퍼져 내리는 휴식. 아마, 그런 기분일 겁니다."

《담배 피우는 여자》의 한 구절이다. 담배는 또한 일상의 빈자리를 채워 주기도 한다. 연인이 떠나고 남은 자리, 오래 몰두해 온 일을 끝낸 허전한 시간, 불편한 사람과 어색하게 이어 가는 대화 사이의 공백, 그런 때 담배는 유용하다. 나름대로 고집스러운 생각이 하나 있다면 '금연 스트레스보다는 흡연이 낫다.'는 것이다.

나는 비교적 자유롭게 담배를 피우는 편이지만 흡연 시 지키는 나름의 규칙이 있다. 그중 하나는 어느 자리에서든 그 자리의 가장 연장자에게 양해를 구한 후 담배를 피운다는 점이다. 그건 여성 흡연에 대한 차별적 시선 때문이 아니라, 많은 남자들도 그러하듯이 연장자에 대한 예의에서다. 그럴 때 속으로야 어떻게 생각하든 겉으로는 안 된다고 말하는 사람이 아직 없었다.

그럼에도 아직 우리 사회에는 여성 흡연에 대해 부정적인 시각이 많은 모양이다. 이십 대 중반의, 명민하고 진보적이고 아름다운 방송작가와 함께 여행을 한 일이 있다. 그녀는 피디와 카메라맨과 함께 일하는 낮 동안은 담배 따위는 알지 못하는 듯한 태도를 취했다. 그런데 함께 사용하는 숙소로 들어가자 가방에서 담배부터 꺼내 피웠다. 그러면서 자조적으로 말했다.

"전 좋은 데로 시집가야 하거든요. 그래서 내숭을 좀 떨었어요."

다소 씁쓸한 일화지만 그것은 그녀의 생존법일 것이다. 나는 흡연 여성들의 생존법을 많이 알고 있다. 남성 앞에서는 담배를 피우지 않으며, 결혼 상대에게는 더욱 그러하며, 결혼 후에는 남편 몰래 담배를 피운다. 그녀들은 남편이 퇴근하기 전에 양치와 샤워를 꼼꼼히 하고, 누구의 눈에도 띄지 않게 담배를 간수하는 법도 잘 알고 있다. '담배 피우는 여자'가 그러하듯이.

여성 흡연에 대한 부정적인 시선은 유독 젊은 여성의 흡연에 대해서만 엄격하다. 밭에서 김을 매다가 저쪽 밭고랑에 걸터앉아 천천히 담배를 꺼내 무는 노인, 손주를 업은 채 병원 현관에 서서 담배 피우는 노인, 효도 관광길의 버스 안에서 담배 피우는 노인들에 대해서는 아무도 두 번째 시선을 던지지 않는다. 나이 든 여성의 흡연에 대해서는 관대한 사회가 젊은 여성의 흡연은 사갈시하는 태도에는 남성들의 이기심이 들어 있지 않은가 생각되기도 한다. 조금 극단적으로 비유하면 자신이 먹을 음식에 잡티가 섞이는 것을 원하지 않는 것과 같은 이유 말이다. 실제로 한 남성이 이렇게 말하는 것을 들은 일이 있다. "키스할 때 담배 냄새 나는 여자, 정말 밥맛이야." 그 남성 역시 흡연자였다.

"인류는 오래전부터 담배를 피웠던 모양입니다. 로마 시대의 묘지에서도 철이나 동으로 만들어진 파이프가 출토된다고 하더군요. 그 유해론이 의학적으로 규명되고, 금연 빌딩이 선포되고, 금연 운동이 확산되는 요즈음도 꾸준히 흡연 인구가 는다는 사실, 그건 무엇을 뜻할까요? 인간은, 아니 인류는 늘 무엇엔가 기대어 살 것이 필요했을 겁니다. 에덴의 이브에게는 사과가 필요했고, 비탈진 밭을 일구던 아낙네들에게는 한 자락 노래가 필요했을 겁니다. 어지러운 속도감을 견뎌야 하는 현대인들에게도 술이나 담배가 필요하겠지요."

역시《담배 피우는 여자》의 한 구절이다. 팍팍한 현실과 어지러운 일상을 견뎌야 하는 데는 남성 여성이 따로 없다. 그것을 견디기 위해 누구나 자신에게 적합한 기호를 선택할 뿐이다. 담배나 술 같은 것의 도움 없이도 꿋꿋이 설 수 있다면 더욱 좋겠지만…….

인용해 놓고 다시 읽어 보니 역시 결론은 담배가 심리적 의존 대상이며, 담배와 함께 서로 좀 돕고 살면 어떠냐는 내용인 것 같다. 사실, 담배를 피우던 처음부터 나는 흡연이 심리적인 문제라는 것을 짐작하고 있었다. 처음 담배를 집어 들었을 때도 심리적인 위안이 필요해서였고, 그 후로도 일상적 스트레스나 감정적 소용돌이 앞에서 담배를 찾곤 했다.

건강이 나쁠 때는 가끔씩 담배를 끊기도 했지만 그것을 영영 끊으려면 왠지 '아깝다'는 생각이 들었다. 아깝다는 형용사는 스스로도 이상해서 '대체 무엇이 아깝지?' 하고 더 깊이 생각해 보기도 했다. 담배 끊기가 아까웠던 이유가 그것이 애착의 대상이며 '좋은 엄마'의 내용이어서 그랬다는 사실을 의존성을 이해한 후에야 알았다. 담배를 끊으려면 금연 보조제가 아니라 고무젖꼭지가 필요할 거라고 막연히 느낄 때, 그때 이미 무의식에서는 알고 있었던 것이다. 내가 엄마 대신 의존할 대상으로 담배를 사용하고 있다는 것을.

※

그토록 애착을 느끼고 아까워했던 담배를 이제는 완전히 끊었다. 그것도 여행 중에 결심한 일이었다. 밀레니엄의 첫날, 나는 뉴질랜드 남섬의 크라이스트처치에 머물고 있었다. 뉴질랜드는 전 세계에서 밀레니엄의 태양이 가장 먼저 뜨는 나라이고, 그중에서도 북섬의 어느 반도에서 첫 태양을 가장 빨리 볼 수 있기 때문에 세계 유수의 방송사들이 밀레니엄 해맞이를 중계하기 위해 그곳에 스튜디오를 차렸다고 했다. 그다음으로 밀레니엄의 태양이 두 번째로 빨리 뜨는 도시가 크라이스트처치라고 했다.

이왕 거기까지 간 것, 나도 한번 그 태양을 보고 싶었다. 그 도시에서 만난 한국인 택시 기사에게 일출을 볼 수 있는 시각에 그 해안에 데려다 줄 수 있는지 물었고, 그는 의외로 흔쾌히 그러겠다고 했다. 그러나 막상 12월 31일 저녁이 되자 택시 기사는 날씨가 흐려 태양을 볼 수 없을 것이며, 사람이 몰려 도로가 많이 막힐 것이라는 이유를 대며 거절했다. 약간의 실망감을 안은 채 숙소에서 CNN이 중계하는 세계 곳곳의 밀레니엄 축제를 보고 있었다. 지구촌 주민들이 들뜬 마음으로 새 천년맞이 꿈과 포부를 밝히는 것을 듣기도 했다. 그때 불쑥 이런 생각이 들었다.

'2000년이 온다니…… 그렇다면 내가 담배를 20년이나 피웠구

나. 이제 그만 피워도 되겠구나.'

내 흡연의 역사가 환등기처럼 돌아갔고 흡연의 심리적 배경이 더욱 선명히 짚어졌다. 그동안 내게서 담배를 얻어 갔던 사람들, 내가 담배를 얻었던 사람들의 모습도 눈앞으로 지나갔다. 뜻밖에도 그들이 모두 나 자신이었다. 손을 덜덜 떨면서 담배를 받던 암스테르담의 소녀도, 기꺼운 마음으로 담배를 내주던 마오리족 여성도 모두 내 모습이었다. 이제 더 이상 담배를 그토록 아까워하거나, 담배에 그토록 큰 의미를 부여하거나, 담배에 의존하지 않아도 될 것 같았다. 아니, 그렇게 하기 싫었다.

밀레니엄의 첫날 금연을 결심한 후, 여행에서 돌아와 그해 여름쯤에 담배를 끊었다. 금연할 수 있는 능력에 대해 사람들은 가끔 지독하다고 말한다. 만약 내게도 어떤 지독한 면이 있다면 그것은 금연할 수 있는 능력이 아니라 자신을 분석하는 과정을 거쳤다는 점이 아닐까 생각한다. 내면의 그 모든 부정적인 면을 정직하게 바라보고 내 것으로 인정했다는 점, 인정했을 뿐 아니라 몸으로 느끼고 마음으로 체험하는 시간을 보냈다는 점, 그 과정에서 외부의 부정적 반응과 부작용을 감수했다는 점.

중독을 치유하는 일은 정신의 지층을 재배열하는 것만큼이나 힘든 일이라 한다. 영화나 소설에서 알코올 클리닉이나 금연 학교에 대해 다룬 내용을 보면 그 과정이 거의 자기 파괴의 지옥에 가깝다. 그것이 힘든 진짜 이유는 심리적인 해체가 선행되어야 하며, 절대로 돌아보고 싶지 않은 내면으로 들어가 유아기의 고통과 직면해야 하기 때문이다. 그것이 쉽지 않을 때 전문가들은 차선책으로 부정적 중독을 긍정적 중독으로 바꿀 것을 권한다. 알코올 중독은 운동 중독으로, 흡연 중독은 독서 중독으로.

사랑받는 자로서의 자신감 없음

질 투

예전에 영국에 유학 가기 위해 영어 학원에서 공부하던 후배가 이런 말을 들려준 적이 있다. 그 학원 강사는 영국 출신 여성이었는데 한국 학생들이 일상적으로 쓰는 "네가 부러워(I envy you)."라는 말이나 "너, 질투하니(Are you jealous)?" 같은 표현은 서구 문화에서는 상당히 부정적인 뉘앙스로 쓰이므로 외국에 나가서는 사용하지 말라고 주의를 주더라고 했다. 서구 문화는 기본적으로 개인주의적이고, 그 개인주의의 긍정적인 측면은 한 개인이 가지고 있는 개성, 재능, 취향 심지어 소유물까지 서로 존중해 주는 것이라는 게 강사의 부연 설명이라고 했다. 그때는 그저 그런가 보다 하는 마음이었다.

그로부터 얼마 후 나도 똑같은 말을 들었다. 오클랜드 어학원에 다닐 때 우리 담임이었던 제니는 아일랜드에서 이주한 조상을 둔 전직 초등학교 교사였는데, 어느 날 수업 시작 전에 이렇게 말했다.

"몇몇 동양 학생들이 '네가 부러워.'나 '질투하니?' 같은 말을 자주 사용하는데 그것은 지극히 부정적인 의미의 말이다. 그러니 매우 조심해서 사용하기 바란다."

부러워하는 감정이나 질투한다는 말이 입 밖에 내지 못할 만큼 부정적인 영역의 언어인가 싶으니 다소 문화적 격차가 느껴지기는 했다. 그때부터 동서양 여학생들의 태도를 유심히 보았는데 역시 눈에 띄는 확연한 차이가 있었다. 누군가가 멋진 옷을 입고 나타나면 서양 학생들은 "원피스가 예쁘구나!"라든가, "멋져 보인다!"라고 말하는 것이 전부였다. 찬사를 받은 학생도 "땡큐!"라고 하면 그만이었다.

그런데 한국을 비롯해 일본, 태국, 대만에서 온 여학생들은 그 이후에 한바탕 다른 절차가 이어졌다. "어디서 샀니?" "얼마 주고 샀니?" "한번 입어 봐도 되니?" 그런 다음 기어이 남의 카디건을 벗겨 어깨에 걸쳐 보거나 반지를 빼내 손가락에 끼워 보곤 했다. 그것이 단지 동서양의 문화적 차이인지, 다른 심리적인 기제의 발로인지, 그렇다면 그 심리를 억압하는 게 나은지 자연스럽게 표출하는 게 나은지 그런 것에 대해서는 잘 알 수 없었다.

우리는 보통 질투와 시기심을 구분 없이 뒤섞어 쓰지만 엄밀히 따지면 그 두 가지는 서로 다른 감정이다. 질투심은 기본적으로 삼각관계에서 발생하는 세 사람 사이의 감정이고 시기심은 두 사람 사이에서 느끼는 감정이다. 질투심은 자신과 관계있는 특정인을 향해 느끼는 감정이며, 시기심은 자신과 무관한 사람이나 불특정 다수를 향해서도 발생하는 감정이다.

질투심은 연인을 두고 연적 사이에 느끼는 감정, 부모의 사랑을 두고 형제 사이에 느끼는 감정, 남편을 두고 시어머니와 아내 사이에 오가는 미묘한 감정들이다. 질투심의 심리적 배경에는 '사랑받는 자로서의 자신감 없음'이 자리 잡고 있다고 한다. 자신이 사랑받을 만한 가치가 있는지에 대해 확신을 갖지 못하고, 사랑하는 사람이 보여 주는 헌신조차 믿지 못하고, 심지어 자신이 연인의 사랑을 진정으로 필요로 하는지조차 의심할 때, 그 자신감 없는 마음에서 발생하는 감정이 질투라고 한다. 내면에 자신감이 없는 사람은 연인이 다른 이성을 바라보기만 해도 속 쓰린 질투심을 느낀다. 함께 텔레비전을 보다가 연예인을 칭찬하는 말에 서로 다투는 커플들의 내면에 있는 마음도 '자신감 없음'이다.

질투의 감정에 대해 생각하면 파리 밤하늘에 울려 퍼지던 한 남

자의 울부짖음이 떠오른다. "어떤 놈이랑 붙어먹었어?" 피를 토하듯 울부짖던 목소리, 분노가 통제되지 않아 끝없이 이어지던 폭언, 아무도 대답하지 않던 그 외로움이…….

파리 북역에 도착해서 인터넷을 통해 알아낸 민박 집에 전화를 걸었을 때, 전화를 받은 사람은 동년배로 느껴지는 남성이었다. 그는 친절하지도 불친절하지도 않은 말투로 지하철 몇 호선을 타고 무슨 역에 내려 다시 한 번 전화하면 자신이 데리러 나가겠노라고 했다. 그 집은 밀라노에 이어 두 번째로 방문한 한국인 민박 집이었는데, 밀라노의 그 집이 그랬듯이 도심에서 멀리 벗어난 외곽에 있었다.

그가 일러 준 대로 지하철역에서 기다리니 반바지 차림의 남자가 슬리퍼를 끌며 다가왔다. 그는 철학을 공부하는 대학원생이라고 자신을 소개했다. 여기서 공부하다가 아내를 만나 결혼했고 지금은 휴학 중이라고 했다. 철학도라고는 하지만 말투나 걸음에서 어쩐지 실업자의 분위기가 더 많이 느껴지는 그를 따라 15분쯤 걸어 도착한 곳은 2층짜리 단독주택이 나란히 늘어선 주택가였다. 그는 그중 한 집을 빌려 1층은 그의 가족과 하숙생이 쓰고 2층의 방 두 칸을 민박용으로 사용하고 있었다. 그날 2층 손님은 나 혼자였다.

저녁 식사는 남편이 준비했다. 그들 부부에게는 서너 살쯤 되어 보이는 아들과 그보다 더 어린 아기가 있었는데 아내는 아이들을 돌보는 데 전념했다. 나는 그의 아내와 하숙생과 함께 식탁에 앉아 그가 떠 주는 밥과 국을 먹었다. 마침 그날은 하숙생이라는 이가 학위 심사를 통과한 날이라고 해서 축하 분위기로 맥주도 한두 잔 오갔다.

기쁘고 들뜬 듯한 식탁 분위기였지만 내게는 무언가 불안정하고 편하지 않은 기운이 느껴졌다. 그 남편이라는 이가 밥과 설거지를 도맡아 하는 모습이 촌스러운 한국 여자 눈에 불편해 보이는 건지, 그 아내 되는 이의 언행에서 묻어나는 남편을 무시하는 듯한 태도가 불편한 건지, 그들 세 사람 사이에서 오가는 미묘한 감정의 기류들이 미심쩍은 건지…….

저녁 식사가 끝난 후 그들은 뒤뜰에서 탁구를 쳤다. 함께 치자고 권하는 인사를 들었으나 탁구를 칠 줄 몰라 거절했다. 아마 탁구를 칠 줄 알았다고 해도 거절했을 것이다. 몸도 피로했지만 무엇보다도 미묘하게 느껴지는 불편한 감정이 부담스러웠다. 잠자리에 든 열 시 무렵까지도 뒤뜰에서는 탁구공 튀는 소리와 함께 웃음소리가 올라오고 있었다.

한밤에 잠이 깬 것은 자꾸만 귓전을 자극하는 어떤 소음 때문이었다. 거칠고 파괴적인 소음이 잠결인 듯 꿈결인 듯 들려와서 결국 잠에서 깨고 말았다. 그대로 누운 채 가만히 귀 기울여 보니 아래층에서 올라오는 소리였고, 틀림없이 부엌살림들을 집어던질 때 나는 날카롭고 거친 소리였다. 물건들이 파괴당하는 소리에 이어 여자의 비명이 들려왔다. 시계를 확인하니 새벽 한 시 무렵이었다.

여자의 비명 뒤로 물건 부서지는 소리가 조금 더 이어지더니 이번에는 남성의 고함이 들려왔다. "어떤 새끼랑 붙어먹었어?" 그 지점에서 그는 이성이나 통제력을 잃은 것 같았다. 계속해서 그놈이 누구인지, 어떻게 자신을 속였는지 등에 대해 말하라고 다그치면서 고래고래 소리쳤다. 그가 아내를 지칭할 때 가장 많이, 반복적으로 사용한 말은 '더러운, 쓰레기 같은, 창녀 같은' 따위의 의도적으로 여성을 모욕하는 언어였다.

처음에는 가끔씩 대꾸하던 여성의 목소리가 어느 순간부터 전혀 들리지 않았다. 나중에는 목이 터져라 울부짖는 남성의 목소리와 간간이 물건 깨지는 소리만 들려왔다. 그는 아내에 대한 의심과 분노, 연적에 대한 질투와 열패감을 걷잡을 수 없이 표출하고 있었고, 그런 식의 일방적인 고함과 쌍욕과 물건 부수기가 한 시간 이상 이어졌다. 저녁 내내 느꼈던 불편한 분위기의 실체가 잡히는 듯도 했다.

질투의 감정은 전형적으로 오이디푸스 콤플렉스와 관계있다고 한다. 오이디푸스 단계에서 유아가 반대 성의 부모를 욕망하면서 동성의 부모에게 느끼는 감정, 그것이 질투다. 오이디푸스적인 삼각관계는 그 후에 체험하게 되는 모든 삼각관계의 원형이며, 프로이트가 신경증 환자의 사랑의 기준으로 제시한 '방해하는 제삼자'도 거기에서 비롯된다. 가족 내에서 그 감정이 편안하게 표출되고 자연스럽게 이행되지 못하면 질투의 감정은 더 짙은 그림자가 되어 내면에 쌓인다.

아빠에게 애착을 느끼는 다섯 살짜리 여자 아이가 "아빠, 우리 엄마를 죽여 버리자."라고 말하는 것은 유아의 발달 단계에서 자연스러운 심리적 현상이다. 그러나 그런 말을 입 밖에 내면 당연히 호된 야단을 맞게 되고, 그런 일이 있으면 유아는 자신의 욕망이 허용되지 않는 거라는 사실을 깨달으면서 그 감정을 내면 깊숙이 밀어 넣는다. 다시는 입 밖에조차 내지 못하는 그 감정은 무의식이 되어 성인이 된 후의 감정과 행동에 영향을 미치게 되는 것이다.

파리 민박 집의 그 아내가 실제로 누군가와 '붙어먹었는지', 그렇다면 그 사람은 혹시 그날 학위가 통과되었다는 하숙생인지 하는 것은 중요한 게 아니었다. 그 남편에게 더 중요한 것은 그의 내면에 이미 생생한 질투의 감정이 내재해 있다는 점이었다. 그가 아내를 향해 토해 냈던 질투의 감정은 처음부터 아내의 행위와는 무관한, 아내가 바람을 피운다는 환상에 근거해 자극받은 것이었을지도 몰랐다.

프로이트적 정신분석학에서는 질투를 오이디푸스 콤플렉스와 관련된 감정이라고 설명하지만 진화 심리학에서는 조금 더 포괄적인 의견을 제시한다. 질투는 자신의 유전자를 후대에 남기고 종족을 번성시키기 위해 선택하는 자연적인 심리 기능이라는 것이다. 그리하여 질투의 감정은 인류의 진화와 함께 세련되어지고 공고해져 왔다. 데이비드 버스의 《오셀로를 닮은 남자, 헤라를 닮은 여자》는 진화 심리학적 입장에서 질투의 심리에 대해 고찰한 책이다. 그 책에 의하면 남편들은 아내가 외도를 해서가 아니라, 외도를 저지를 가능성을 줄이기 위해 폭력을 휘두르기도 한다는 것이다. 아내의 외도는 남편에게 자신의 유전자를 후대에 남길 기회를 빼앗기는 일, 누구의 자식인지도 모르는 아이를 양육하며 경제적 손실을 입는 일을 뜻하기 때문이다. 질투에서 비롯된 남편들의 폭력이 아내 살해로까지 이어지는 이유는 질투에 동반되는 분노, 모욕감, 수치심, 우울, 혼란, 불안, 의심, 슬픔, 자존심 상함, 버림받았다는 느낌 등이 한데 어우러지기 때문이라고 한다.

파리 민박 집 남편의 분노에도 폭발적인 질투의 감정만 있는 건 아닌 듯했다. 하필이면 그날 학위 테스트에 통과했다는 가상 연적의 성취에 대한 시기심도 있었을 것이고, 그와 비교할 때 자신이 보잘것없다고 느끼는 자기 비하감도 있었을 것이고, 도중에 삶을 포기한 듯 살고 있는 자신에 대한 분노 등이 중첩되어 있었을 것이다. 아마도 그는 자기 자신을 파괴하고 싶은 욕망을 아내를 향해 표출한 것일지도 몰랐다.

저 아름답다는 도시 파리에서의 첫 밤은 공포의 밤이었다. 텅 빈 2층에 혼자 누워 아래층에서 들려오는 분노와 파괴의 소음들을 들으며, 금방이라도 그 계단으로 누군가가 올라올 것 같은 불안감을 느끼며, 그러면서 가만히 누워 있었다. 아래층의 사태에 어떻게 대응해야 할지 판단할 수 없었다. '왜 아래층에는 말리는 사람이 없는지, 왜 이웃에서조차 경찰에 신고하지 않는지…….' 막막한 마비의 느낌 속에서 그런 생각도 했다. 그 마비감 끝에 깜빡 잠들었다가 다시 깼을 때는 이튿날 아침이었다.

잠에서 깼을 때는 그 마비의 느낌, 완전한 무력감이 더욱 심해져 있었다. 아래층에서는 아무런 기척도 들리지 않았고, 나는 무엇을 어떻게 해야 할지 알 수 없는 마음으로 한동안 가만히 앉아 있었다. 아래층으로 내려가서 안부를 물어야 하는지, 싸움 후유증으로 누워 있을 아내를 위로하고 아이들에게 밥을 차려 줘야 하는지, 남의 사생활에 개입하지 않고 그냥 지나쳐야 하는지……. 그런 것들을 판단할 수가 없었다. 무력감에 압도되어 아무것도 판단하거나 결정하거나 행동할 수 없는 상태, 그것이 공황 상태가 아닌가 싶었다.

한 시간 가까이 가만히 앉아 있다가 일단 그 집을 나와 좀 걷기로 했다. 거실을 지나면서 보니 열린 안방 문으로 이불을 뒤집어쓴 채 누운 아내의 뒷모습이 보이고 엄마 뒤에서 말없이 장난감을 가지고 노는 아이가 보였다. 그들 외에는 남편 되는 이도, 하숙생도 보이지 않았다.

거리를 걸으며 생각을 정리한 다음 아무것도 미안해하거나 생각하지 않기로 하고 전날의 그 역으로 갔다. 그곳 여행 안내소에서 숙소를 소개받은 다음 천천히, 그 아내 되는 이가 상황을 수습할 만큼 시간을 지체한 다음 민박 집으로 돌아가 여행 가방을 들고 나왔다. 미안하다고 말하며 돈을 돌려주던 그 여성의 얼굴이 어쩐 일인지 전혀 생각나지 않는다.

밀라노와 파리에서의 민박 집 체험 이후 민박 집에 대한 미련을 깨끗이 버렸다. 인터넷을 뒤져 민박 집 연락처들을 적어 갔던 이유는 오직 밥과 김치가 먹고 싶어서였는데, 매번 한국 음식이 주는 위안보다 더 심하게 심리적으로 불편한 상황과 맞닥뜨려야 했다.

그로부터 얼마간 시간이 지난 후 그 싸움 광경에서 나 자신에 대한 사실 한 가지를 추측해 낼 수 있었다. 그때 그들의 싸움 앞에서 그토록 무력하고 공포스러워하고 판단 마비 상태에 처했던 이유에는 혹시 내가 기억하지 못하는 유아기에 그와 비슷한 부모의 싸움 장면이 있었던 게 아닌가 하는 점이었다. 그런 의문은 나의 어떤 기질에 대한 해답 같기도 했다. 평소에 파괴적인 싸움 장면에 다른 이들보다 더 심하게 겁을 먹는다는 점, 그리하여 평생 큰소리로 싸움을 해 본 적이 없다는 점, 심지어 논쟁하는 사람들조차 부담스러워한다는 점.

사실 나도 큰소리로 화를 내거나 싸우고 싶은 때가 없지 않았다. 그러나 그렇게 하려고 하면 벌써 심장이 쿵쾅거리고 팔다리가 떨려서 거의 마비에 가까운 무력감을 느끼곤 했다. 소리라도 지르려 하면 거대한 손이 울대를 누르는 듯 목소리가 나오지 않았다. 생각해 보면 폭력 앞에서 처하는 그 신체적, 심리적 상태는 성인의 것이 아닌, 겁에 질리고 무력한 아기의 것임에 틀림없었다. 아무래도 유아기의 어느 지점에 싸움하는 부모, 그 사이에서 죽음과도 같은 공포를 느낀 아기가 있는 것 같았다.

평생 싸움에 취약했던 것처럼 질투의 감정에 대해서도 그랬다. 한 번도 질투의 감정과 제대로 맞서 본 적이 없었다. 삼각관계에 빠져 서로 머리 터지게 싸우고, 질시하고 경쟁하는 이들의 방식을 이해하지 못했다. 오래도록 이렇게 생각하며 잘난 척하기도 했다.

"사랑이 뭐 대단한 거라고 저렇게 머리 터지게 싸울까?"

삼각관계에 처하는 것 자체를 싫어해서 호감을 품었던 사람을 후배가 좋아한다는 사실을 안 이후 마음에서 지워 낸 일도 있었다. 여자 친구들끼리 친근함의 정도를 놓고 미묘한 신경전이 오가는 게 느껴질 때도 그 관계에서 발을 빼곤 했다. 그러면서 내게는 질투가 없다고, 질투는 불필요한 감정 낭비일 뿐이라고 믿었다.

그게 다 그릇된 인식이었음을 정신분석을 받은 후에야 알았다. 내게는 질투가 없는 게 아니라 깊숙이 억압되어 있었고, 그것이 너무 거대하게 느껴져서 자신의 질투를 감히 마주 보고 인정할 수 없었을 뿐이었다. 질투의 감정을 외면하면서 삼각관계에서 발을 뺄 때마다 나는 그 게임에서 이길 자신이 없어 속으로 패배를 인정하며 굴복하고 있었던 셈이다. 자신의 질투를 인정하지 못했기 때문에 그 감정을 모두 타인에게 투사해서 질투하는 사람을 상대하기 어려워했고 또 한심하게 여겼다. 질투심, 아니 '사랑받는 자로서의 자신감 없음'은 내 오랜 심리적 어려움의 근원이었다.

《오셀로를 닮은 남자, 헤라를 닮은 여자》에서는 사랑의 이름으로 전개되는 남녀 관계에서 가장 조심해서 다뤄야 하는 감정이 질투라고 한다. 질투는 사랑의 뒷면처럼 인식되어 사랑을 확인하는 도구로도 활용되고, 연인의 관심을 끌기 위한 방편으로 사용되기도 한다. 그러나 질투는 상대를 살해할 수도 있을 만큼 파괴적인 감정이다. 통계에 의하면 남편에게 살해당한 아내는 대체로 이혼하자고 제안한 직후, 혹은 별거 기간에 살해당했다고 한다.

전문가들은 질투심을 극복하기 위해서는 무엇보다 자신이 가치 있다는 느낌, 자신이 소중하다는 감정을 가져야 한다고 충고한다. 자기 존중감이 확고한 사람은 불필요하게 가상의 경쟁자를 설정하지 않으며, 설사 환상 속에서 경쟁하는 일이 있더라도 쉽게 패배하지 않는다. 실제로 감성적으로 불안하거나 호전적인 사람의 파트너가 더 많이 외도한다는 통계 조사도 있다.

질투심을 극복하는 데 또 하나 중요한 요소는 상대방의 노력이다. 상대방에게서 완전한 인정과 사랑을 받고 있다는 느낌, 어떠한 감정이나 행위도 무시되지 않고 받아들여진다는 확신이 있어야만 질투심이 극복되므로 상대방에게 솔직하게 어려움을 털어놓고 도움을 청하는 방법도 좋다고 한다.

타인이 가진 것을 파괴하고 싶은 욕망

시 기 심

인도의 거지들은 '내가 당신에게 선행할 기회를 준다.'는 논리로 아주 당당하다는데, 이탈리아 거지와 집시들은 그런 논리 없이도 당당했다. 이탈리아의 거리에서 수시로 만나는 사람이 거지, 집시, 부랑자들이었다. 손에 돈을 쥐고 매점 앞에 줄 서 있으면 어김없이 누군가 나타나 손을 내밀었다. 때로는 친한 사람을 부르듯 어깨를 툭툭 치며 손을 내밀곤 했다. 고개를 돌려 보면 아기를 안은 집시 여인이 내 손에 들린 돈을 가리키며 '그것을 달라'는 눈빛을 했다. 역 창구에서 티켓을 사 들고 돌아설 때도 등 뒤에서 기다리고 있던 부랑자가 손에 들린 거스름돈을 가리켰다.

처음에는 그들 앞에서 다양한 감정이 체험되어 당황하곤 했지만 하루에도 몇 번씩 그런 일이 반복되자 나중에는 범상한 일상이 되었다. 일상을 살아가듯 그들을 대하는 간단한 원칙도 세워졌다. 내 손에 그들이 원하는 잔돈이나 물품이 있을 때는 그대로 그것을 건네주었다. 그러나 지나가는 앞길을 막아서며 손을 내밀면 그냥 지나쳤고, 서 있는 중에라도 빈손일 경우에는 그냥 빈손을 펴 보이는 것으로 의사를 표시했다.

이탈리아는 로마를 중심으로 남과 북이 사회적, 경제적으로 많은 차이가 난다고 한다. 그래서인지 경제적으로 낙후된 남쪽에는 구걸하는 거지가 많고, 풍요로운 북쪽으로 가면 배낭에서 지갑을 꺼내 가는 소매치기가 많았다. 구걸과 소매치기의 차이는 그 행위 배면에 시기심과 분노가 어느 정도 내포되어 있는가에 따라 다른 것 같았다.

피렌체에서는 배낭을 멘 채 길을 걷다가 무심히, 정말 무심결에 뒤를 돌아보았는데 바로 그 순간 내 배낭의 바깥 주머니 지퍼를 열던 십 대 소녀와 눈이 마주쳤다. 그녀는 아무 일 아니라는 듯 범상한 표정을 지으며 "스쿠시"라고 말한 후 그대로 나를 지나쳐 갔다. 스쿠시는 '아이 엠 소리' 정도에 해당되는 이탈리아어다. 아무 일 없는 듯 평온한 걸음으로 사뿐사뿐 앞서 걷는 소녀의 뒷모습을 바라보고 있자니 허탈한 웃음이 나왔다.

밀라노의 지하철역에서는 열 살 안팎으로 보이는 소년들에게 지갑을 털렸다. 배낭을 한쪽 어깨에 비스듬히 메고 있었는데 두 명의 집시 소년이 내 눈치를 살피며 슬금슬금 배낭 쪽으로 다가왔다. "저리 가!"라고 말했지만 아이들은 내 말을 무시한 채 나를 빤히 올려다보면서 오히려 더 가까이 다가왔다.

그때서야 위기감을 느꼈다. 큰소리로 "폴리스!"라고 외치자 주변 사람들의 시선이 내 쪽으로 쏠렸고 아이들은 내게서 떠나갔다. 하지만 그 짧은 시간, 1, 2초 남짓한 사이에 이미 배낭 바깥 주머니에서 정확하게 지갑을 빼내 갔다. 놀라운 솜씨였다. 그 지갑에는 그날 쓸 돈만 따로 넣어 두었기 때문에 많이 잃지는 않았다.

직접 소매치기를 당하지 않았으면서도 가장 심각하게 공포를 느낀 사건은 암스테르담에서 있었다. 그 도시에 도착해 환전을 하기 위해 환전소 창구 앞에 줄을 섰다. 좁은 관광 안내소 내부는 환전하려는 사람과 호텔을 소개받으려는 사람들이 몰려 복잡했다. 그 소란 가운데 서 있는데 등 뒤에서 낯선 이에게 말을 거는 듯한 목소리가 들려왔다. 내게 하는 말이 아닌 게 분명했지만 그럼에도 우연히, 혹은 반사적으로 그쪽으로 고개가 돌아갔다. 한 청년이 어느 여행자를 향해 말을 거는 중이었는데 몸은 그 여행자를 향한 채 시선은 내 손에 들린 여권과 여행자 수표를 보고 있었다. 그리고 다음 순간 그와 나의 시선이 딱 마주쳤다.

그동안 많이 보아 온 눈빛이었다. 로마 테르미니 역 근처에서 서성이던 청년들의 눈빛, 밀라노에서 지갑을 꺼내 간 아이들의 눈빛, 거리에서 손 내미는 집시들의 눈빛이 모두 그랬다. 팽팽히 잡아당긴 현처럼 긴장되어 있으면서도 약삭빠른 눈치와 뻔뻔스러움이 뒤섞인 듯한 눈빛이었다.

나와 시선이 마주쳤지만 그는 내 시선을 피하지 않았고 그 자리를 떠나지도 않았다. 나 역시 환전소 앞에 그대로 서서 여권과 여행자 수표를 미리 꺼내 들고 있었던 것을 후회하면서 두근거리는 가슴을 진정시켰다. 가이드북에서 읽은 구절을 떠올리기도 했다. 노련한 여행자처럼 행동할 것. 둘러보니 역 구내에 경찰관 한 명이 보였다. 환전을 하고 숙소를 소개받으면 곧바로 경찰관에게 가서 도움을 청해야겠다고 생각했다.

환전을 한 후 옆의 창구에서 호텔을 소개받으려니 암스테르담에 무슨 국제회의가 있어 모든 호텔이 풀 부킹 상태라고 했다. 2층에 또 한 군데 안내소가 있다기에 2층으로 올라갔더니, 그 청년이 반대쪽 계단을 통해 거기까지 뒤따라왔다. 모든 것이 다시 한 번 명확해졌다. 혼자 여행하는 조그마한 동양 여자는 더없이 만만한 작업 대상일 것이다. 더구나 방금 환전한 현금까지 보지 않았는가. 이제는 다리까지 떨리는 느낌이었지만 일단은 마음을 진정시키며 안내소 앞에 늘어선 줄 뒤에 섰다. 내가 줄에 서자 그는 이십여 미터쯤 떨어진 벤치에 자리 잡았다. 그러는 내내 그와 나는 계속 서로 시선을 부딪치고 있었고, 서로의 마음을 읽고 있었다.

결론적으로 말하면 고장 난 컴퓨터가 나를 도왔다. 바로 그날 안내소 컴퓨터가 호텔 체크 시스템을 전산식으로 바꾸었는데 프로그램이 제대로 작동하지 않아 수리에 들어간 것이다. 줄에 서 있던 사람들이 긴 기다림에 들어가기라도 한 듯 편안한 자세로 바닥에 주저앉기 시작했고, 나 역시 좀 더 편안한 자세로 가방 위에 걸터앉았다. 안내소 앞의 줄이 백 미터 이상 늘어나고, 거의 세 시간을 그 자리에서 보낸 다음 숙소를 소개받고 나니 그 청년은 떠나고 없었다.

그런 일들을 몇 번 겪으면서 깨달은 사실은 소매치기들이 더 극성을 부리는 날은 언제나 주말이라는 것이었다. 피렌체, 밀라노, 암스테르담에서 보통보다 더 위험한 일을 겪은 날을 짚어 보니 주말이라는 공통점이 있었다. 주말에는 경찰관이 근무하지 않기 때문에 거리의 악사도 소매치기도 그때를 틈타 기승을 부리는 것 같았다. 그날 이후 큰 여행 가방을 들고 도시에서 도시 사이를 이동하는 날은 월요일이나 화요일로 잡았다.

옥스퍼드 영어 사전에는 시기심이 "행복, 성공, 명성 등 가치 있는 것을 누리고 있는 사람의 우월함에 대해 불쾌감과 악의를 느끼는 것"이라고 정의되어 있다. 질투심이 세 사람 사이의 감정이며 그 심리적 배경이 '사랑받는 자로서의 자신감 없음'이라면, 시기심은 두 사람 사이의 감정이며 그 심리적 배경은 '상대방이 가진 것이 내게 결핍되어 있다.'고 느끼는 감정이다. 시기심은 자신과 무관한 사람, 일면식도 없는 사람, 불특정 다수에 대해서도 느끼는 감정이다.

시기심이 가장 소극적으로 표출될 때는 타인이 가진 것에 대한 부러움과 칭찬의 형태로 나타난다. 사촌이 땅 사면 배 아프다, 타인의 불행은 나의 행복, 넘어진 자 밟아 주고 절벽에 선 자 밀어 주자 등 우리가 별다른 자의식 없이 사용하는 속담이나 농담 배면에 있는 감정도 시기심이다.

시기심이 표출되는 강도가 조금 더 심해지면 타인에 대한 헐뜯기, 헛소문, 집단 따돌림, 쇼핑 중독 등의 형태로 나타난다. 연예인에 대한 악성 루머나 로또 복권 당첨자들이 죽었다는 소문은 시기심이 표출되는 전형적인 방식이다. 시기심이 그보다 더 격렬해지면 소매치기나 강도처럼 남이 가진 것을 빼앗는 행위로 나타난다. 그중 가장 불행한 형태는 자기보다 많이 가진 자의 소유물을 빼앗기 위해 타인을 살해하는 일이다.

도둑질, 소매치기, 강도뿐 아니라 사기, 집단 테러 등 사회적으로 발생하는 불행한 사건들의 배경에는 대체로 시기심이 자리 잡고 있다. 여행 중에는 내가 겪은 위험보다 더 큰 피해를 당한 한국인 여행자를 많이 만났다. 그들은 대체로 연인이나 부부였는데 멋진 의상과 화려한 액세서리가 소매치기의 시선과 시기심을 자극할 만해 보였다. 그들은 하나같이 잠시 가방을 내려놓았다가 1, 2초 사이에 잃어버렸다고 했다.

여행 가이드북을 읽어 보면 세계의 거의 모든 나라에서 소매치기, 강도, 좀도둑, 바가지요금을 주의하라고 쓰여 있다. 그것은 온 세계인이 서로를 잠정적 소매치기나 강도쯤으로 본다는 뜻이 아니라 모든 인류의 내면에 깃들어 있는 시기심의 보편성에 관한 이야기일 것이다. 여행자에게 중남미나 동남아의 저개발 국가, 시장경제를 받아들인 지 얼마 되지 않는 동유럽 국가들이 더 위험한 이유도 그들이 느끼는 상대적 결핍감 때문일 것이다.

언젠가 미국에서 제작한, 복권에 당첨된 사람들의 삶을 추적한 텔레비전 프로그램을 본 일이 있는데 그중에 인상적인 장면이 있었다. 한 여성이 복권에 당첨된 이웃 사람에 대해 분노에 가득 차서 비난하는 내용이었다.

"우리한테는 아무것도 없었어요. 떡고물조차 떨어지지 않았어요. 그 사람은 아무도 몰래 마을을 뜨고 말았다구요."

여인의 목소리는 크고 강하고 자신의 분노가 정당하다는 확신에 차 있었다. 그녀는 복권 당첨자가 남몰래 떠난 것에 대해 부끄러움을 느껴야 한다고 말했다. 그러나 내가 보기에 정작 부끄러움을 느껴야 할 사람은 바로 그녀 자신이었다. 그녀는 복권 당첨자가 복권을 살 때 동전 한 닢 보태 주지 않았을 것이고, 당첨자가 오직 복권에만 희망을 걸고 고독과 절망 속에서 여러 해를 보냈을지라도 그에게 위로가 될 만한 언행을 할 사람 같아 보이지는 않았다. 그런 일이 있었다면 틀림없이 크게 떠벌렸을 것이다. 상대방을 위해 아무것도 한 일이 없으면서도 상대방의 행운에 대해서조차 수치심 없이 분노하는 마음, 그것이 바로 시기심이다.

롤프 하우블의 《시기심》이라는 책에 의하면 시기심을 촉발시키는 대상은 타인이 소유한 물질뿐 아니라 미모, 재능, 명예, 행복 등 다양하다고 한다. 타인이 가진 것을 파괴하고 싶어 하는 시기심에는 정당한 근거도 수치심도 없다. 그것은 현실적 소유의 차이나 결핍에서 생기는 감정이 아니어서 합리적으로 설명되지도 않는다. 시기심 역시 무의식 저 깊은 곳에 뿌리를 두고 있는 감정이기 때문이라는 것이다.

정신분석을 받을 때 면담자는 잊을 만하면 한 번씩 "엄마가 젖을 잘 먹였겠어요?" 하고 묻곤 했다. 사실 그때는 그 질문에 내포된 의미를 제대로 이해하지 못했다. 엄마의 수유 방식과 태도가 아기의 정서 형성에 크게 영향을 미친다는 사실을 몰랐다. 그중에서도 시기심은 일차적으로 엄마의 수유 습관에 의해 형성된다고 한다. 엄마에게 생존의 전부를 의존할 수밖에 없는 아기는 기다리는 젖이 오지 않을 때 엄마가 가슴에 불룩하게 많이 가지고 있으면서도 주지 않는다고 생각하며 시기심을 느낀다. 그런 시기심은 성장하면서 남근 선망, 형제와의 차별, 사회적 비교 등을 통해 강화된다. 생각해 보면 18개월에 일방적으로 엄마의 젖을 박탈당했을 때 유아였던 내가 느낀 가장 압도적인 감정도 시기심과 분노였을 것이다.

나는 이십 대 중반부터 절에 다니기 시작했다. 앞서 말한 것처럼 한동안 종교는 내게 중요한 의존 대상이었다. 그 시기에 처음 스님 방에 초대받아 차를 얻어 마신 일이 있는데 그때 받았던 충격이 생애 내내 잊히지 않고 되살아나곤 했다. 그 충격의 핵심은 사람이 사는 데 필요한 물건이 그다지 많지 않다는 사실이었다. 그 후로도 스님 방에 들어갈 기회가 있을 때마다 그 사실을 확인하곤 했다. 스님 방에는 책상과 다기 세트 외에는 아무것도 없기 일쑤였다. 책상 위에는 책이 한두 권 있거나 없거나 했다. 물론 스님들의 방마다 벽장이 있어 잡다한 일상 용품들이 그곳에 보관된다는 것은 알고 있었다. 한 인간이 사는 데 필요한 물건은 그 좁은 벽장에 들어갈 만큼이면 충분한 것이다.

나도 마음으로부터 그렇게 살고자 했다. 단순하고 소박하게. 물질적인 면뿐만 아니라 정신적인 면까지 그럴 수 있으면 좋겠다고 소망했고, 보석이나 사치스러운 물건을 탐하지 않는 마음으로 그것을 이루었다고 믿었다. 삶이 전체적으로 소박하고 가볍기를 바랐고, 그렇게 살고 있다고 믿어 왔다.

생각은 그렇게 하고 있으면서도 실제적인 삶의 모습에서는 그 반대였다는 것을 여행을 떠날 무렵에 자각했다. 집을 팔고 짐을 정리할 때 내가 얼마나 많은 물건을 소유하고 있었는지를 비로소 객관적으로 인식할 수 있었다. 화분이 스무 개쯤 되었고 벽마다 걸어 두었던 액자가 아홉 개였고, 오래전부터 듣지 않은 LP가 1천 장쯤 되었다. 덩치 큰 오디오 세트와 터무니없이 큰 용량의 냉장고, 심지어 집이 곧 작업실이라는 이유로 여기저기 놓아두었던 책상 세 개…….

짐들을 정리하면서야 무의식이 얼마나 힘이 센지 알았을 것이다. 그 물건들은 내 필요가 아니라 내 결핍감이 원한 것이었고, 나의 욕망이 아니라 나의 시기심이 사들인 것이었다. 소비자의 시기심을 자극하는 방법으로 상품을 광고하는 기업이, "잘살아 보세!"라고 부르짖으며 경제개발 5개년 계획과 함께 달려온 우리 사회가, 더 많은 것을 갖고자 달려 나가는 이웃들이 시기심을 부추기기도 했을 것이다. 결핍감을 직면한 이후 그것이 거품처럼 사위는 것이 느껴지는 것은 다행스러운 일이었다.

앤과 배리 울라노프 부부의 《신데렐라와 그 자매들》은 시기심의 심리 중에서도 시기당하는 사람의 심리에 대해서 연구한 책이다. 그 책에 의하면 시기당하는 사람은 신데렐라처럼 오직 선함과 아름다움을 가지고 있다는 사실만으로도 시기의 대상이 된다. 시기당하는 사람 역시 고통을 받았으며, 그가 가진 것을 얻기 위해 힘들게 노력했다는 사실은 고려되지 않은 채 시기심의 대상인 하나의 사물로 치환된다는 것이다.

시기당하는 사람은 자칫 죄책감을 느끼기 쉽고, 시기심을 피해 관계를 철수하게 되고, 자신이 가진 선을 포기하고자 하는 유혹을 느끼게 된다. 그때 시기당하는 사람이 선택할 수 있는 최선의 방식은 시기받는 고통을 인정하는 것, 그럼에도 자신의 가치를 폄하하지 않는 것, 자신이 가진 선을 끝까지 믿고 포기하지 않는 것이다. 귀족에게 요구되던 노블레스 오블리주, 기업 이윤의 사회 환원, 제도화된 기부 문화 같은 것은 시기당하는 사람이 만들어 낸 생존 방식일 것이다. 우리 사회에 유독 팽배한 반기업 정서는 부의 사회 환원에 인색한 재벌들에 대해 서민들이 갖는 시기심일 것이다.

기독교 문화에서는 질투나 시기심을 워낙 엄격하게 다룬다. 성서에서 말하는 일곱 가지 대죄에도 시기심이 포함되어 있고, 십계명에도 "너는 이웃의 집을 달라고 요구해서는 안 된다. 너의 이웃의 아내와 노예들, 소든 당나귀든 이웃이 소유하고 있는 그 어떤 것도 달라고 요구해서는 안 된다."는 말로 시기심을 경계하고 있다. 만약 시기심을 경계하지 않는다면 살인과 강도와 약탈이 일상적으로 벌어질 것이다. 시기심을 극복하는 데서 문명이 시작되듯이 개인의 정신도 시기심을 극복하는 데서 성장하기 시작한다.

세상을 반으로 축소시키는 태도

분 열

예전에 한 자동차 광고에 이런 카피가 있었다.

"세상에는 두 종류의 사람이 있습니다. ○○차의 미래를 믿는 사람과 믿지 않는 사람."

그때 그 자동차 회사는 망하기(좀 더 적절한 경제 용어를 구사하지 못해 미안한 마음이다) 직전의 처지에 있었다. 국내 채권단은 손을 들었고, 설마 이만한 자동차 회사가 그냥 넘어가도록 내버려 두겠느냐는 배짱으로 믿었던 정부도 그 회사를 외면했다. 이어 외국 자동차 회사와 매각 협상이 진행 중이었는데 그것조차 어정쩡한 상태로 2년 가까이 시간을 끌고 있었을 것이다. 그런 배경에서 만난 광고여서 유독 눈길을 끌었다.

그 광고는 자동차 매출을 올리는 데 목적이 있는 게 아니라 회사 이미지를 제고하는 데, 그것도 자기네 회사가 아직은 건재하다는 것을 보여 주는 데 목적이 있는 광고였다. 카피 내용뿐 아니라 카피를 말하는 여성 성우의 오만한 음색에서까지 그들이 지켜 내려는 자존심과 안간힘이 묻어났다. 문제는 그런 심리적 배경들이 너무나 빤히 드러나 보여서 그것이 오히려 위기에 처한 회사의 불안한 처지를 노출시키는 면이 있다는 점이었다. 어쩌면 그 광고주가 노린 것이 바로 그런 안쓰러운 감정을 유발한 뒤 얻어 낼 수 있는 동정표였는지도 모르겠다. 어쨌든 그 광고를 보면서 내가 한 첫 생각은 이랬다.

'저 광고주 이상하네. 왜 가만히 있는 사람을 두 부류로 나눠서 세상 사람의 절반을 적으로 만들지?'

평소에 그 자동차 회사에 대해 아무 생각이 없었는데 그 광고를 보는 순간 마음이 두 갈래로 나뉘었다. 저 차의 미래를 믿을까, 말까. 내 생각에는 그냥 "○○차의 미래를 믿어 주십시오." 하거나, "○○차의 미래를 믿어 주셔서 고맙습니다."라고 하는 게 더 담백하고 지혜로운 방식 같아 보였기 때문이다.

지금이나 그때나 광고 전략에 대해서는 아는 바가 없다. 그래서 그들의 카피에 어떤 심오한 심리적 전략이 있는지는 모른다. 다만 그 무렵 친구들과 만난 자리에서 그 광고에 대한 느낌을 이야기했을 것이다. 그런데 한 친구가 이렇게 말했다.

"나는 그 광고 재미있던데."

나는 그 친구에게 그 광고가 어떻게 이상한 느낌을 주는지, 왜 공연한 세상을 둘로 나누는지 이해되지 않는다고 말했고, 친구는 그게 왜 문제인가 되물었다. 친구의 반문에 막막한 벽 같은 것을 느꼈던 것 같다. 그때 우리 이야기를 듣고 있던 다른 친구가 이렇게 말했다.

"세상에는 틀림없이 두 부류의 사람이 있어. 그 광고를 좋아하는 사람과 그 광고를 싫어하는 사람."

사람들의 내면에는 저마다 자의적인 기준이 있다. 그리고 그 기준으로 세상을 두 편으로 나누는 이분법을 가지고 있다. 동년배의 한 평론가가 "나의 이분법은 인간을 댄서와 화가로 나눈다."고 쓴 글을 본 일이 있다. 그의 친구 한 사람은 인간을 육식동물과 초식동물로 나눈다고 했다. 나의 친구 한 사람은 에세이에 이렇게 썼다.

"세상 사람들은 두 종류로 나눌 수 있습니다. 어둠이 밀려오는 밤바다를 지켜보면서 울어 본 사람과 그렇지 않은 사람."

네팔을 여행하고 온 또 다른 친구는 이렇게 말했다.

"이 세상에는 두 부류의 사람이 있는 거 같아. 네팔을 여행할 수 있는 사람과 네팔을 여행할 수 없는 사람."

그 친구는 네팔의 미개와 비문명에 대한 충격 때문에 여행이 고통스러웠다고 했다. 로마나 인도를 여행하는 사람들도 두 부류가 있다고 들었다. 그 도시 초입에서 돌아 나오는 사람과 그 도시에 오래 머물거나 되풀이해서 방문하는 사람.

인류는 태초부터 두 편으로 나뉘어 살아왔다. 내 편과 네 편, 아군과 적군, 왼쪽과 오른쪽, 옳음과 그름……. 이분법은 사람들의 마음 아주 깊은 곳까지, 일상의 세밀한 곳까지 침투해 있고 사람들은 저마다의 잣대를 가지고 세상을 둘로 나누어 바라본다.

한 인간의 내면에도 좋은 편과 나쁜 편, 내 편과 네 편이 존재한다. 내면의 선하고 정당하고 고결한 것을 보호하기 위해 악하고 부당하고 천박한 것과 나누어 놓는 심리 전략이다. 분열(splitting)이라고 불리는 이 현상은 불안이나 고통으로부터 자아를 방어하기 위해 채택하는 생존법이다(분리 seperation는 아기가 엄마와 한 몸이라는 융합 환상에서 벗어나 자신을 독립된 개체로 인식하는 과정을 뜻한다).

분열의 심리는 아기가 엄마의 모습을 두 가지로 인식하게 되는 데서 비롯된다. 아기는 보살피고 돌봐 주는 좋은 엄마와, 야단치고 좌절시키는 나쁜 엄마가 동일인이라는 것을 알지 못한다. 좋은 엄마에 대한 사랑을 표출하고 나쁜 엄마에 대한 분노를 억압하면서 내면의 감정을 두 영역으로 나눈다. 성장하면서 아기는 두 가지 엄마를 한 엄마 속에 통합시키고 그럼에도 엄마는 변함없이 자신을 사랑한다는 사실을 믿게 된다. 그러나 어떤 이유로든 좋은 엄마의 이미지와 나쁜 엄마의 이미지를 한 엄마 속에 통합시키지 못한 사람은 심리 내부에 '좋은/나쁜'의 이분법을 갖게 된다.

그 자동차 광고를 보면서 재미있어 했던 친구는 내면의 분열적 측면을 억압 없이 표출하는 사람이었을 것이고, 그 광고를 보면서 불편함을 느꼈던 나는 그것을 내면 깊이 억압해 두고 있었던 것 같다. 세상을 둘로 나누는 것에 대한 거부감, 그것은 틀림없이 나의 억압된 이분법의 표출이었을 것이다. 그러고 보면 내게도 다양한 이분법이 있었다. 여행할 때면 세상 사람들이 여행자와 현지 주민으로 나뉘고, 몸이 아플 때면 세상 사람들이 건강한 사람과 환자로 나뉘었던 경험이 있다.

세상에 이분법이 많은 것처럼 이분법에 근거한 편견도 무수히 많다. 부자들은 부도덕한 방법으로 돈을 번 냉혈한 수전노이고, 가난한 자들은 게으르고 어리석으며 거지 근성을 가지고 있다는 편견. 여성은 의존적이고 신경질적이고 비이성적이며, 남성들은 폭력적이고 거짓말쟁이이고 자기중심적이라는 편견. 장애우들은 무식하고 무능하며, 독신자들은 미성숙하고 불완전한 인간이라는 편견. 우리가 가지고 있는 수많은 이분법적 편견은 나르시시즘 위에 분열과 투사 방어기제가 결합된 형태가 아닌가 싶다.

그런 사례 중 요즈음 특히 눈에 띄는 사례는 이성애자와 동성애자에 대한 이분법일 것이다. 이성애자들은 자신들이 정상이고 동성애자들은 비정상이라고 손가락질한다. 동성애란 조금 다른 성적 취향일 뿐인데도 그들은 소수라는 사실 때문에 약자가 된다.

여행하면서 많은 동성애자 커플을 보았다. 해변에 나란히 누워 일광욕하는 게이 커플, 유람선 위에서 한 사람은 메모를 하고 다른 사람은 그림을 그리던 레즈비언 커플, 기차에서 다섯 시간 동안 쉬지 않고 속삭이던 게이 커플……. 그들은 어떤 이성애 커플보다 아름답고 다정하고 질은 결속력을 보여 주었다. 그중에 가장 인상적인 커플은 로마에서 묵었던 아파트 맞은편 동에 살던 게이 커플이었다.

담배를 피우기 위해 베란다에 나갈 때마다 본의 아니게 그들의 풍경을 넘겨다보게 되었다. 그들은 조용하고 귀족적으로 살면서 주말이나 휴일이면 여행을 하고 저녁이면 베란다에 촛불을 켜 놓고 오랫동안 식사를 했다. 더러 싸우기도 하는 모양이었는데, 그런 다음 날은 둘 중 한 사람이 일찍 들어와 요리를 하거나, 늦게 들어오는 이가 꽃을 한 아름 사들고 들어오곤 했다.

정원을 사이에 두고 건너다보는 거리감 때문일까, 그들은 로맨틱하고 아름다워 보였다. 서로 다른 별에서 온 듯 근본적인 소통이 불가능한 이성 커플보다 내밀한 뱃속까지 동질감을 느끼는 동성 커플은 틀림없이 더 깊은 친밀감을 공유하는 것 같았다. 그들의 베란다와 나란히 있는 옆 베란다에는 은퇴한 듯한 노인이 살고 있었는데 그는 트렁크 팬티 차림으로 벌거벗은 상체를 베란다 바깥까지 내밀고 옆집 베란다의 식사 풍경을 구경하기도 했다. 그런 때면 내 시선도 그 노인의 시선과 같지 않은가 되돌아보게 되었다.

배낭여행을 하는 한국인 남학생에게서 들은, 게이에 관한 재미있는 이야기가 있다. 그 학생은 자정 가까운 시간에 파리에 도착해 유스호스텔을 찾아갔다고 했다. 남성용 숙소는 만원이었고 여성용 16인실 숙소에 침대 하나가 남아 있었다고 했다. 매니저는 잠시 고민하더니 그에게 조용히 따라오라고 했단다. 그는 자정이 넘은 시간에 여성용 숙소로 숨어 들어가 침대 하나를 차지하고 잠들었다.

아침에 그가 잠에서 깬 것은 여성들의 비명 소리 때문이었다. 눈을 뜨니 많은 여학생들이 빙 둘러서서 그를 내려다보고 있었다. 그가 당황해서 잠시 할 말을 잊고 있는데 그중 한 여학생이 먼저 말을 꺼냈다.

"너, 굉장히 운 좋은 남자구나."

그 순간 그 학생은 자신도 모르게 이렇게 말했다고 한다.

"아니야, 나는 게이야."

여성용 숙소 입구에 써 있던 '여성과 게이 전용'이라는 팻말이 생각나더라고 했다.

내면의 분열적 측면을 통합하지 못한 사람은 세상 사람들도 '좋은 사람'과 '나쁜 사람'으로 나눈다. 한 인간의 내면에 좋은 면과 나쁜 면이 공존한다는 사실을 인정하지 못한 채 자신도 '착한 사람/좋은 사람'이 되고자 애쓴다. 자신의 좋은 면만 외부로 표출하고 나쁜 면은 온 힘을 다해 억압한다.

'좋은 사람/나쁜 사람' 이분법은 세상의 모든 곳으로 확장되어 이 세상조차 '좋은 편/나쁜 편'으로 나누어 보게 된다. '좋은 사람'이 되고자 하는 욕망은 '착한 아이'가 되고자 하는 유아적 욕망의 변형된 형태이며, 자아의 여러 요소들을 의식 속에 통합시키지 못한 채 '좋은 자아' 와 '나쁜 자아' 로 내면을 나누고 있다는 뜻일 것이다.

예전에 직장에 다닐 때 인사 업무를 담당하는 사람으로부터 이런 이야기를 들은 일이 있다. 인사팀에서는 조직에 해로운 사람으로 두 부류를 경계한다고 했다. 모든 동료들이 배척하는 사람과 모든 동료들이 좋아하는 사람. 그 말을 들었던 이십 대에는 모든 사람에게 인기 있는 사람이 위험한 이유는 그를 중심으로 형성될지도 모르는 어떤 세력에 대한 경계심 때문일 거라고 이해했다. 그러나 뒤늦게 전혀 다른 관점에서 그 말이 이해되었다. '좋은 사람' 의 심리적 배경이 이해되듯이.

저마다 다른 개성을 가진 사람들이 모인 조직에서 모든 동료들이 다 좋아하는 사람이란 좋은 사람이 되고자 하는 분열적 방어기제를 더 성공적으로 사용하는 사람일지도 모른다. 그런 이들은 '착한 아기' 가 되어 엄마를 잘 사용했듯이 '좋은 사람' 이 되어 타인을 마음대로 조종하려는 사람일 것이다. 그런 이들은 자신의 나쁜 면을 억압하는 데 온 힘을 쏟느라 생기, 추진력, 창의력마저 억압되어 업무에서 만족할 만한 성과를 올리지 못할지도 모른다. 인사 담당자들이 인간 정신의 저 내밀한 메커니즘까지 이해해서 그런 원칙을 세웠는지는 알 수 없지만 그들의 경험에서 건져 낸 인간에 대한 통찰이 들어 있는 건 틀림없어 보였다.

이제 나는 특정인에 대해 이야기하면서 "그 사람은 '좋은 사람'

이야."라고 표현하는 사람에 대해서도 그의 내면에 혹시 이런 목소리가 있지 않을까 추측한다.

"나는 '좋은 사람'의 억압을 좋아해. 그 사람이 자신의 자연스러운 본성을 억압하여 점차 무력한 사람이 되어가는 게 좋아. 그리하여 나를 공격하거나 내게 해를 끼치지 않는 점, 나의 경쟁자가 되지 않는 점이 좋아. 그가 마침내 암에 걸려 나보다 먼저 세상을 떠나는 것이 기뻐."

너무 심한가? 그러나 사람의 마음을 알면 알수록 주변에 널린 속담이나 격언이 그토록 정확하다는 데 놀라곤 한다. "욕을 먹고 살아야 오래 산다."는 속담도 심리적으로 진실이었다. 남에게 욕먹는 사람은 자신의 부정적 내면을 억압하지 않는 사람, 자신의 욕망과 감정에 솔직한 사람일 것이다. 그는 덜 고상해 보일지는 몰라도 심리적으로 불편하지 않고, 생의 에너지가 억압되지도 않고, 암에 걸리지도 않는 삶을 살 것이다. 최근 일본에서 베스트셀러가 된 두 권의 심리학 대중서가 있는데 그 제목이 이렇다고 한다. 《나도 때때로 나쁜 짓을 하고 싶다》, 《좋은 사람이기를 포기하면 마음이 편해진다》.

'좋은 사람'과 비슷한 형태의 방어기제로 '이타주의'가 있다. 나는 오래도록 이타주의가 생의 소중한 덕목이며 미덕이라 믿었다. 하지만 이제는 생각이 달라졌다. 이타주의란 내면의 고통스러운 감정과 생의 어려움을 마주 보지 못해 그것을 외부로 옮겨 놓고 타인을 보살피고 돌보는 방어기제일 뿐이라고 믿는다. 이타주의 방어기제는 특히 병리적 의존성을 가진 사람들과 만나 환상의 콤비 플레이를 펼친다. 많은 정신 치료자들도 자신들의 직업이 일종의 병리적 증상일 수 있다고 말한다. 다른 사람의 어려움을 다룸으로써 자신의 어려움을 피하는 방어적 태도라는 고백이다.

물론 세상에는 방어기제가 아닌, 진정으로 숭고한 마음으로 타인을 위해 희생하는 훌륭한 사람이 많다. 물속에 뛰어들어 타인을 구하고 자신의 목숨을 버리거나 사회적으로 더 위험하고 희생적인 직업을 선택하는 이들이 있다. 그러나 매트 리들리의《이타적 유전자》를 보면 그 이타적인 행동 역시 궁극적으로는 자신이나 종족의 이익을 위한 행동이라고 한다.

예전에 나는 좋은 사람, 이타적인 사람, 정의로운 사람이 되고 싶었다. 그러나 이제는 그 모든 당위적 가치를 버렸다. 대신 나의 내면에 좋은 사람/나쁜 사람, 이타적인 사람/이기적인 사람, 정의로운 사람/비겁한 사람이 공존한다는 것을 알게 되었다. 이제 나는 스스로 정의롭다고 자처하는 사람을 만나면 심리적으로 부담감을 느낀다. 정의라는 것 역시 입장에 따라 상대적인 가치이며 심리적으로 분열과 투사 방어기제, 나르시시즘, 도덕적 분노 등이 결합된 산물이 아닌가 의심해 본다.

분열, 투사, 이타주의 이외에도 방금 먹은 나쁜 생각을 취소하는 반대 행동인 '취소', 마음과 반대되는 행동을 하는 '반동형성'도 세상에 '좋은/나쁜' 두 가지 가치가 존재한다는 전제 위에 서 있는 방어의식이다. 그런 방어기제를 가진 사람들이 입는 피해는 세상을 반으로 축소시켜 인식하게 된다는 점이다. 그들은 인간에 대해서도 반만 이해하고, 정신 에너지도 반밖에 사용하지 못하고, 재능조차 반쯤 박탈당할지도 모른다.

이제 나는 인간의 속성에 대해 이렇게 이해한다. 한 인간의 내면에 좋은 사람과 나쁜 사람, 댄서와 화가, 육식동물과 초식동물, 어둠이 밀려오는 밤바다를 지켜보면서 울어 본 사람과 그렇지 않은 사람, 네팔을 여행할 수 있는 사람과 여행할 수 없는 사람이 모두 존재한다고.

내면의 부정적인 면을 타인에게 옮겨 놓기

"미국의 철도 교통을 생각하면 핵전쟁 이후에 달라질 세상의 모습을 떠올리게 된다. 물론 열차가 가기는 간다. 문제는 평원을 가로지르다가 고장 난 것도 아니면서 예닐곱 시간씩 늦게 도착한다는 데 있다. 기차역은 또 어떤가. 거대하고 썰렁하고 휑뎅그렁하다. 술 한잔 마실 데도 없고 악당같이 생긴 자들만 득실거린다."

이 글은 이탈리아의 석학 움베르토 에코의《연어와 여행하는 법》이라는 책에 실린 '미국 기차로 여행하는 방법'이라는 에세이다. 여행에서 돌아온 후 우연히 이 글을 읽다가 비실비실 흐르는 웃음을 참을 수 없었다. 미국 기차 여행의 불편함에 대한 불만은 네 페이지에 걸쳐 계속 이어지는데 에코의 말투에 버무려진 신경질의 기미가 유독 우스웠다. 그 글을 읽고 나자 문득 에코의 말투로 '이탈리아 기차로 여행하는 방법'에 대해 이야기해 보고 싶어졌다.

"이탈리아 기차는 시간표와 무관하다. 30분 정도 연착하는 일은 보통이고, 시간이 바쁘면 어떤 역은 빼먹고 통과하기도 한다. 역의 무슨 시스템이 고장 났다는 이유로 승객을 엉뚱한 역에 내려놓기도 하고, 심지어 기차 시간표에는 있으나 유령 기차가 달리는지 눈에 보이지 않는 일도 있다. 기차역은 또 어떤가. 어디 한 군데 편안히 쉴 공간이 없다. 복잡하고 지저분하고 어수선하다. 집시, 거지, 악당같이 생긴 청년들이 득실거리고 잠시만 한눈팔면 손가방이 사라진다."

위의 사례는 모두 나의 직간접 체험이다. 뮌헨에서는 이탈리아 기차가 연착하는 바람에 프랑크푸르트에서 탈 귀국 비행기를 놓쳤다는 젊은 배낭여행자들을 만난 일이 있었다. 그들은 일주일 동안 기차에서 잠자고 빵으로 끼니를 때우면서 다음 비행기를 기다리는 중이라고 했다. 기차 여행의 여러 가지 불편을 겪으면서도 나는 움베르토 에코와 같은 신경질적인 감정은 나오지 않았다. 그 불편함이 이 나라 특성이구나 싶을 뿐이었다. 남의 나라 기차를 보고 반응하는 나와 에코의 차이는 각자의 내면에 이미 자기 나라의 기차 여행에 대해 어떤 감정이 들어 있는가의 차이에서 기인할 것이다.

투사란 '스스로 수용할 수 없는 욕망, 생각, 느낌을 주체의 바깥, 즉 다른 주체에게로 옮겨 놓는 방어기제'라 한다. 스스로 인정하지 못하는 생각이나 느낌이란 앞 장에서 언급한 분열의 심리 작용에 의해 나뉜 부정적인 영역의 감정들이다. 그런 감정들이 다른 대상에게 옮겨져 표출되는 방식은 대체로 혐오, 경멸, 비난, 분노의 방식이다. 이를테면 에코는 자기네 나라 기차 여행에서 느꼈던 불편과 불만, 그러나 자각하지 못하고 있었을 그 감정을 애꿎은 미국 기차에 투사했을 뿐이다. 시간 잘 지키고 시설 깨끗한 한국 기차만 알고 있던 나는 이탈리아 기차를 볼 때도 그저 좀 불편하고 색다른 경험이구나 생각했을 뿐이다.

우리가 타인에게 느끼는 특별한 감정은 대체로 투사일 경우가 많다. 타인의 이기적인 면을 유독 싫어하는 사람은 대체로 이타적인 사람이겠지만 그 사람의 내면에도 억압당한 이기심이 들어 있게 마련이다. 타인의 성적 방종에 대해 유독 분노하는 사람은 성적으로 도덕적인 사람이겠지만 그의 내면에도 바람둥이가 되고 싶은 욕망이 있는 것이다. 수다스럽고 경솔한 사람을 경멸하는 과묵하고 진중한 사람도, 거짓말하는 사람을 경원시하는 정직한 사람도, 저마다의 내면에는 바로 그들이 인정하지 못한 채 타인에게 전가하는 바로 그 부정적인 측면이 억압되어 있다. 그리하여 우리가 누군가를 혐오하거나 비난할 때 그 행위는 곧 자신에 대한 비난이 되는 셈이다.

투사는 사회적, 집단적 정서로도 표출된다. 그중 가장 대표적이고 보편적인 형태는 지역감정이다. 조너선 스펜스의 《강희제》 평전에는 이런 구절이 있다.

"가끔씩 나는 어떤 성의 주민들은 어떤 특정한 결점을 갖고 있다고 말하였다. 예컨대 푸젠(福建) 성 사람들은 난폭하고 용감한 행동을 좋아한다. 학자들조차 방패와 칼을 사용한다. 반면에 산시(陝西) 성 사람들은 거칠고 잔인하다. 그들은 싸움과 살인을 즐기며 대단히 반항적이다. 산둥(山東) 성 사람들은 고집이 세다. 그들은 언제나 첫째가 되어야 하고, 증오심을 키우며, 생명을 경시하고, 많은 사람들이 강도가 된다. 몽골인 가운데 할하부(喀爾部) 사람들은 변덕스럽고, 물건을 가져도 만족할 줄 모른다. 반면에 산시(山西) 성 사람들은 너무 인색해서 자기 집안의 노인조차 돌보려 하지 않는다. 장쑤(江蘇) 성 사람들은 부유하지만 부도덕하다. 그들이 저지르는 악행은 누구나 금방 알아차릴 수 있다."

읽기에도 숨찬 이것이 중국에 통용되는 지역감정인 모양이다. 중국뿐 아니라 인간이 사는 한 세계 어느 나라에나 지역감정이 있게 마련이다. 영국은 템스 강을 중심으로 그 남쪽과 북쪽 지역이 서로 미워하고, 이탈리아는 밀라노 지방과 나폴리 지방이 서로 무시한다. 지역감정이 강한 이들에게 한 가지 공통점이 있다면 그들이 지역감정을 마치 폭탄 다루듯 조심스럽게 다룬다는 점이다. 그 이유는 아마도 지역감정이 결국은 자기 얼굴에 침 뱉기일 뿐이라는 사실을 알고 있기 때문인 듯하다.

지역감정처럼 보편적인 투사의 또 한 가지 형태는 인종차별주의다. 외국을 여행하다 보면 자주 레이시즘과 맞닥뜨리게 되는데 그것이 피부에 느껴지는 강도는 개인에 따라, 성별에 따라, 특정 국가나 도시에 따라 천차만별이다. 내가 경험한 레이시즘 가운데 가장 인상적인 것은 뮌헨에서 한 독일인 할머니로부터 받은 시선이었다. 뮌헨 근교, 유대인 수용 시설이 있는 다하우에 가는 길이었다.

다하우는 뮌헨과는 일일생활권에 있는 위성도시이며 전차로 4, 50분쯤 떨어진 곳에 있었다. 다하우 행 전차 내부는 의자가 네 자리씩 마주 보도록 설치되어 있고, 우리나라 전철의 경로석이 있는 자리쯤에는 의자가 전혀 설치되지 않은 채 빈 공간으로 남겨져 있었다. 나는 그 공간에 서 있었다. 아침에 숙소에서 나오면 신체의 긴장감을 유지하기 위해 되도록 걷거나 서 있는 것이 내가 정한 원칙이었다. 몇 정거장 지나 두 청년이 자전거를 들고 열차에 탈 때에야 그곳이 자전거를 위한 공간이라는 것을 알았고, 할 수 없이 가까이 있는 빈 좌석에 가서 앉았다.

내가 앉은 좌석 맞은편에는 이미 두 독일인 할머니가 앉아 있었다. 한 할머니는 털실로 뜨개질을 하고 있었고 다른 할머니는 책을 읽는 중이었다. 두 할머니 모두 얼마나 허리를 꼿꼿이 펴고 긴장된 자세로 앉아 있는지 보는 내가 다 불편할 정도였다. 이탈리아 할머니들의 번잡스러울 정도로 화려한 액세서리와 섹시하게 보이기 위한 옷차림과는 눈에 띄게 비교되는 모습이었다. 액세서리는 반지 정도이고 옷차림은 엄격한 스커트 정장이었다. 두 할머니는 온몸으로 이것이 독일인의 근검함과 엄격함이다, 라고 말하는 듯했다.

내가 맞은편 자리에 앉자 책을 읽던 할머니가 고개를 들어 나를 바라보았다. 앞자리의 사람을 확인한 후(모든 인간은 그 정도는 방어적이므로) 이내 다시 책으로 시선을 돌릴 줄 알았는데 그게 아니었다. 그때부터 할머니는 빤히, 아주 빤히 나를 바라보기 시작했다. 아니, 바라보는 게 아니라 노려본다고 표현하는 게 더 적합할 눈빛이었다. 경멸과 질시와 분노의 감정이 담긴 눈빛을 내게, 그것도 얼굴 한가운데에, 조금도 주저하는 기색 없이 정통으로 꽂은 채 미동이 없었다.

만약 내게 레이시즘의 심리적 배경에 대한 이해, 독일의 레이시즘에 대한 사전 오리엔테이션이 없었다면 아주 깊이 상처받았을 눈빛이었다. 다행히도 독일의 레이시즘에 대해서는 사전에 들은 이야기가 많았다. 독일에서 유학했던 한 친구는 아파트 1층에 살았는데 신나치주의 젊은이들이 돌을 던지는 바람에 한 학기에 한 번은 유리창을 갈아 끼워야 했다고 한다. 누이가 슈투트가르트에 산다는 예전의 직장 선배는 그 누이가 동네 슈퍼마켓에 가면 독일인 할머니가 다가와 눈을 똑바로 들여다보며 이렇게 말한다고 했다.

"너네 나라로 가."

이탈리아 볼로냐에서 영화를 공부하고 있는 친구는 내 다음 행선지가 독일이라고 하자 이렇게 말했다.

"그 야만인들의 나라에는 왜 가려고 그래."

그 친구는 유학을 염두에 두고 유럽 여러 나라를 둘러봤는데, 그중 가장 먼저 유학 대상에서 제외한 나라가 독일이었다고 했다. 막상 독일에 도착하자 그 모든 이야기들이 일제히 환기되면서 그 말뜻이 확연히 이해되었다.

맞은편 좌석에 앉아, 채 1미터도 안 되는 거리에서 나를 보고 있는 할머니의 눈빛도 바로 그것이었다. '너네 나라로 가.' 할머니의 눈빛은 조금도 흔들림이 없었고, 확신에 차 있었고, 심지어 눈꺼풀 한 번 깜박이지 않았다. 과녁에 꽂힌 화살 같은 눈빛이었다. 사전에 레이시즘의 심리적 배경을 이해하고, 독일의 어떤 면에 대한 오리엔테이션이 있었다 해도 나이가 더 어렸다면 당황했을 눈빛이었다.

그런데 어쩐 일인지 그 할머니의 눈빛을 보고 있는 동안 자꾸 웃음이 나려 했다. 그 할머니가 사로잡혀 있는 신념과 광기가 우스웠다. 그토록 고결하고 우월하고 도덕적인 모습이 자신이라고 믿는 그릇된 확신도 우스웠고, 그 배면에 억압된 부정적인 면들을 이방인에게 투사하여 이유 없는 경멸과 분노의 눈빛을 보내는 태도도 우스웠다. 할머니는 아마도 사춘기와 청년기쯤에 양대 세계대전을 겪으며 나치즘의 세례를 확실하게 받은 세대 같았다. 그 눈빛이 패전국 국민의 죄의식이나 패배감의 반대편 감정이 아닌가 싶은 생각이 들기도 했다.

'할머니, 너무 그러지 마세요. 저는 할머니를 해칠 사람이 아니에요. 할머니 나라를 좀 구경하고, 심지어 관광 수입까지 올려 주러 온 손님이라구요.'

마음속으로 그렇게 중얼거리면서 나 역시 부끄러움을 모르는 시선으로 그 할머니 무릎에 엎어져 있는 책과, 그 옆의 할머니가 뜨개질하고 있는 물건과, 두 할머니의 옷차림과, 흐트러짐 없이 꼿꼿한 자세들을 관찰하듯 바라보았다. 왜 정신분석이라는 학문이 독일에서 처음 생겨났는지, 프로이트와 융 같은 이가 어떤 배경에서 탄생했는지 새삼 이해할 것 같았다. 그러는 동안에도 맞은편 할머니는 미동 없는 눈빛으로 나를 노려보고 있었는데, 아마도 천하태평인 듯한 내 태도가 할머니를 더욱 분노하게 하는 것 같았다.

그렇게 얼마간 가다가 기차가 목적지에 가까워지는 것 같아 배낭에서 지도와 열차 노선표를 꺼냈다. 다하우까지 세 정거장 남았다는 사실을 확인한 후 고개를 드는데 그때까지도 나를 노려보고 있던 할머니가 어쩐 일인지 내 시선을 피했다. 시선을 피하면서 고개를 거의 90도 가까이 돌려 창밖을 바라보았다.

믿기지 않았다. 내가 관광객이며, 그것도 그들의 치부로 남아 있는 유대인 수용 시설을 보러 간다는 사실을 알고 난 후 그 할머니의 심리적 상태가 좀 전과 180도로 달라진 거였다. 창밖을 바라보는 할머니의 옆모습에서는 좀 전까지 무섭게 노려보던 눈빛 뒷면에 있는 감정들이 드러나는 듯했다. 피해 의식이나 열등감이나 모욕당한 자의 굴욕감 같은 것. 기차가 다하우 역에 도착해 내가 내릴 때까지 할머니는 그 자세를 고스란히 유지한 채 다시는 나를 바라보지 않았다. 나중에 독일 특파원을 오래 지낸 사람으로부터 들은 이야기인데, 그런 경우에는 "왜 그렇게 바라보느냐? 내 얼굴에 뭐가 묻었느냐?"고 웃으며 말을 건네면 그런 상황을 적절히 넘길 수 있다고 한다.

지역감정, 인종차별주의, 마녀사냥 등은 대표적인 투사 방어기제이다. 투사 방어기제가 발동되는 이유는 자신의 선하고 정당하고 우월한 모습을 보호하기 위해서 내면의 부정적인 생각, 욕구, 충동을 외면하는 데서 비롯된다. 외면당한 그 추악하고 열등하고 비열한 측면들은 억압, 억제, 차단, 부정 등의 방법을 통해 의식에서 떨어져 나가고, 그런 다음 무의식이 되어 다른 대상에게 옮겨지는 것이다. 억압, 억제, 차단, 부정 등도 대표적인 방어기제로 꼽힌다.

투사 이론의 핵심을 가장 극명하게 요약한 게슈탈트의 말이 있다.

"모든 타인은 나를 비추는 거울이다."

타인에 대해 어떤 생각을 품든지, 어떤 말을 하든지 그것은 모두 나의 내면에 있는 요소들이 거울처럼 되비치는 현상일 뿐이라는 것이다. 내면에 억압된 부정적 측면이 많은 사람은 더 자주 타인의 부정적인 면을 보게 되고, 그만큼 더 자주 타인에게 분노를 경험하게 된다. "어떤 사람이 당신 앞에서 제삼자에 대해 험담한다면 그 사람은 돌아서서 그 제삼자에게 당신에 대해서도 험담할 것이다."라는 속설이 심리적으로 참인 이유 역시 투사 현상으로 설명될 수 있다.

투사 이론을 이해하고 나자 인간 세상의 대부분의 문화에서 이미 투사 현상에 대해 경계하고 있다는 것을 알게 되었다. 불교의 화엄경에는 일체유심조(一切唯心造)라는 계명이 있다. 이 세상 만물의 형상부터 사소한 감정의 일어남까지, 모든 것이 마음의 조화라는 뜻이다. 금강경 사구계인 범소유상 개시허망(凡所有相 皆是虛忘)도 세상 모든 곳에 존재하는 사물들이 내 마음에 비치기 때문에 존재하는 허상일 뿐이라고 말한다.

가톨릭에서는 한때 '내 탓이오 운동'을 벌인 일이 있다. 요즈음도 자동차 뒤 유리에 '내 탓이오'라고 쓰인 스티커를 붙이고 다니는 차량을 간혹 본다. 가톨릭 교리에 대해 잘 모르지만, 그것이 어떤 성서적 근거에서 나온 말인지조차 모르지만, 가톨릭 신도들이 기도할 때 주먹으로 가슴을 세 번 치면서 "내 탓이오, 내 탓이오, 내 큰 탓이로소이다."라고 낮게 읊조리는 광경을 보면서 그 경건함 때문에 소름이 돋았던 경험이 있다.

베어 하트라는 인디언 주술사가 쓴 《인생과 자연을 바라보는 인디언의 지혜》라는 책에는 주술사였던 삼촌이 지은이를 연못으로 데려가 물속에 얼굴을 비춰 보게 하는 장면이 있다. 처음에는 잔잔한 물에, 다음에는 막대기로 연못을 휘저은 뒤 얼굴을 비춰 보게 한 다음 이렇게 말한다.

"네가 어떤 사람을 만났는데 그 사람이 마음에 들지 않으면, 네 자신의 모습을 보는 것이라고 생각해야 한다. 네 속에는 네가 좋아하지 않으면서도 솔직하게 인정하지 않는 어떤 부분이 있는 것이다. 그것을 다른 사람에게서 볼 때 그 사람을 싫어하게 된다. 네가 싫어하는 것이 실은 네 자신의 일부이다. 늘 이것을 명심하거라."

《요가 다이어트》라는 책을 쓴 이는 체조 선수였는데, 늘 체중조절에 애를 먹었다고 한다. 그 책에는 그가 시도했던 다이어트 방법들이 서른다섯 가지나 소개되어 있다. 그런데 요가를 받아들이고, 심리적으로 고통스러운 어느 단계를 극복하자 마음에서 군살이 빠지듯 몸에서도 살이 빠지더라고 했다.

"당시에는 그 모든 고통을 주는 것이 다른 사람들이라 생각했지만, 그게 아니었다는 것을 한참 뒤에야 알았다. 모든 건 내 잘못이었다. 인간에게 일어나는 모든 일에는 원인이 있고, 그 고통의 가장 큰 불씨는 바로 자기 자신이 만들어 내는 것이었다. (……) 잘 이해해야 할 것은, 단순히 '무조건 내 탓'으로 돌려 참으라는 뜻으로 하는 얘기가 아니라는 것이다. 누구든 자신의 마음을 활짝 열고 가만히 문제 안으로 깊이 파고 들어가 보면 자연스레 얻게 될 발견이다."

불교, 가톨릭, 요가, 인디언 문화에서 말하는 이 모든 '내 탓' 이론이 아마도 투사 현상에 대한 경계일 것이다. 정신분석을 받으면서 나 역시 평소에 불편하게 느꼈던 타인들의 모습이 고스란히 나의 내면에 있음을 인정했다. 나는 모성이 부족하다고 생각되는 여성, 질투나 시기하는 사람, 상습적인 거짓말쟁이를 유독 싫어했다. 그런 이들을 만나면 객관적인 인식보다 먼저 감정의 어떤 부분에서 브레이크가 걸리는 듯한 불편함을 느꼈다. 이유 없이 저항감을 안게 되는 부류의 사람이 또 있었는데 그것은 가르치고 지배하려는 말투를 가진 사람, 자신의 가치관으로 타인의 행동을 재단하는 사람, 상대방의 마음에 대해 다 안다는 듯한 말투를 쓰는 사람들이었다. 그것은 내 엄마의 특성이면서 동시에 나의 내면에도 있는 것이었다.

투사 현상을 통해 나 자신의 추악함과 나약함과 못남을 고스란히 인정하고 나자 '내 탓'이라고 말하는 단계가 어디쯤인지 절로 알 것 같았다. 그 말을 하는 순간 정신의 힘이 강해지면서 마음의 경계가 넓어지는 것도 느낄 수 있었다. 어떤 책임도 타인에게 전가하지 않고, 어떤 외부의 바람에도 흔들리지 않는 마음자리가 어디인지 짐작할 것도 같았다.

이제 나는 사람들이 탐욕스럽게 보이고 타인들이 나를 시기한다고 느껴질 때면 자신에게 이렇게 묻는다. 내가 지나치게 원하는 것은 무엇인가? 타인의 소유물 중에서 무엇을 파괴하고 싶은가? 누군가 나를 미워하고 있다고 느껴질 때도 자신에게 물어본다. 내가 지금 미워하는 사람은 누구인가? 똑같은 심리적 이유로 타인의 말이나 행동에 대해서도 아무런 영향을 받지 않게 되었다. 그들은 모두 자신들의 내면을 타인에 쏟아부어 이야기하고, 내면의 분노를 표출하고 있을 뿐이었다.

"남에게 보이는 관심을 반만 줄여도 생이 한결 편안해질 것이다."

역시 게슈탈트의 말이다. 우리가 '남에게 보이는 관심'이란 대체로 시기심이거나 의존성이거나 투사의 감정 같은 것들의 결집이기 때문이다.

자기 자신과 삶으로부터의 도피

낯선 도시에 처음 도착하면 가장 먼저 여행 안내소에 들러 숙소를 소개받는다. 그쪽에서 어느 정도 가격대를 원하느냐고 묻기도 하고, 내 쪽에서 먼저 정해 둔 액수를 말하기도 한다. 똑같은 가격대의 숙소여도 그 나라 물가와 현지 사정에 따라 숙소의 질은 천차만별이다. 대도시는 시설도 별로 좋지 않으면서 비싸기만 하고 관광지 숙소들은 가격도 적당하고 시설도 괜찮다. 경험해 본 숙소의 형태도 여러 가지여서, 백패커의 16인실 도미토리에서 새벽 한 시에 기차에서 내리는 바람에 무작정 역 앞에 보이는 호텔에 들어

갔더니 그것이 별 다섯 개짜리 특급 호텔이었던 경우도 있었다.

오클랜드에서 묵었던 호스텔은 예전에 오클랜드 대학교 기숙사였다는데 그때는 어학연수 온 외국인 학생들이 주로 이용하고 있었다. 각 층마다 복도 중앙에 공동 취사, 세탁, 샤워 시설이 있었는데 가끔 부엌에 들러 외국인 학생들이 요리하는 이국 음식을 구경하는 일이 재미있었다. 베이징에서도 외국인 유학생이 많이 묵는 숙소에 머문 적이 있는데 그곳은 호텔이라고 불리는 시설임에도 방마다 취사도구와 탈수기가 비치되어 있었다. 내가 경험했던 숙소 중 가장 인상적인 곳은 타히티의 오레아 섬에서 묵었던 바닷가 방갈로였다. 나무, 식물 줄기 등 천연 재료만으로 지은 집에는 가끔 도마뱀이 기어 다니곤 했다.

그렇다, 나는 여행지의 숙소들을 좋아했다. 그곳이 어떤 형태든, 어떤 시설을 갖추고 있든, 미지의 공간을 상상하며 낯선 방문에 열쇠를 꽂을 때마다 절연한 설렘이 일었다. 낯선 방으로 첫발을 들이밀 때면 또 하나의 새로운 세상을 만난 듯한 기분이 되었다. 어떤 방은 창으로 보이는 전경이 좋고, 어떤 방은 테이블 위에 준비된 차가 마음에 들었고, 어떤 숙소는 베란다에 놓인 의자가 마음을 당겼다. 낯선 여행지의 빈 숙소를 보며 느끼는 감정은 역설적이게도, 안성감과 편안함이었다.

그런 순간 내 감정이 접어드는 기억의 소로에는 이십 대의 저 젊은 날, 수시로 드나들었던 절집들의 요사채 방 한 칸이 있었다. 내가 묵었던 방뿐 아니라 이따금 방문했던 스님들의 방도 떠올랐다. 일상의 너절하고 번다한 잡동사니가 없는 곳, 어떤 기억이나 감정을 불러일으키는 사물이 없는 공간, 사는 데 필요한 것이 그리 많지 않다는 사실을 일깨워 주었던 방. 그것이 절집 요사채와 여행지 숙소의 닮은 점이었다.

방문 바깥 손잡이에 '방해하지 마시오'라는 팻말을 걸어 두면 그 공간이 한결 안락해지는 듯한 심리적 변화를 느끼곤 했다. 이제부터 그 공간에서는 무엇을 해도, 아무것도 하지 않아도 좋다. 누구도 이 공간을 침해하거나 관심을 갖거나 노크하는 일조차 없으리라. 비로소 온전한 평화가 찾아온 듯도 했다. 낯선 여행지의 낯선 숙소는 내가 원하는 간결하고, 단순하고, 초연한 삶의 상징인 것만 같았다.

그런데 어느 날 문득, 절집 요사채나 여행지 숙소를 좋아하는 마음에 도피나 방어 심리가 있는 게 아닌가 하는 의심이 들었다. 갈등을 불러일으키는 현실의 삶으로부터 멀리 떨어진 곳, 고통스러운 삶의 흔적이 없는 공간, 누구의 간섭도 받지 않는 안전하고 평화로운 공간, 너절한 일상의 주변부가 섞이지 않은 사유……. 낯선 숙소에 대해 생각하는 그 모든 수사들은 삶의 고통을 감당하지 못하는 자의 말투가 틀림없었다. 그렇다면 나는 절에 드나들었던 저 이십 대부터 낯선 도시를 떠도는 그때까지 간단없이 도피하고 있었던 셈이었다. 삶으로부터, 나 자신으로부터.

그런 생각은 곧 여행 자체가 어쩌면 총체적인 방어 행위가 아닌가 하는 데로 이어졌다. 오래전부터 나는 늘 낯선 곳으로 멀리 떠나기를 꿈꾸어 왔다. 대학 진학 때는 아무도 아는 사람이 없는 곳으로 가겠다면서 예비고사 지망지에 '제주도'라고 써넣었다. 내 손으로 돈을 벌기 시작한 이후부터는 틈만 나면 혼자 여행을 다녔다. 주말, 연휴, 휴가 때마다 지방의 낯선 고장을 둘러보곤 했다. 만약 직장에 매여 있지 않았다면 이십 대를 방랑으로 점철했을지도 몰랐다. 오너드라이버가 된 가장 큰 이유도 더 편리하게 떠돌기 위해서였다. 무거운 여행 가방을 들고 다니는 부담도 덜고, 대중교통 시설이 미치지 않는 곳도 마음대로 가고, 한밤이든 새벽이든 마음이 일 때 불쑥 떠나고 싶어서였다. 무엇보다도 나는 현실의 삶에 안착하지 못한 채 늘 다른 삶을 꿈꾸었다.

비로소 모든 게 확연해졌다. 틀림없이 여행 습관은 일종의 방어 의식이었다. 삶의 한가운데로 뚫고 들어가지 못해, 내면의 고통과 직면하지 못해 어디론가 도망치고자 하는 행동이었다. 표면적으로 그 여행은 정신분석에서 알아낸 많은 것들을 몸과 마음으로 체험하고 넘어서기 위한 완충지나 숙성기의 시간 같은 것이었다. 그러나 내적으로는 분석을 받으며 헤집어진 고통스러운 감정, 아직도 어떻게 살아야 할지 알 수 없는 모호한 삶으로부터 멀리 도망친 행동이었다.

나중에 그런 방어 의식을 전문 용어로 '회피'라고 한다는 것을 알았다. 위험하거나 고통스러운 감정, 상황, 대상으로부터 안전한 거리를 유지하려는 태도라는 것이다. 회피 방어기제 역시 유아기에 형성되는 정서이며, 그때 아기에게 고통스러운 감정, 상황, 대상은 엄마와 엄마가 만드는 환경이다. 그러니까 회피는 원하는 것을 주지 않는 엄마, 그런 엄마에 대해 품는 부정적 감정으로부터 도망치는 아기의 방식이었던 셈이다.

회피와 비슷한 방어기제로는 고통스러운 감정을 의식으로부터 멀리 떨어뜨려 두는 해리, 보호해야 하는 자기를 안전한 곳에 옮겨놓는 격리, 위험한 감정을 다른 것으로 변환시켜 엉뚱한 대상에게 옮겨 놓는 전치, 위험한 대상을 보다 안전한 형상으로 변화시켜 간직하는 상징화, 위험한 대상으로부터 일정한 거리를 확보하고자 하는 지식화나 객관화 같은 것이 있다고 한다.

'엄마로부터 도망치기'라는 감정의 비밀을 이해했을 때 외할머니에게서 들은 유년의 에피소드 하나가 떠올랐다. 두 돌이 되기 전부터 외가에서 살다가 초등학교에 들어갈 나이가 되어 엄마가 나를 데려가기 위해 외가에 왔을 때의 일이라고 했다. 그때 막 일곱 살이 된 나는 엄마가 온다는 사실을 안 순간 신발도 신지 않고 단숨에 집 밖으로 달려 나가더라고 했다. 그 길로 3백 미터쯤 떨어져 있는 작은 외가댁으로 달려가 곧바로 그 집 안방으로 뛰어 들었다. 겨울이어서 아랫목에는 이불이 깔려 있었는데 나는 그 이불 밑으로까지 몸을 숨겼다. 작은 외할머니가 왜 그러느냐고 물었더니 내가 이렇게 대답했다고 했다.

"엄마가 나를 잡으러 왔어요."

예전에 그 이야기를 들었을 때는 어리둥절하고 이해 불능의 막막한 느낌만 받았다. 그런데 회피라는 단어를 만났을 때 뒤늦게 그 이야기가 떠오르면서 뒤늦게 그 아이의 마음이 환하게 이해되었다. 30여 년 전의 그 아이의 말과 행동, 그 언행이 배면에 있는 감정들에 고스란히 닿는 느낌이었다. 안락한 삶의 기본 조건이어야 하는 엄마가 그때 이미 고통과 분노와 도망치고 싶은 대상으로 인식되고 있었다. 그리고 성인이 된 내가 삶을 대하는 태도 역시 그 아이의 방식과 별반 다르지 않음을 다시 한 번 확인했을 것이다.

회피 방어기제를 이해한 후 주변에 유난히 방랑벽이나 여행벽이 심한 사람들의 얼굴을 떠올려 보았다. 그들이 엄마가 아닌 할머니나 이모 손에서 양육된 유년을 가졌다는 공통점에 생각이 가닿았다. 그들 가운데 한 사람이 삶에 대한 자신의 느낌을 '유랑 걸객의 이미지'라고 표현했던 말도 떠올랐다. 타히티 공항에 내렸을 때 문득 들었던 생각, '고갱은 행복했을까?'라는 의문의 근원이 짐작되었고 그 답이 짚이는 것 같았다.

중·고등학교 때 역사 시간에 이따금 품었던 의문도 뒤늦게 이해되었다. 전국을 발로 걸어 다니며 지도를 만들었다는 김정호나, 방방곡곡의 이야기를 모아 《삼국유사》를 지었다는 일연 스님에 대해 공부할 때면 늘 그것이 의문이었다. 어떻게 전국을 걸어서 다녔을까? 그들을 그토록 떠돌게 한 힘은 무엇이었을까?

시조를 읊으며 산하를 떠돌았다는 김시습이나, 금강산으로 들어가 나오지 않았다는 마의태자 이야기를 들을 때도 그렇게 떠나는 사람의 마음에는 무엇이 있을까 궁금했다. 지금 생각하니 그 모든 의문들이 바로 나의 콤플렉스였다. 이미 나의 내면에 있는 그런 기질들이 역사 속 인물들의 삶에 투사되곤 했을 뿐이었다. 그들이 온 산천을 떠돌며 훌륭한 업적을 남길 수 있었던 동력은 바로 회피 방어기제, 콤플렉스, 강박증 등이었을 것이다.

그렇게 콤플렉스가 고리가 되어 시선을 잡아끄는 대상 가운데 다리가 있었다. 인류 문명이 강을 끼고 발달했다는 증거를 보여주듯 모든 도시나 마을이 강을 가지고 있었고, 강마다 다리가 있었다. 여행 중 아주 많은 다리를 만났는데 이상하게도 다리를 볼 때마다 가슴에서 정체불명의 미미한 파문이 일곤 했다. 이 파문은 얼마나 깊은 곳에서, 어떤 경로를 통해 드러나는 걸까 생각하며 한동안 다리 앞에 서 있기도 했다.

그중에서도 더 오래 시선을 끈 대상은 바다 위에 놓인 다리였다. 뉴질랜드나 열대 섬처럼 바다를 생의 터전으로 삼아 생활하는 곳에서는 그런 다리가 많았다. 바다를 향해 나아가다가 마음 내키는 데서 뚝 끊기는 그런 다리는 애초에 목적지가 없는, 저편 언덕에 닿지 않는 다리였다. 그런 다리는 높이 지어져 있기도 하고 낮게 지어져 있기도 하고, 시멘트로 지어져 있기도 하고 목재로 지어져 있기도 했다. 사람들은 그 다리를 디디며 바다 위를 걸어 다니거나, 낚싯대를 드리우고 걸터앉아 있거나, 그 다리를 세차게 구른 후 바다로 뛰어들거나 했다.

허공에 뜬 다리, 애초에 끊길 각오를 하고 시작되는 다리, 허망함을 향해 나아가는 다리, 그것은 욕망의 지형 같기도 하고 생에 대한 은유 같기도 했다. 그리고 어느 순간, 그 다리는 또한 내면의 회피 방어 심리를 드러내는 표상 같기도 했다. 삶으로부터 도망쳐 봤자, 아무리 멀리 떠난다고 해 봤자 도달할 곳이 없는 자의 내면을 적나라하게 드러내는 상징 같았다.

회피 방어 의식을 알고 나자 내가 삶뿐만 아니라 사랑에 대해서도 회피 방어기제를 발동시켜 왔음을 깨달았다. 오래도록 나는 '내게도 언젠가는 사랑이 나타나겠지.' 생각하면서 사랑을 얻기 위한 어떤 행동도 취하지 않았다. 내가 이끌리는 대상 역시 적당한 '거리'가 확보된 사람들이었다. 지리적으로 먼 곳에 있어 자주 만날 수 없는 사람, 사회적으로 결합이 불가능한 차이를 가지고 있는 사람, 상대방을 전적으로 떠안거나 전면적인 관계를 맺지 않아도 되는 사람에게 더 마음이 끌렸다.

사랑으로 진입한 후에는 마음속에서 과도한 집착과 다음 순간의 냉담함이 반복적으로 경험되었다. 그것이 모두 사랑을 두려워하며 대상으로부터 도망치려고 하는 자의 마음이었음을 그제야 알았다. 사랑에서도 삶에서도 늘 적당한 거리를 둔 채 진정한 삶으로부터 이만큼 떨어져 있었던 셈이다. 언젠가는 본격적으로 제대로 된 삶을 살 것이라 기대하면서.

인간의 방어 의식에 대해 집중적으로 연구한 이는 프로이트의 딸 안나 프로이트다. 그는《자아와 방어기제》라는 책에서 자아가 초자아와 원본능 사이의 갈등을 조절하기 위해 사용하는 방어기제들에 대해 연구, 발표했다. 국내 서적 가운데는 이무석의《정신분석에로의 초대》가 방어기제에 대해 세밀하게 다루고 있는 것을 보았다. 그 책에는 서른 가지나 되는 방어기제가 소개되어 있다.

웃음이나 유머는 대표적인 방어기제라고 한다. 웃음은 갓 태어난 아기가 사용하는 최초의 유일한 생존법이다. 아기는 웃음으로써 사랑을 얻고, 혹시 있을지도 모르는 폭력성이나 불이익으로부터 자신을 보호할 수 있다는 것을 알고 있다. 성인 중에도 평소에 잘 웃는 사람, 민망한 상황을 웃음으로 얼버무리고 분노를 체험해야 하는 상황에서도 웃어넘기는 사람은 웃음을 방어기제로 사용하는 셈이다. 타인의 웃음을 유발하기 위해 유머를 던지는 사람은 더 적극적으로 웃음 방어기제를 활용하는 사람이다.

웃음 방어기제는 낯선 도시를 여행하는 중에 유용하게 사용되었다. 웬만한 경우에는 웃음을 보여 주기만 하면 상대방을 무장해제시키거나 친절을 이끌어 낼 수 있었다. 의식하지 못하는 사이에, 거의 자동적으로 내가 웃음 방어기제를 사용하는 것을 뒤늦게 깨닫곤 했다. "웃는 얼굴에 침 뱉으랴!"는 속담이 심리적으로 얼마나 정확한 말인지 새삼 이해했을 것이다.

칭찬 역시 방어기제라고 한다. 칭찬에는 말로써 타인을 조종하려는 의도가 내포되어 있다. 엄마들이 아이들을 칭찬하는 행위 역시 아이를 자신의 의도에 따라 지배하고 조종하려는 의도에서 비롯된다. "칭찬은 고래도 춤추게 한다."는 말이 있지만 그 말에서 칭찬은 엄밀한 의미에서는 칭찬이 아니라 인정과 지지다. 칭찬의 심리에는 소극적 시기심과 적극적 방어 의식이 숨어 있을 뿐이다.

타인에게 충고하기 좋아하고, 남을 가르치는 말투를 사용하는 사람의 마음에 있는 심리도 방어 의식이다. 그런 이들은 충고와 조언으로 타인을 지배하려는 욕망을 가지고 있으며, 타인을 지배할 수 있어야만 자신을 보호할 수 있다고 믿는다. 그런 이들은 타인들로부터 어느 정도 신망도 얻고 있어 상담자의 역할을 하는 경우도 많다. 하지만 그들은 자신의 삶에서 실천해야 할 덕목들을 타인의 삶에 충고하고 있을 뿐이다.

인간은 본질적으로 방어적이라고 한다. 유아기 때부터 외부의 고통스러운 삶, 상황, 감정으로부터 자아를 방어하며 그 기질은 평생 지속된다. 인류의 처음부터도 사람들은 타인을 적인지 동지인지 구분해 왔다. 적과 동지가 명료해진 후에는 그 사람이 내게 이로운가 해로운가를 판단하는 데 힘을 쏟는다. 그런 방어 의식은 인류 역사와 함께 발전해 우리는 낯선 사람을 만나면 5분 안에 그 사람이 적인지 동지인지, 이로운지 해로운지, 믿을 만한지 아닌지를 판단한다고 한다. 아무리 낯선 사람이라 해도 30분만 함께 있으면 그 사람의 신뢰성을 90퍼센트 이상 정확하게 맞춘다는 실험 결과도 있다. 《이타적 유전자》에 나오는 이야기다.

정신분석을 받을 때 내가 가장 먼저 맞닥뜨렸던 것 역시 방어 의식이었다. 지금까지 언급된 모든 종류의 방어 의식이 나의 내부에 있었으며 방어 의식에 갇혀 제대로 살아 본 적도 없는 듯 느껴졌다. 아무것도 없는 낯선 숙소에 머무는 듯한 삶, 저편 언덕에 닿지 않는 다리 위를 걷는 듯한 삶, 거대한 방패에 갇혀 있는 듯한 삶, 그 속에서 정신의 힘은 점점 약해지고 생은 진퇴양난의 계곡에 방치되어 있었을 것이다.

사랑의 반대말이 증오나 분노가 아니라 '무관심'이듯, 생의 반대말은 죽음이나 퇴행이 아니라 '방어 의식'이 아닐까 싶다. 방어 의식은 사람을 영원히 자기 삶의 바깥에서 서성이게 만든다.

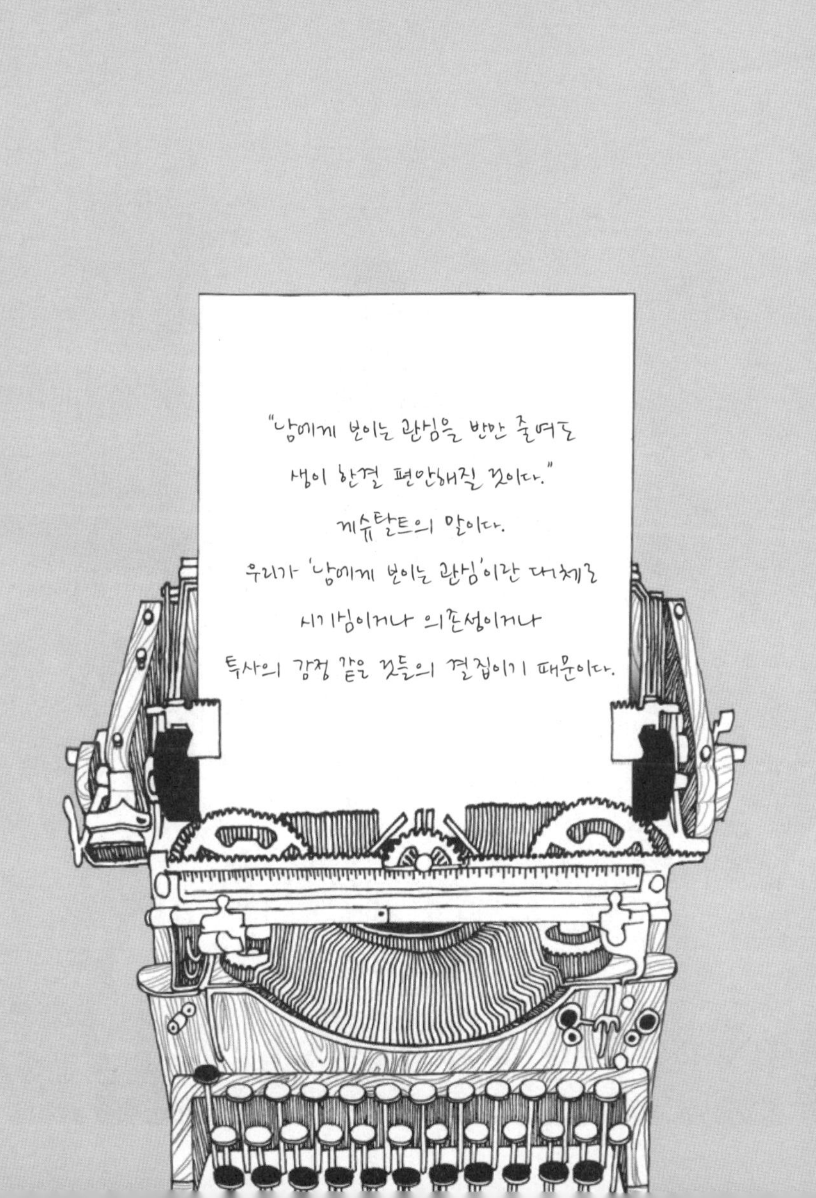
"남에게 보이는 관심을 반만 줄여도
생이 한결 편안해질 것이다."
게슈탈트의 말이다.
우리가 '남에게 보이는 관심'이란 대체로
시기심이거나 의존성이거나
투사의 감정 같은 것들의 결집이기 때문이다.

긍정적 선택

Chapter 3

동 일 시
콤플렉스
자 기 애
자기 존중
몸 사 랑
에 로 스
뻔뻔하게

타인을 받아들여 나의 일부로 만들기

동 일 시

로마에서, 한낮의 열기가 한풀 꺾인 저녁 무렵의 일이었다. 서쪽으로 기울면서 세상의 더 은밀한 곳까지 깊숙이 파고드는 태양빛이 붉은 대기 빛깔과 어우러져 몽환적인데, 앞쪽에서 커다란 해바라기 예닐곱 송이가 허공을 둥둥 떠오고 있었다. 비끼는 태양을 받는 해바라기는 온몸으로 진노란색을 되쏘아 내고 있었고, 꽃잎들 사이에 장식된 넓은 이파리는 진녹색 그늘을 만들며 해바라기의 요염한 자태를 돋보이게 했다. 뭐랄까, 진하게 화장하고 거리로 나선 농염한 여인을 보는 듯했다. 허공에서 둥실둥실 떠오는 해바라기가 아주 가까이 왔을 때에야 꽃 말고, 그 꽃을 들고 있는 사람이 눈에 들어왔다.

머리가 흰 노인이었다. 그는 더위에도 아랑곳없이 상아색 양복을 단정히 차려입고 빨간 나비넥타이를 매고 있었다. 충만감이 가득한 표정은 너무나 화사하여 얼굴의 주름이나 검버섯 따위를 단숨에 지워 버리는 위력이 있었다. 희미한 미소는 저녁 빛처럼 몽환적이었다. 나는 걸음을 멈춘 채 노인을 바라보았고, 심지어 나를 비켜 지나가는 그를 따라 몸까지 돌려 가면서 그를 보았다. 다소 깡똥한 느낌의 바지 자락과, 그 밑으로 드러나는 흰 구두, 흰 구두가 번갈아가며 땅을 디디는 가벼운 걸음걸이……. 그것은 마치 흰나비가 나풀거리며 날아가는 모습 같았다. '사랑에 빠진 걸까, 연인의 저녁 초대에 가는 걸까.' 나는 노인의 등판, 둥그스름하게 휘긴 했지만 여전히 힘 있고 당당해 보이는 그의 등판 깊숙이 스미는 저녁 빛까지를 오래 바라보았다.

숙소로 돌아와 좀 전에 본 노인에 대해 유학생들과 이야기했다. 내 눈에는 그런 모습이 아름다워 보이더라고……. 그런데 두 여학생의 반응이 뜻밖이었다.

"나는 서양 할머니들이 무서워요. 우리나라 할머니들은 인자하고 다정하잖아요. 그런데 이 나라 할머니들은 이기적이고 탐욕스러워 보여요."

보석 디자인을 공부하는 스물두 살짜리 여학생은 그렇게 말했다. 전철이나 거리에서 만나는 할머니들은 묘하게도 냉랭한 눈빛을 하고 있더라고 했다. 그런데 교회음악을 공부하는 서른한 살짜리 여학생이 이렇게 말을 받았다.

"나는 이 나라 할머니들이 천박해 보여요. 쭈글쭈글한 살갗 위에 보석을 주렁주렁 걸치고……."

그녀에 의하면 모든 이탈리아 할머니들이 목걸이, 귀고리, 반지를 기본적으로 착용하고 있으며, 해가 지면 짙은 화장을 하고 클럽으로 외출한다는 것이다. 그 말은 사실인 듯했다. 전차든 버스든 거리에서든 눈에 보이는 모든 이탈리아 여인들은 반지, 목걸이, 귀고리를 기본으로 착용하고 있었고, 그것도 서너 개씩 중첩해서 하고 다녔다. 그들은 가끔 아무런 장신구도 착용하지 않은 동양 여성의 손과 얼굴을 이상한 눈빛으로 훑어보기도 했다.

나는 두 명의 유학생들과 한 달 이상 함께 살았다. 그러면서 그들 개인에 대한 정보를 조금 더 알게 되었을 때 그들의 반응을 이해할 수 있었다. 보석 디자인을 공부하는 여학생에게는 남녀 차별이 극심한 외할머니가 있었다. 어렸을 때 외가에 놀러 가면 들어오라는 말도 하지 않았고, 어린 손녀를 여자라는 이유만으로 경멸하고 모욕하는 언행을 퍼붓곤 했다고 한다. 초등학생이 되었을 때 여학생은 외가 앞을 지나다니지 않기 위해 등하굣길을 30분이나 먼 길로 돌아서 다녔다고 한다.

시양 할머니를 부서워하는 그 여학생의 심리적 배경에는 분열, 투사, 전치의 방어기제가 있었다. 현실의 진짜 할머니를 외면한 채 환상 속에 이상화된 좋은 할머니를 만들어 놓고, 현실의 나쁜 할머니 이미지는 서양 할머니들의 개인주의적인 모습에 투사하고, 환상 속의 좋은 할머니 이미지는 한국 할머니의 모습으로 간직하고 있었다. 서양 할머니에 대한 공포심은 외할머니에 대한 분노가 전치되어 표출된 것이었다.

교회음악을 공부하는 여학생은 아버지가 목사라고 했다. 어느 날 밤 그녀는 성장기를 목사의 딸로 보내야 했던 어려움에 대해 자세하게 이야기했다. 엄격한 규율과 서로 빤히 아는 교회 사회에서 항상 우등생, 모범생이 되기를 요구받은 성장기의 숨막힘에 대해 들려주었다. 유학 중에도 그는 한국으로부터 경제적 지원을 거의 받지 않은 채 생활비며 방세를 아르바이트로 해결하고 있었다. 그의 청교도적 성장 배경과 몸에 밴 검소함을 염두에 두면 이탈리아 할머니들의 화장과 액세서리에 대해 천박하다고 말하는 배경 역시 충분히 이해할 만했다.

이해할 수 없는 것은 내 감정이었다. 황혼을 배경으로 해바라기 꽃다발을 안고 가는 노인이 유독 아름답고 낭만적으로 보이는 내 정서의 반응 점에는 어떤 심리가 있는 건지 알 수 없었다. 사실 나는 유럽을 처음 여행했을 때부터 그런 생각을 했다. '다른 것은 아무것도 부럽지 않은데 이들의 노인 문화는 정말 부럽구나…….' 미술관의 한 그림 앞에 나란히 서서 오래 이야기 나누는 노인 부부, 기차에 마주 앉아 테이블 위로 손을 맞잡은 채 서로의 눈을 그윽이 바라보는 노인 부부, 손을 잡고 새벽 바닷가를 천천히 걷는 노인 부부……. 그런 모든 노인들의 모습이 유독 시선을 끌었다.

나중에 독일에서 오래 유학한 친구에게 노인 커플들의 모습이 아름다워 보이더라고 말했더니 그 친구는 이렇게 말했다.

"네가 본 커플들은 대체로 신혼이었을 거야."

심지어 신혼의 노인 커플이라니! 그렇게 감탄할 때 내 마음에는 틀림없이 부러움의 감정이 있었다. 내게 더 의아한 것은 바로 그 부러움이었다. 내 삶에 거의 부재하다고 느껴 온 로맨스를 노년에라도 이루어 보고 싶은 욕망이 있는 걸까 싶었다. 그게 아니라면 내게 노년의 삶에 대한 불안감이 있는가 싶었다. 슈퍼마켓에서 혼자 장 보는 노인의 바구니를 유심히 보고 외국 주간지에 실린 노인용 휠체어 광고를 꼼꼼히 살펴보는 자신을 깨달을 때면 그런 생각이 들었다. 이도저도 아니고 다만 우리의 노인 문화와 대비되는 면 때문에 자주 시선이 가는지도 몰랐다.

아주 오래도록, 노인들의 모습에 유독 시선이 닿고 또 오래 머무는 진정한 이유를 알지 못했다. 그런데 최근에야 문득 한 가지 단어를 생각하게 되었다. 동일시. 그러자 한꺼번에 아주 많은 것들이 이해되었다. 내가 18개월부터 여섯 살까지 외할머니, 외할아버지 손에서 자랐다는 점, 주변 대상들을 모방하면서 자아를 형성해 나가는 그 시기에 내가 동일시한 대상이 노인들이었다는 사실이었다. 노인들과 동일시하면서 형성된 내 정신의 일부에는 이미 노인의 정서, 노인의 방식이 깃들어 있었을 것이다. 간단하게 말하면 내면의 어느 지점에서 나는 이미 노인이었다. 그 당연한 사실을 그때까지 생각하지 못했다는 게 이상했고, 그 지점에 오히려 어떤 심리적 비밀이 있을 것 같았다.

주앙 다비드 나지오의 《정신분석학의 7가지 개념》이라는 책에 보면 동일시는 한 개인이 외부의 것을 받아들여 자신의 정신의 일부로 만드는 내재화의 한 방법이라고 설명되어 있다. 내재화에는 동일시, 함입, 내사 등의 방식이 있다고 한다. 프로이트는 동일시가 한 개인의 무의식 안에서 일어나는 일이며, 한 개인의 자아가 대상의 어떤 측면으로 변형되는 과정이라고 설명한다.

라캉은 동일시라는 말을 주체의 탄생을 설명하는 데 사용한다. 대상에 의해 한 개인의 자아가 만들어진다는 것이다. 프로이트의 동일시 개념이 'A가 B로 변한다.'는 의미라면 라캉의 개념은 'B가 A를 만든다.'는 것이다. 그러니까 라캉 식 동일시 개념으로 말하면 '외할머니가 나를 만들었다.'고 할 수 있을 것이다.

동일시의 개념을 깨닫고 나자 뒤늦게 아주 많은 것들이 이해되었다. 처음 사회생활을 시작할 때, 세상에 대한 통과의례를 겪으며 겨우겨우 현실에 적응해 나갈 때, 그때 내가 가장 존경했던 대상은 노인들이었다. 내가 겨우 요만큼 살면서 이렇게 힘들어하는 삶을 저들은 몇 배나 살아 냈을 거라 생각하면 감탄과 존경의 마음이 일었다. 기차에서 마주 앉게 된 노인이든, 거리에서 스치는 노인이든, 공원 벤치에 앉은 노인이든, 그들의 주름진 얼굴을 바라보면 가슴이 젖어 오곤 했다. 노인의 생각이나 삶에 대해 쥐뿔도 모르는 상태였을 그 시기에 이미 노인 문제를 소설로 쓰겠다고 자료를 모으기도 했다.

노인에 대한 특별한 관심은 생애 내내 계속되었다. 겨울 유원지에서 군밤 파는 노인을 보면 나중에 그렇게 살아도 괜찮겠구나 싶었고, 국도변 풀숲에 쭈그리고 앉아 마른 도시락을 까먹는 단체 관광 노인들을 보면 명백히 부당하다는 생각이 들었다. 가장 최근에는 내가 사는 도시에 전국에서 가장 시설이 좋은 노인복지회관이 개관된다는 사실을 알고 근거 모를 희열을 느낀 일이 있었다. 심지어 개관식이 있던 날은 산책 시간을 앞당겨 개관식 행사를 구경하러 갔다. 군악대가 음악을 연주하고, 지방자치단체장들이 앉아 있고, 노인들이 어설프게 서 있던 그 행사 장면이 지금도 선명하다. 나는 당장 그 사실들을 이용하기라도 할 사람처럼 물리 치료실, 레크리에이션실, 포켓볼 시설 등을 둘러보았다.

그런 행위는 내게 지극히 자연스러운 일이었지만 노인복지회관 방문기 같은 것을 이야기해 주면 친구들은 막막한 눈빛을 했고, 나는 오히려 그 눈빛을 이해할 수 없었다. 사춘기 때부터 친구들로부터 간간이 "할머니 같다"는 말을 들으면서 느꼈던 감정과도 비슷했다. 그런데 동일시의 개념을 적용시키자 뒤늦게 그 모든 일들이 환하게 이해되었다. 내 생각이나 행동의 많은 부분이 엄마가 아니라 외할머니와 닮아 있는 점도 알아차릴 수 있었다. "할머니 손에서 자란 사람은 순하다."는 속설도 더 깊이 이해되었다. 그런 이들은 형제나 친구와 경쟁하면서 생의 치열함을 배우기도 전에 이미 삶을 마무리하는 노인네의 정서와 방식을 습득해 버렸기 때문에 그럴 것이다.

동일시에 대해 이해하고 나자 또 한 가지 심리적 태도가 이해되었다. 여행 중 노인 다음으로 유심히 시선이 머물렀던 대상이 또 하나 있는데 그것은 거리의 예술가들이었다. 맨 처음 유럽을 여행했을 때 프라하의 카를 다리에서부터 그랬다. 카를 다리는 볼타바 강에 걸린 여러 다리 중 프라하 성으로 올라가는 최단 거리여서 교통을 통제하고 오직 도보로만 건너게 되어 있었다. 대부분의 관광객이 그 다리를 건너가는데 다리 양편에는 체코를 대표하는 예술가들이 빈틈없이 도열해 있었다. 초상화가와 풍경화가, 인형극 공연자와 마임이스트, 첼로 연주자와 부부 성악가, 액세서리 공예업자와 민예품 공예업자…….

그들은 당국에서 발급한 영업 허가증을 상품 진열대나 소품 박스에 붙여 놓고 저마다 무형, 유형의 예술 작품을 팔고 있었다. 비닐 코팅이 되어 소중하게 다루어지는 영업 허가증은 우리 주민등록증 두 배만 한 크기였는데 거기에는 예술가의 사진도 붙어 있었다. 내 눈에는 그 광경이 예술의 처지, 예술의 입장, 예술의 기능을 적나라하게 보여 주는 상징 같았다.

혼자 여행을 떠나기로 했을 때 꼭 다시 가 보고 싶은 곳이 카를 다리였다. 그때는 일행이 있어 그냥 걸어 지나쳐야 했던 그 다리를 다시 방문하게 되면 하루쯤 시간을 할애해서 오래 머물고 싶었다. 그들 예술가들의 초상과, 그들이 창조한 예술품과, 그것이 동전과 교환되는 광경을 찬찬히 보고 싶었다. 하지만 여자 혼자서는 절대로 동유럽에 발을 들여놓지 말라는 권유를 여행 중 하도 많이 들어서 프라하행을 포기하고 말았다.

카를 다리의 예술가들을 보지 못한 대신 다른 나라, 다른 도시에서 많은 거리 예술가들을 만났다. 그들을 만나면 늘 걸음을 멈추고 짧게는 5분, 길게는 30분 정도 그들의 유무형 예술 작품을 관람하곤 했다. 로마에서는 집시나 소매치기처럼 거리의 예술가들도 단속의 대상인 듯했다. 로마 거리에서 집시 바이올리니스트나 성서화 화가를 만나는 날은 늘 경찰들이 근무하지 않는 주말이었다. 그중 한 젊은 남성 화가는 97퍼센트쯤 완성된 성서화를 펼쳐 놓고 한쪽 귀퉁이에 붓질하는 시늉을 하고 있었는데, 내가 로마에 머무는 내내 주말마다 만나는 그의 그림은 늘 그대로였다.

아시시의 바이올린 연주자, 시에나의 4인조 재즈 그룹, 파리의 한 공원에서 본 6인조 록 그룹, 몽마르트르 언덕의 부부 악사, 퐁네프다리 위에서 외바퀴 자전거 묘기를 부리던 사내……. 그들을 바라보는 순간 나는 그들이 되는 느낌이었다. 내 눈에 그들은 낭만적이지도 아름다워 보이지도 않았다. 여유롭고 충만해 보이는 여행객들을 상대로 몇 푼의 돈을 벌기 위해 거리에서 자신의 재능을 팔고 있는 예술가, 그 이상도 그 이하도 아니었다. 하루에도 몇백 개씩 새로운 직업이 생겨나는 이 첨단 테크놀로지의 시대에 가장 전근대적인 직업을 부여잡고 있는 듯한 쓸쓸함을 그들에게서, 그리고 나 자신에게서 느끼곤 했다.

암스테르담에서는 전신을 까맣게 마녀로 분장한 채 관광객들과 웃고 놀래키면서 스스로도 즐기는 여성과, 그 옆에서 전신을 하얗게 천사 분장을 하고 꽃바구니를 든 채 미동도 없이 서 있는 여성 예술가를 보았다. 천사 분장을 한 여성은 체구가 작고 이목구비가 오밀조밀한 게 아무래도 동양계 여성으로 보였다. 사진을 찍어도 되냐고 물으니 고개를 끄덕였고, 혹시 동양인이냐고 또 물었더니 슬며시 웃기만 했다. 중세 바이올리니스트 복장을 한 채 포츠담 사원 앞에 서 있던 사내, 우피치 박물관 앞의 초상화 화가들, 뉴질랜드 원주민의 전통 악기를 연주하던 마오리족 사내, 배꼽춤을 추어 보이던 타히티 무용수…….

그런데 여행을 하면서 거리 예술가들을 더 많이 만나 볼수록 그들은 내가 생각하는 것처럼 비장하거나 쓸쓸하거나 절박해 보이지 않는다는 것을 알게 되었다. 그들은 담담하고 초연해 보일 뿐 아니라 자기 일을 즐기는 듯한 모습이었다. 저 예술 노동은 힘들지 않을까, 저렇게 해서 버는 돈이 저들의 생계 수단이 되어 줄까, 생계뿐 아니라 저 예술을 계속해 나갈 수 있는 자긍심이나 재투자의 자산이 되어 줄까? 내가 품는 그런 생각들을 그들은 가지고 있지 않은 듯했다. 혹시 그런 근심이 있다고 해도 연희의 순간만은 그것이 문제가 되지 않는 듯, 그들은 충만하고 평화롭고 심지어 행복해 보였다.

비로소 또 한 가지를 알아차렸을 것이다. 나의 내면에 있는 심상은 눈앞에 존재하는 예술가들과 무관하다는 것을. 이미 나의 내면에 있는 예술가의 삶에 대한 환상, 그들의 삶이 궁핍과 광기로 채색되어 있을 거라는 환상을 거리의 예술가들에게 투사하고 있었을 뿐이었다. 무엇보다도 소설가로서의 자신의 삶에 대한 불안을 그들과 동일시하여 보고 있었을 것이다.

전문가들은 동일시를 투사적 동일시, 병적 동일시, 공격자와의 동일시 등으로 분류한다. 폭력적인 아버지를 미워하면서도 닮아버리는 아들, 히틀러 밑에서 전쟁을 수행했던 많은 이들이 바로 공격자와의 동일시라는 방어기제를 사용한 것이라 한다.

이 글을 쓰다가 거리의 예술가들을 찍은 사진을 꺼내 보니 모두 스물여섯 장이 나온다. 그것들을 다시 한 번 살펴보면서 새로운 사실 한 가지를 또 알아차렸다. 맨 처음 로마에서 사진을 찍었던 집시 바이올리니스트 사진은 인물이 아주 조그맣게 담겨 있다. 그를 찍을 때 사진을 찍어도 되느냐는 양해를 구한 후 바로 정면에서 사진을 찍었다. 그런 다음 길을 건너 맞은편 건물 계단에 올라가 그를 다시 찍었다. 그가 등을 대고 앉은 건물을 커다랗게 넣고 그 안에 아주 조그맣게 그를 담는 구도를 잡았다. 그런 구도를 잡을 때 내 의식 속에는 '광활한 세상에 그토록 보잘것없는 모습으로 존재하는 예술가'에 대한 자의식이 작동하고 있었음에 틀림없을 것이다. 아시시의 바이올리니스트를 찍을 때도 거리와 담 사이에 아주 작고 아슬아슬하게 존재하는 방식으로 그를 담았다.

그러나 동일시에 대해 이해하고 거리의 예술가들에 대한 인식이 변해 가면서, 나중에 찍은 사진으로 갈수록 인물들이 점점 커지는 것을 알 수 있다. 암스테르담의 천사 분장을 한 연희자, 기다란 관악기를 연주하던 마오리족 사내, 배꼽춤을 추던 타히티 무용수는 넘치도록 화면을 채우고 있다. 인물이 파인더를 가득 채울 뿐 아니라 그들의 얼굴 표정까지 세밀하게 담겨 있다.

아마도 나의 내면에서 또 한 번 동일시적 변화가 이루어졌던 게 아닌가 싶다. 거리 예술가들의 긍정적이고 밝은 모습과 자주 접하면서, 내면에 있던 예술가에 대한 환상을 자각하면서, 예술가에 대한 이미지에 긍정적인 변화가 왔던 것 같다. 그들의 충만하고 평화로운 모습을 알게 모르게 내 것으로 받아들였을 것이다. 그것은 소설가로 사는 나 자신의 이미지에도 틀림없이 어떤 영향을 미쳤을 것이다. 전문가들은 동일시가 죽을 때까지 계속된다고 한다.

다양하고 풍성한 인격의 근원

콤 플 렉 스

어느 나라의 입국 카드에나 이름, 국적, 여권 번호, 성별, 직업을 묻는 항목이 있다. 중국의 입국 카드 형식은 2001년을 기점으로 간결하게 변했는데, 그 직전까지 사용했던 입국 카드에는 중국만의 특별함이 있었다. 보통의 입국 카드는 직업을 묻는 항목 밑에 공백을 두어 단답형으로 써넣도록 되어 있는데 중국의 입국 카드는 객관식 문제처럼 출제되어 있었다. 제시된 답변 항목은 아홉 개였다. 행정 관리직, 전문 기술직, 사무원, 상인, 서비스업, 농민, 노동자, 기타, 무직.

시장 개방 이후 경제 발전을 최고의 가치와 목표로 삼고 있는 중국다운 입국 카드였다. 2001년 3월 어느 날의 중국 신문에는 지난해 실업 인구가 1억 4천만 명이었고, 새해의 실업 인구 6천만 명을 합치면 2억 명 정도의 실업 인구가 있을 것이라고 보도하고 있었다. 그래서 중국 정부는 지난해에 가정부, 우유 배달부 등 새로운 직업을 창출했던 것처럼 올해도 새로운 일자리를 만들어 고용을 늘리기 위해 애쓰고 있다고 했다. 실제로 중국 정부가 일자리를 만들기 위해 얼마나 애쓰나 하는 점이 곳곳에서 보였다.

아파트 출입구마다 건장한 체격의 젊은이가 두 명씩 경비를 서고 있었고 아파트 엘리베이터마다 젊은 여성 복무원이 있었다. 그들은 24시간 3교대로 근무한다고 했다. 정부에서 운영하는 슈퍼마켓에 가면 상품 진열대 한 개마다 그것을 관리하는 종업원이 한 명씩 있고, 계산대에는 물건 값을 받는 사람 이외에 구매한 물건을 비닐 봉투에 담아 주는 일만 전담하는 종업원도 있었다. 나이 지긋하고 점잖아 보이는 중년 남성이 물건을 차곡차곡 담아 건네는 비닐 봉투를 받아들 때는 가부장제에 물든 한국 여성으로서 어색하고 불편한 마음이 없지 않았다. 최대한으로 일자리를 만들어 고용을 창출하려는 중국 정부의 노력이 어디서든 보였다.

그러니까 그 입국 카드는 중국이라는 나라의 특수한 문화적 현실을 반영한 것이었고, 충분히 이해할 만한 것이었고, 조금도 내 마음을 불편하게 하지 않았다. 그러나 비슷하게 특별한 어떤 입국 카드 앞에서는 전혀 다른 감정을 체험했다.

뉴칼레도니아는 타히티처럼 적도 근처에 있는 프랑스령 섬 가운데 하나다. 그 섬들은 한데 뭉뚱그려 프렌치 폴리네시아라 불리는데 뉴질랜드에서는 프렌치 폴리네시아의 섬들을 왕래하는 퍼시픽 클래식이라는 항공편이 운항되고 있었다. 퍼시픽 클래식의 여성 승무원은 허리가 굵고 배가 나온 중년 여성이어서 여성을 상품화하지 않는 그 장면은 내게 기분 좋은 충격을 주었다.

그런데 잠시 후 승무원이 나누어 준 입국 카드를 기록하다가 손길이 멎었다. 성별을 묻는 항목 밑에 남성과 여성이 표기되어 있고, 그중 한 곳에 체크하도록 되어 있는 것까지는 다른 나라와 똑같았다. 한데 여성이라고 대답한 사람들에게만 주어지는 추가 질문이 있었다.

"당신은 현재 결혼한 상태입니까?"

그 질문 밑에는 다시 예와 아니오 두 항목의 대답이 나뉘어 있었고, 아니오라고 대답한 사람들에게만 추가되는 세부 질문이 있었다.

1. 미혼(Never married) 2. 과부(Widow) 3. 이혼(Divorced) 4. 별거(Separated)

그 질문 역시 그 사회의 문화적 특수성을 반영하는 것일 뿐이라는 사실은 이해할 만했다. 아직 덜 문명화된 섬나라의 여성의 지위와 돌연한 사고가 많은 바다에서 생업을 하는 남자들의 강박관념, 아직도 여성을 사유재산쯤으로 인식하는 그 사회의 속성 등이 짐작되었다. 이성적으로는 그렇게 이해하면서도 그 입국 카드가 준 충격은 오래 남았다. 우선 여행하는 데 왜 그것을 밝혀야 하는지 이해되지 않았다. 무엇보다도 세상의 여성이 결혼한 여자와 결혼하지 않은 여자로 분류된다는 점, 결혼 상태에 있지 않은 여성이 또한 그렇게 세분된다는 사실을 그때 처음 알았던 것 같다. 다시 한 번, 이 세상에서 영원한 타자이며 두 번째 성인 여성의 처지가 명확하게 인식되는 순간이기도 했다.

입국 카드 한 장을 바라보며 그토록 복잡한 감정을 체험할 때, 그때 작동하는 심리가 바로 콤플렉스였다. 나는 아주 다양한 콤플렉스를 가지고 있지만 그중 가장 대표적이고 심각한 콤플렉스는 '여자' 라는 사실이었다. 남학생이 85퍼센트 이상인 대학에서 공부할 때, 남성 직원이 90퍼센트 이상인 직장에서 사회생활을 할 때, 내가 속해 있던 문화는 남성의 문화였다. 당연히 옳고 훌륭하게 보이는 가치는 남성의 가치였고, 어딘가 어색하고 불편했지만 그것을 체득하며 사회를 배웠다.

오래도록 나는 내가 여성인 것이 싫었다. 내가 여성이라는 사실을 외면했고, 나의 여성성을 감추려 애썼고, 누가 나를 성적 의미를 지닌 여성으로 보는 것을 불편해했다. 남성의 가치에 맞추어 남성들의 방식으로 살면서 남성과 경쟁하려 했다. 그러면서도 여성을 모욕하거나 비하하는 발언을 들으면 분노했다. 그렇게 착종

된 성 의식 속에서 한동안 나의 가장 큰 콤플렉스는 내가 여성이라는 사실을 인정하지 못하는 '남성 콤플렉스'였다.

콤플렉스는 융의 분석심리학에 등장하는 용어인데 개인의 내면에 억압된 잠재된 관념들을 칭한다. 억압된 관념이 무의식화되어 자아의 통제에 따르지 않는 그 복합적 상태를 콤플렉스라 하며, '단어 연상 시험'으로 찾아낼 수 있다고 한다. 검사자가 단어를 댈 때 피검사자가 연상하는 것의 시간이 대체로 일정한데 유독 말문이 막히거나 시간이 오래 걸리는 대목에 콤플렉스가 있다는 것이다. 한때 융은 콤플렉스를 너무나 중요하게 생각해서 자신의 학문을 '콤플렉스의 심리학'이라고 이름 지으려 했다.

이제 콤플렉스라는 말은 누구나 사용하는 일상적인 생활 용어가 되었다. 어디든 콤플렉스란 말을 붙이면 특정한 심리 상태를 설명하는 용어가 되기도 한다. J. 모러스가 쓴《콤플렉스, 걸림돌인가 디딤돌인가》라는 책에는 41가지나 되는 콤플렉스가 제시되어 있다. 우리가 잘 아는 오이디푸스, 신데렐라, 피그말리온, 돈 후안 콤플렉스뿐 아니라 처음 듣는 듯 생소한 악당 콤플렉스, 소심 콤플렉스, 삼손 콤플렉스, 달팽이 콤플렉스 같은 것들도 있다.

'남성 콤플렉스' 때문인지 여성으로서의 내 삶은 아주 늦게 시작되었다. 내가 여성이며, 여성으로서의 정체성이 따로 있어야 하며, 여성의 삶을 살아야 한다는 사실을 자각한 것은 직장을 그만둔 서른 이후의 일이었다. 그때서야 나 역시 여성에 대한 편견에 가득 차 있었음을 알았다. 나의 여성성을 인정하지 못했듯 동료 여성들에게서 보이는 여성성을 진심으로 수용하지 못했다.

여성들은 어쩐지 더 수다스럽고, 비이성적이고, 즉흥적이고, 자잘한 문제로 신경을 돋우고…… 뭐 그렇다는 편견을 가지고 있었다. 그런 생각이 남성 사회가 여성을 지배하는 과정에서 만들어 놓은 편견이며 동시에 억압된 나의 내면이기도 하다는 사실을 알지 못했다. 여성에게서 보이는 어떤 속성이 오래도록 사회적 물리적 약자로 살아오면서 형성된 약자의 생존법이라는 것도 진심으로 공감하거나 이해하지 못했다.

'남성 콤플렉스'를 알아차린 후 그것이 형성된 배경에 대해서 생각해 보기도 했다. 남동생이 태어나면서 외가로 보내졌을 때 이미 아들에 비해 소홀히 취급받는 딸의 입장을 거부하고 싶었을지도 모른다. "내가 남자로만 태어났더라면……."이라고 탄식처럼 말하던 엄마의 영향을 받았는지도 모른다. 물리적인 힘에서 결코 남성을 능가할 수 없다는 그 명백한 패배감을 받아안으면서부터였는지도 모르고, 남성 중심 사회에서 평가절하되는 여성의 가치를 인식하면서부터였는지도 모른다.

카렌 호니의 《여성심리학》에는 '남성 콤플렉스'가 더 깊은 유아기에 형성된다고 되어 있다. 유아기에 느끼는 해부학적 차이에서 비롯되는 남근 선망, 거기서 발전하여 남성을 거세하거나 불구로 만들고 싶다는 적개심이 그 근원이 된다. 또한 오이디푸스 콤플렉스도 한 이유가 된다. 소녀는 아버지를 성적 대상으로 삼는 것을 포기하면서 동시에 여성의 역할까지도 혐오하게 된다는 것이다.

남성 콤플렉스가 생기는 또 한 가지 원인으로는 사회적인 것이 있는데 그것은 남성이 사회적으로 우월한 세력이기 때문이라는 것이다. 여성은 출생 이후 삶 곳곳에서 자신들이 열등한 존재라는 암시를 받으며 성장하고, 노예가 항상 주인을 의식하듯이 약자로서 항상 강자인 남성을 의식하게 된다. 그러니까 남성 콤플렉스는 여성이 열등한 세력이라는 사실을 받아들이지 못하는 나르시시즘의 발로라는 것이다.

이미 말한 바 있지만, 파리에서는 압도적인 우울증 때문에 어떤 것을 보아도 특별히 인상적인 것이 없었다. 그런데 그 많은 무감동한 것들 중 유일하게 마음을 움직인 것이 로댕 미술관이었다. 그중에서도 그곳에 전시된 로댕의 천재성이 아니라 카미유 클로델의 억압과 분열이 더 인상적으로 마음의 어떤 곳을 건드렸다.

로댕의 모든 작품을 연대기 순으로 둘러보니 그의 작품은 카미유 클로델을 만나기 전과 만난 후의 성격이 완연히 달랐다. 그녀의 존재와 그녀의 아이디어를 예술적 영감의 근원으로 사용하면서 로댕의 작품들은 신의 숨결을 얻는 듯했다. 저것이 바로 신성이구나 싶은 모든 분위기, 에로스와 타나토스, 폭발과 좌절이 한 작품 위에 넘칠 듯 공존하고 있었다. 로댕 미술관에는 카미유 클로델 전시실이 따로 마련되어 있었지만, 그곳에 카미유 클로델은 없었다. 사전 정보나 지식 없이 본다면 그 작품들은 로댕 작품의 소박한 복제거나 분열된 로댕쯤으로 보였다.

미술관을 다 보고 나서도 쉽게 그곳을 뜰 수 없었다. 춥고 흐리고 우울한 파리 하늘을 머리에 이고 미술관 정원을 걸으며 카미유 클로델의 삶에 대해 생각했다. 그녀에게 다른 삶은 없었을까? 그토록 로댕의 권력에 의존하지 않는 삶은 불가능했을까? 천재적인 재능을 가진 한 여성이 자신의 창조성을 독자적으로 발휘할 만한 사회적 여건이 조성되지 않았을 때, 그녀가 선택할 수 있는 차선책은 무엇이 있을까? 로댕을 향한 그녀의 사랑에 극단적 의존성이나 신경증 환자의 강박증 이외에 다른 속성은 무엇이 있었을까?

아니, 카미유 클로델이 원한 것, 그녀가 진짜로 원한 것이 로댕이었을까 하는 의문도 일었다. 로댕으로 변환된 아버지거나, 로댕의 이름을 빌린 권력이거나, 한 대가의 예술적 성취거나 뭐 그런 건 아니었을까? 그러니까 그녀의 불행한 삶은 결국 극복하지 못한 오이디푸스 콤플렉스, 나르시시즘, 남성 콤플렉스의 결집들은 아니었을까? 하지만 그 콤플렉스들이 또한 그녀의 재능이 아니었을까? 어떤 의문에 대해서도 명확한 답을 떠올리지 못한 것은 파리의 그 흐린 하늘과 우울 때문인 것 같았다. 다만 한 가지 분명한 것은 카미유 클로델의 삶에 대해 가졌던 그 모든 의문들이 또한 내 삶에 관한 것이라는 사실이었다.

"콤플렉스는 부정적으로 발전할 뿐 아니라 긍정적으로도 발전할 수 있는 자연스러운 심리적 현상이다. 정신생활에 필요한 요소로서 극복하거나 떨쳐 낼 수 있는 것이 아니다. 자신의 일부로 인정하고 그것을 끌어안고 사랑해야 한다. 콤플렉스를 사랑하면 놀라운 일이 일어난다. 수치스러워하고 숨기려 했던 그것이 의식 안으로 통합되는 순간, 좀 더 다양하고 풍성한 인격이 나오게 된다. 콤플렉스가 내 것이 되면서 더 큰 힘을 발휘하게 되는 것이다."

역시 J. 모러스의 말이다.

콤플렉스를 처리하는 가장 보편적인 방법은 콤플렉스를 숨기고 대신 다른 능력을 발전시키는 것이다. "작은 고추가 맵다."는 속담처럼 작다는 결함을 맵다는 기능으로 보완하는 것이다. 전문용어로는 '보상'이라고 한다. 그러나 보상보다 더 근본적이고 바람직한 방법은 콤플렉스를 사랑하는 것이며, 사랑하지 못하겠으면 최소한 그 자체를 있는 그대로 인정하는 방법이 있다. 패션에서도 신체적 결함을 가릴 게 아니라 드러내라고 충고한다. 콤플렉스는 심리적 결함이 아니라 심리적 특별함일 뿐이다.

남성 콤플렉스에 대해서도 마찬가지일 것이다. 모든 인간이 동등하게 존엄하다고 해도 세상에는 무수히 많은 계급이 존재하는 것처럼, 모든 인간이 뱃속부터 평등하다고 해도 세상에는 갖가지 차별이 존재하는 것처럼, 여성의 삶도 그렇다는 것을 인정하는 데서 출발해야 할 것이다. 뒤늦게 나는 여성이 이 세상에서 영원한 타자이고, 사회적 약자이며, 제도적 피지배자라는 사실을 받아들이고 태생에서부터 '세컨드'인 여성의 입장을 수용하려 한다. 그런 노력이 쉽지 않을 때 가끔 동년배 여성인 김경미 시인의 '나는야 세컨드'라는 시를 떠올려 본다.

누구를 만나든 나는 그들의 세컨드다
,라고 생각하고자 한다
부모든 남편이든 친구든
봄날 드라이브 나가자던 남자든 여자든
그러니까 나는 저들의 세컨드야, 다짐한다
아니, 강변의 모텔의 주차장 같은
숨겨 놓은 우윳빛 살결의
세컨드,가 아니라 그냥 영어로 두 번째,
첫 번째가 아닌, 순수하게 수학적인
세컨드, 그러니까 이번,이 아니라 늘 다음,인
언제나 나중,인 홍길동 같은 서자,인 변방,인
부적합,인 그러니까 결국 꼴찌

그러니까 세컨드의 법칙을 아시는지
삶이 본처인 양 목 졸라도 결코 목숨 내놓지 말 것
일상더러 자고 가라고 애원하지 말 것
(……)
그러므로 자주 새끼손가락을 슬쩍슬쩍 올리며

조용히 웃곤 할 것 밀교인 듯

나는야 세상의 이거야 이거

이 세상이 얼룩덜룩하고 울퉁불퉁하다는 것을 인정하는 것, 내가 겪는 고통에 아무 의미조차 없을 수도 있음을 수용하는 것, 그것을 온몸으로 받아들이려 애쓸 때 가끔 혼자 중얼거린다. “나는야 세컨드…… 삶이 본처인 양 목 졸라도 결코 목숨 내놓지 말 것……” 특히 여성으로서의 삶에 대해 생각할 때 그 시는 절실하다. “나는야 세상의 이거야 이거……”

지금까지 이 책에서 언급한 모든 부정적인 감정들과 그것이 발현되는 정신의 모서리들이 바로 콤플렉스다. 앞으로 언급하게 될 보다 긍정적인 감정의 요소들도 그것이 발현되는 근간에 있는 것은 콤플렉스일 것이다. 그것들은 내면에서 화학작용을 일으켜 특정한 인격, 다양한 감성, 풍부한 에너지를 만들 것이다.

여행 중 남성 콤플렉스가 자극되는 지점에서 특별한 감수성이 발현되어 내게 유난히 인상적이었던 예술 작품이 두 가지 있다. 하나는 나폴리 국립미술관에서 본 ‘대지와 모성의 여신상’이다. 얼굴과 손은 검은 대리석으로, 몸통은 진갈색 대리석으로 빚어진 그 여신상은 이집트에서 가져온 것이라고 했다. 직립한 자세에서 양손을 앞으로 내밀고 서 있는 그 여신상의 상체에는 열여덟 개나 되는 유방이 빼곡하게 조각되어 있었다. 허리 아래 하체와 어깨 위 머리 주변으로는 산양이나 박쥐쯤으로 보이는 크고 작은 생명

체들이 새겨져 있었다.

그 작품과 처음 시선이 맞닥뜨렸을 때 머릿속으로 설핏 현기증이 지나갔다. 한동안 여신상 주변을 돌면서 열여덟 개나 되는 유방의 개수도 세어 보고, 산양과 박쥐들의 표정도 유심히 살펴보았다. 관리인의 눈을 피해 대리석 유방의 감촉을 느껴 보기도 했다. 생명을 탄생시키고 먹여 살리는 여성의 속성을 그토록 적나라하게 드러낸 작품이 또 있을까 싶었다.

얼마 후 그런 작품을 또 하나 만났다. 진갈색 나무판 위에 부조로 조각된 여성의 나체상이었다. 여자는 똑바로 서서 눈을 감은 채 두 손으로 자신의 유방을 감싸 쥐고 있었다. 그 유방에서는 붉은 액체가 두 줄기 폭포수처럼 쏟아져 나오고, 그 액체 끝에는 무수히 많은 꽃잎이 맺혀 다시 여자의 몸을 감싸고 있었다. 여자의 머리카락은 나무뿌리가 되어 하늘을 향해 자라는 중이었다. 그렇게 온몸으로 꽃과 나무를 키우며 여자는 빌렌도르프의 비너스처럼 무덤덤한 표정을 짓고 있었다.

안타깝게도 이 작품을 어느 박물관에서 보았는지 기억해 낼 수가 없다. 토스카나 지방의 어느 박물관인지 파리나 암스테르담인지도 생각나지 않는다. 다만 분명한 것은 두 작품을 볼 때 내가 그토록 충격을 받았다는 점이다. 그동안 외면해 온 여성성, 소홀히 해 온 여성으로서의 삶과 강렬하게 마주쳤기 때문일 것이다.

지금 내 책상 위에는 두 미술 작품을 찍은 사진을 넣은 액자가 세워져 있다. 오며가며 그것들과 시선이 마주칠 때마다 그것들이 들려주는 이야기에 귀를 기울여 본다. 여성으로서의 삶에 대해 생각하고, 내가 여성이라는 사실을 환기하고, 그것이 어떤 방식으로 표현되든 여성의 속성은 창조와 양육임을 잊지 않으려 한다.

퇴행과 성장으로 난 두 갈래 길

자 기 애

지금도 그렇게 생각하는데, 카라바조와 미켈란젤로를 본 것만으로도 그 여행에서 얻을 수 있는 것의 반을 얻었다고 생각한다. 처음 카라바조라는 화가를 만난 것은 로마 시내에 있는 산 루이지 데이 프란체시 성당에서였다. 그 성당의 콘타렐리 예배실 삼면 벽에 카라바조의 벽화가 세 점 그려져 있었다. 예배실 앞에 설치된 기부금 기계에 5백 리라짜리 동전을 넣으면 벽에 설치된 조명 기기에 불이 들어오면서 그림이 환하게 드러나도록 되어 있었다. 어둠 속에 숨겨져 있다가 갑자기 나타났기 때문일까, 그림을 보는 순간 섬광 같은 충격이 지나갔다.

그 그림은 그동안 본 중세의 어떤 성서화와도 달랐다. 평면적이고 정적인 구도 속에 신을 찬양하는 내용을 담은 그림이 아니었다. 1분쯤 조명이 켜지는 기부금 기계에 주머니에 있던 동전을 모두 털어 넣고, 그러고도 계속 그림 앞에 머무르면서 다른 관광객이 기부금을 넣어 불이 켜지기를 기다렸다. 뭐랄까, 우리가 '예술'이라고 말할 때 그 말이 표현하고자 하는 저 도저한 본질과 맞닿는 듯한 느낌이 가슴 속에서 안타깝게 맴도는 것 같았다. 그 그림은 신이 아니라 인간 중심으로 그려져 있었고, 그 인간의 역동적이고 치열한 삶이 그려져 있었고, 삶뿐 아니라 그들의 감정과 본능까지 섬세하게 들추어내고 있었다.

부끄럽지만 그때까지 나는 카라바조라는 화가를 알지 못했다. 그가 강한 명암 대비법의 거대한 자취를 서양 미술사에 남겼다는 것도, 그의 미학이 알프스 이북으로 전파되어 마침내 렘브란트 같은 화가를 낳았다는 것도, 그리하여 그가 바로크 회화의 원조로 인정된다는 사실도 나중에야 알았다. 내가 충격적으로 맞닥뜨렸던 그 그림은 성 마태오의 생애를 그린 3부작 '마태오와 천사', '마태오의 소명', '마태오의 순교'였다. 사전 지식이 전혀 없는 상태에서 만났기 때문에 그의 그림이 표현하는 강렬한 혼에 직관적으로, 더 깊이 공감했던 게 아닌가 싶다.

그날 저녁 집으로 돌아와 가이드북을 뒤져 이탈리아 전역에 흩어져 있는 모든 카라바조의 작품들을 체크했다. 밀라노와 나폴리에도 있었지만 주로 로마에 집중되어 있었다. 바티칸 박물관, 도리아 팜필 미술관, 디 아르테 안티카 국립미술관, 산타 마리아 델 포폴로 등에 카라바조의 작품이 있다고 소개되어 있었다. 그중 저 유명한 그림 '나르시스'는 디 아르테 안티카 국립미술관에 있다고 했다. 다음 날 그것을 보러 갔을 때 '나르시스'는 밀레니엄을 앞두고 수선을 하기 위해 어딘가로 보내지고 없었다. 대신 나르시스 그림이 든 도록과 냉장고에 붙이는 마그네틱 장식품을 샀을 것이다.

저녁에 숙소에서 '나르시스'를 펼쳐 놓고 잠시 바라보았다. 한 미소년이 한 팔로 호숫가를 짚고 상체를 호수 위로 깊이 숙인 채 호수에 비친 자신의 모습을 바라보고 있었다. 그런데 호수에 대칭으로 그려진 소년의 모습은 내 선입견을 조금 허무는 것 같았다. 우리가 아는 나르시스 신화대로라면 호수에 그려져 있는 소년의 모습도 최소한 실물만큼 아름다워야 했다. 그러나 카라바조는 호수 속에 비친 소년을 실물보다 어둡고 칙칙하고 우울하며 심지어 추악해 보이도록 그려 놓았다. 다만 회화 기법의 문제일까, 아니면 무슨 뜻이 있는 걸까? 이런저런 생각을 하는데 문득 다른 생각이 떠올랐다.

카라바조라면, 이미 생의 격정과 인간 내면의 얼룩덜룩한 면을 직관적으로 알고 있었을 그 화가라면, 일부러 그렇게 그리지 않았을까 싶었다. 그러니까 그가 호수 속에 그려 놓은 형상은 모든 인간의 내면, 짐승과 천사와 악마가 함께 사는 바로 그곳이 아니었을까 싶었다.

신화 속 나르시스가 호수라는 거울에 비춰 본 것은 자신의 내면에 있는 부정적인 측면이었을 것이고, 그 호수 속으로 뛰어든 것은 내면의 부정적인 측면을 의식 속으로 받아들였다는 뜻이 아닐까? 그러니까 그의 죽음은 생물학적인 죽음이 아니라 심리적인 죽음이며, 소멸로서의 죽음이 아니라 재탄생을 기약하는 죽음이 아닐까? 그런 생각은 카라바조의 작품이 고귀하고 순결하고 성스러운 이미지를 구현하는 데 비해 그의 사생활은 무질서하고 방탕했다는 사실과도 같은 맥락의 이야기 같았다.

카라바조가 아니라 나르시시즘에 대해 말하려는 참이다. 나르시시즘은 모든 인간에게 보편적으로 깃들어 있는 속성이며 평생 동안 유지되는 기질이라고 한다. 나르시시즘의 가장 큰 특징은 근거 없이 자신이 선하다, 옳다, 정당하다고 느끼는 의식이며, 때로는 자신이 원하는 것을 모두 이룰 수 있다는 전능감으로 표현되기도 한다.

인간은 태내에서 리비도를 자신의 신체에 투사하는 시기부터 나르시시스트이며, 아기 때 자신이 필요로 하는 것을 전지전능하게 해결해 주는 엄마의 이미지에 자신을 동일시하면서 나르시시즘 성향을 강화한다. 아기의 나르시시즘은 성장하면서 리비도적 감각, 욕망, 정서 등을 외부의 대상과 나누는 과정에서 약해진다. 하지만 그 시기에 아기를 정서적으로 보살피고 공감해 줄 대상이 없으면 아기는 그 욕망과 감각을 자신의 내부로 돌려 나르시시즘을 강화하게 된다.

보살펴 주는 엄마가 있더라도 그 엄마가 나르시시스트일 경우에는 아기도 그렇게 될 확률이 높다고 한다. 스스로 부모가 된 후에도 지나치게 부모를 미화하고 숭배하는 사람들의 심리적 배경 역시 나르시시즘이다. 그들은 유아가 가질 법한 이상화되고 미화된 부모 이미지를 여전히 간직하고 있으며, 그 부모 이미지에 자신을 동일시하고 있다는 뜻이다.

유럽을 여행하고 일단 귀국했을 때 나는 거의 50롤에 달하는 사진을 찍어 왔다. 메모하는 기분으로 사진을 찍었을 것이다. 내 눈에 의미 있는 꽃 한 송이, 가슴을 울렁이게 하는 작은 흔적 같은 것이 사진에 담겼다. 나중에 사진들을 죽 살펴본 친구가 "왜 네 사진은 한 장도 없니?"라고 말할 때까지 나는 내 행동이 이상하다는 사실을 몰랐다. 여행지를 배경으로 사진 찍는 일에 그리 큰 의미를 두지 않았고, 사진이란 내게 의미 있고 기록할 만한 것을 담는 도구 정도로만 생각했다.

"생각해 봐. 너는 이 행위가 보통의 상식을 가진 사람의 행동이라고 생각하니? 낯선 곳에 여행 가서 자기 사진을 한 장도 찍지 않는 게?"

친구의 말을 듣고서야 비로소 내 행동에 대해 더 깊이 생각해 보았다. 호들갑스럽게 무엇을 기리고 기념하는 데 익숙지 못한 것, 카메라 앞에 정색을 하고 포즈 취하는 일을 불편해하는 것, 그것 말고 다른 이유가 있음에 틀림없었다.

사실 여행지에서 아주 많이 타인들의 사진을 찍어 주었다. 어느 관광지든 잠시 머무르기만 하면 누군가가 다가와서 카메라를 내밀며 사진을 찍어 달라고 부탁했다. 혼자 여행하는 배낭여행 청년이나, 친구나 연인과 둘씩 여행하는 사람들 모두 그랬다. 내게 담배를 청했던 사람들처럼 그들도 순간적인 판단을 끝냈을 것이다. 카메라를 맡겨도 안전할 것 같은 작은 체구의 동양 여성에 대해. 그렇게 무수히 많은 타인의 사진을 찍어 주면서도 한 번도 내 사진을 찍을 생각을 하지 않았다니……. 그것은 틀림없이 깊이 억압된 나르시시즘의 뒷면 같았다.

예전에는 자기 사진을 집안 곳곳에 장식해 놓는 사람이 조금 우스웠다. 소풍이나 야유회에서 찍은 사진을 나누어 주면 다들 자기 사진을 보며 불만스러운 표정을 짓거나 "이상하게 나왔다"고 말하는 것도 의아했다. 그것이 자신에 대해 실제보다 미화된 이미지를 가지고 있어서 그러하며, 그것이 나르시시즘이라는 사실을 그때는 몰랐다. 그들과 반대로 행동하면서 그들에게 의아한 시선을 보내는 나의 태도는 억압된 나르시시즘의 발로라는 사실도 그제야 알아차렸다.

사실 나는 이미 예전에 나르시시즘과 맞닥뜨려 제대로 깨진 경험이 있다. 그것을 '운명에 대한 나르시시즘'이라고 불러도 될지 모르겠다. '지금은 이렇게 살고 있지만 이것이 내 삶의 전부는 아닐 것이다. 미래의 어디엔가는 이보다 더 나은 삶이 준비되어 있을 것이다.' 그런 근거 없는 기대, 대책 없는 전망이 있었다. 그런 생각 때문에 지금 이곳의 삶에 만족하지 못했고, 지금 이곳의 삶이 진정하고 유일한 내 몫의 삶임을 수용하지 못했다. 그리하여 현실의 삶을 간이역이나 야영 캠프쯤으로 인식했다.

그런 생각이 나르시시즘임을 인식한 것은 명리학을 공부하면서였다. 명리학을 공부할 때는 가장 먼저 자신의 사주를 임상용으로 풀어 가면서 학습하는데, 내 손으로 내 사주를 풀어 본 후 맞닥뜨린 것은 충격이었다. 내 몫의 삶이 고작 그런 모습이라는 사실을 한동안 받아들일 수 없었다.

마음으로부터 그것을 받아들이기까지 거의 석 달쯤 되는 시간이 걸렸다. 계속 명리학을 공부하면서 모든 이들이 저마다 타고난 인성의 그릇이 다르며, 각자 삶의 몫이 정해져 있으며, 삶의 과정이 오르락내리락한다는 것을 수용하게 되었다. 화무십일홍이니 권불십년이니 하는 말의 배면에 있는 과학적 법칙도 이해했다. 무릎이 꺾이고 날개가 찢기는 느낌이 오래 지나간 다음에야 내 삶을 나르시시즘적 환상 없이 인정하고 수용하게 되었다.

여행 중에는 내게 그런 것이 있는 줄조차 몰랐던 국가와 민족에 대한 나르시시즘과 맞닥뜨리기도 했다. 외국인들의 눈에 비친 한국의 객관적인 모습을 인식할 때마다 부끄럽거나 저항감이 일었고, 그것을 수용하지 못하는 감정이 나르시시즘이라 짐작되었다.

필리핀이나 중국인 여행자들과 대화하다가 그들의 내면에 있는 '어글리 코리언'에 대한 편견과 만났을 때, 뉴질랜드 지방 소도시의 이름 없는 사진전에 들렀다가 그 사진작가가 젊은 종군기자 시절에 찍었다는 한국전쟁의 참혹한 사진과 맞닥뜨렸을 때, 웰링턴이나 픽턴쯤에서 한국전쟁에서 사망한 군인들의 위령비를 보았을 때, 그 당연한 역사적 사실 앞에서 이유 없는 수치심이 일었다. 우리에게 그토록 황폐하고 참혹한 과거가 있었다는 사실을 돌이켜 보고 싶지 않은 마음이 나르시시즘인 듯했다. 그것은 유럽이나 열대 섬나라, 베이징 등에서 국산 자동차를 볼 때 느끼는 자랑스러움과 같은 뿌리를 가진 감정이기도 했다.

나르시시스트들은 자신이 대단한 존재라는 생각과 아무 가치 없는 사람이라는 생각 사이를 오간다고 한다. 데이비드 버스의 《오셀로를 닮은 남자, 헤라를 닮은 여자》는 질투의 심리를 다룬 책이지만 거기에는 나르시시스트의 행동 특성에 대해 진술한 눈에 띄는 구절이 있다.

"나르시시스트들의 행동 특성들은 신체를 드러내는 것(노출증), 권력 있는 지위에 스스로를 천거하는 것(자기 과신), 음식 중에서도 가장 좋은 것을 먹는 것(자기중심), 대가를 제시하지 않으면서 커다란 호의를 구하는 것(특별 대우), 친구의 어려움을 보면서 웃는 것(공감 결여), 자신의 이익을 위해 친구를 이용하는 것(대인 착취) 등이 있다."

위에 나열된 특성들은 오늘날 현대인들에게서 보편적으로 볼 수 있는 모습이기도 하다. 그 점에 대해 미국의 역사학자 크리스토퍼 래시는 1970년대에 이미 나르시시즘을 하나의 사회현상으로 읽어 내고 미국 사회를 '나르시시즘의 사회'라고 규정했다. 사회적으로 유명인을 숭배하고 자수성가한 개인을 신화화하는 것은 나르시시즘의 투사이며, 정치나 스포츠가 대규모 오락 산업처럼 변하는 것도 그것을 지지하는 대중의 나르시시즘 때문에 가능하다. 남녀 관계가 악화되는 것도, 건강식품과 운동 등에 대한 관심이 높아지는 것도, 개인들의 나르시시즘 때문이라는 것이다.

크리스토퍼 래시가 진단한 1970년대 미국 사회의 나르시시즘은 오늘의 한국 사회와 비슷해 보인다. '얼짱', '몸짱' 같은 몸 숭배의 사회적 분위기도 나르시시즘의 발로이고, 카메라폰과 디지털 카메라가 만들어 내는 자기중심의 영상 이미지도 나르시시즘이다. 느닷없이 불어닥친 웰빙 열풍은 나르시시즘의 종합 선물 세트 같고, 인터넷의 개인 홈페이지는 나르시시즘의 종합 완결 편처럼 보인다. 엄청난 로또 열풍이 일 때는 나르시시즘, 의존성, 시기심이 만나 화학작용을 일으킨 현상처럼 보였다.

모든 감정이 그렇듯 나르시시즘도 정상적인 자기애와 병리적인 자기애로 나뉜다. 병리적 자기애는 유아기에 만들어진 환상일 뿐이다. 우리 인간은 불행하게도 스스로 생각하는 것만큼 훌륭하지 않다고 한다. 모든 개인의 내면에는 자아가 형성되는 시기에 선하고, 옳고, 정의롭다는 성향을 간직하기 위해 무의식에 억압해 둔 그 반대 성향이 있다. 그것은 의식의 표면과 아주 가까운 곳에 존재하면서 의식을 들쑤시거나 의표를 뚫고 솟구쳐 오른다.

건강한 자기애란 바로 그 병리적 자기애를 인식하고 그것을 의식 속으로 통합하는 행위 위에서 이루어지는 것이다. 자신에 대한 거짓 이미지를 깨고, 자신의 내면에 있는 추악하고 부정적인 감정들을 인정하고, 그런 모습인 채로 자신을 사랑하는 것, 그것이 건강하고 진정한 자기애다.

모든 종교적 수행은 정신의 성장으로 가는 길에서 자신의 추악함과 보잘것없음을 인식하는 과정을 거친다고 한다. 불교나 도교에서 마음공부를 하는 수행자들은 그 과정을 넘어서기가 힘들다고 말한다. 수행 중 맞닥뜨리는 자신의 참모습이 너무나 추악하고 혐오스러워 그것을 수용하는 일이 죽기만큼 힘들다는 것이다. 뒤늦게 가톨릭에 입문한 한 선배가 이렇게 말하는 것을 들은 일이 있다.

"내가 저 먼지나 티끌 같은 존재구나 싶어지면서 어느 순간 신 앞에 납작 엎드리는 마음이 되더라. 내가 정말 아무것도 아니라는 것을 알았어."

불교 용어에 '마음을 항복받는다'는 말이 있다. 그때 항복받는 마음도 자신이 옳고 선하고 정당하다고 생각하는 나르시시즘을 굴복시키는 의미라 짐작된다. 선배가 납작 엎드렸다는 상태, 오체를 땅에 대고 거듭 몸을 낮추는 절 동작 그 모두가 병리적 나르시시즘의 극복과 관련된 행위가 아닐까 싶다.

정신분석을 받는 과정에서 나 역시 외면하고 억압했던 내면의 것들과 맞닥뜨렸다. 지금까지 이 책에 언급된 모든 부정적 감정들 분노, 불안, 공포, 의존성, 시기심, 질투 등 모든 종류의 방어 의식이 고스란히 나의 내면에 있는 것들이었다. 내면에서 그 모든 추악하고 천박한 것들을 하나씩 발견하는 일은 충격이었고, 그것들을 내 것으로 인정하고 수용하는 일에는 아주 많은 시간과 인내심이 필요했다. 그럼에도 불구하고 나 자신을 있는 그대로 사랑하는 일은 더 힘들었다.

이제 나는 내가 선하기도 하고 악하기도 하며, 아름답기도 하고 추하기도 하며, 정의롭기도 하고 비겁하기도 하며, 이기적이기도 하고 이타적이기도 하며, 그런 얼룩덜룩하고 울퉁불퉁한 존재로서 존엄하고 사랑받을 수 있는 존재임을 알게 되었다. 그런 나를 사랑할 수 있게 되면서 타인의 그런 점들도 끌어안을 수 있게 된 점이 더욱 만족스럽다.

인류는 인간만이 특별하고 위대하다는 나르시시즘을 깨며 발전해 왔다고 한다. 코페르니쿠스, 다윈, 프로이트의 발견이 그럴 것이다. 나르시시즘은 불안, 시기심과 함께 인간을 성장하지 못하게 만드는 대표적 감정으로 꼽힌다.

행복할 가치가 있는 존재라는 느낌

자기 존중

2003년 4월 1일, 장국영이 투숙 중이던 호텔에서 투신자살했다는 소식을 접했을 때 당연히 그것을 만우절 거짓말이라고 생각했다. 그것이 사실임을 받아들였을 때는 무언가 안타깝다는 감정이 뒤따라 왔고, 소중한 것을 잃은 듯 애통한 마음도 느껴졌다. 믿기지 않는 사건에, 예상치 못했던 감정이었다. '영웅본색', '아비정전', '패왕별희', '해피 투게더' 등 그가 출연했던 영화들이 떠올랐고, 그 영화의 어떤 장면에서 보았던 그의 눈빛과 표정이 아리게 되살아났다.

그동안 나는 '패왕별희'나 '해피 투게더' 같은 작품을 연출한 첸 카이거와 왕가위 감독의 감각을 좋아한다고 믿고 있었다. 하지만 장국영의 눈빛 없이도 그 영화들이 그토록 감동적이었을까 생각하니 내가 진정으로 매혹되었던 것이 그게 아닌 듯했다. 장국영의 눈빛 가득 어리던 우수나 외로움 같은 것, 금방이라도 시선에 닿는 모든 것을 빨아들일 듯 위태로운 갈망, 방금 울음을 그쳤거나 이제 막 울음을 터뜨릴 것 같은 아슬아슬함, 그 모든 것들의 뒤편에 억제된 분노와 좌절……. 내가 매혹당했던 것은 그처럼 복잡한 감정을 면밀하게 담아내던 장국영의 눈빛이었다. 다시는 그 눈빛을 볼 수 없다고 생각하니 절멸감 같은 것이 왔다.

그의 죽음의 모든 것이 안타까웠지만 그중에서도 그가 남겼다는 메모에 적힌 "나는 착하게 살았어요."라는 구절이 강하게 가슴에서 울렸다. 바로 그 말이 죽음의 원인이 아닐까 싶어서였다. 그런 종류의 구절은 하나 더 있었는데 언론이 그의 사랑의 역사와 성적 정체성에 대한 기사를 실을 때 인용하는 문장이었다.

"나는 나를 좋아해 주는 사람들을 사랑합니다."

한 사람의 사랑의 역사를 이야기할 때 그처럼 가슴 아픈 구절이 또 있을까 싶었다. "나를 좋아해 주는 사람을 사랑한다."는 말은 '타인의 욕망의 대상이 되는 일에 지극한 만족감을 느낀다.'는 뜻이고, 또한 '나 자신의 욕망을 스스로 돌볼 줄 모른다.'는 뜻일 것이다. 나아가 '내가 사랑을 느끼는 대상이 무엇인지 정확히 모르며, 그리하여 내 사랑을 찾기 위해 적극적으로 노력해 본 일이 없다.'는 뜻과 같을 것이다. 그것은 결국 '나 자신을 사랑하고 소중하게 여길 줄 모른다.'는 뜻과 닿아 있을 것이다.

장국영의 자살 소식을 접했을 때 가장 가슴 아팠던 대목이 바로 거기였다. 그는 아마도 타인들의 욕구에 응하는 방식으로 관계를 맺었을 것이고, 그래서 자주 사람들에게 치인다는 느낌을 받으며 인간관계를 부담스러워했을 것이다. 그럼에도 타인들의 요구를 거절하지 못했을 것이며, 그토록 주변에 사람이 많고 그들과 상호 헌신적인 관계를 맺고 있는데도 왜 그렇게 내면이 텅 빈 것 같은지 몰랐을 것이다. 그 모든 관계가 자신의 욕망, 자신의 만족감이 아니어서 그렇다는 것도 알지 못했을 것이다.

개인적인 생각이지만 장국영처럼 대중을 유혹하는 재능을 가진 사람들에게는 특별한 공통점이 있는 것 같다. 그들이 대체로 불우한 유아기를 보냈다는 점이다. 장국영뿐 아니라 마릴린 먼로, 엘비스 프레슬리, 제임스 딘, 엘리자베스 테일러 등이 고아로 자랐거나 어린 나이에 부모가 이혼하여 유사 고아처럼 자랐다는 공통점이 있었다.

그리하여 이것 역시 사견이지만 저들이 가지고 있는 매혹의 분위기, 끊임없이 사람들을 끌어당기는 저 홀림의 본성은 바로 그 유아기의 결핍이 인성의 일부로 굳어진 데서 오는 게 아닌가 짐작된다. 유아기에 충족되지 못한 애착 관계, 그 후 제대로 처리하고 넘어가지 못한 오이디푸스적 요인이 독특하고 매혹적인 분위기를 형성하지 않았을까 싶다. 사실 그들은 전 세계 대중들을 향해

'엄마 아빠, 나 좀 봐 주세요.' 하는 눈빛을 던지고 있는 것이다.

대중 스타가 아닌 보통 사람들 중에도 이성에게서 더 많은 관심과 사랑을 받는 이들은 대체로 그와 비슷한 심리적 요인을 가지고 있는 게 아닌가 의심해 본다. 물론 그런 이들이 보내는 유혹의 신호는 무의식에서 발산되는 것이기 때문에 정작 당사자는 타인을 유혹한다는 자각이 없다. 그런 이들은 또한 두 가지 상반된 태도를 취하는 것 같다. 그 관심을 즐기거나, 제발 나를 그냥 내버려 두라고 투덜대거나.

장국영의 사망 소식을 들은 며칠 후 중국에 가게 되었다. 베이징의 한 아파트 단지 내에 있는 대형 쇼핑몰 레코드점에는 예상대로 장국영 특별 코너가 마련되어 있었다. 그 코너에 서서 장국영의 일대기를 회상하듯 그의 초기 음악 CD부터 최근의 VCD들을 찬찬히 살펴보았다. 가수로 활동하던 초기 레코드 재킷에 있는 그 촌스러운 옷차림과 처연한 뒷모습 사진을 특히 오래 바라보았다. 그러고는 공연 실황이 담긴 CD, '아비정전'과 '패왕별희' VCD를 골라 들고 값을 치렀다.

틀림없이 멜랑콜리한 감상에 사로잡혀 있었을 것이다. 조금만 이성이 작동했다면 그런 종류의 소프트웨어는 한국에도 많다는 사실을 자각했을 텐데. 다시는 장국영의 그 텅 빈 듯하면서도 갈망하는 듯한 눈빛을 볼 수 없다는 점, 한 인간의 정신적 착오나 무의식의 결핍이 그토록 깊다는 안타까움에 압도되어 이성이 작동하지 않았을 것이다. 무엇보다도 장국영에게 그토록 공감하는 나의 내면을 보고 있었을 것이다.

나다니엘 브랜든은 40년 이상 자기 존중감에 대해 연구한 미국의 심리학자다. 그는 1970년대부터 자기 존중감의 중요성을 일반인들이 깨우칠 수 있도록 하는 운동을 전개했고, 1980년대 접어들면서 그 용어는 더 폭넓게 연구되면서 보편적으로 사용되었다. 그의 책《나를 존중하는 삶》에는 자기 존중감에 대해 이렇게 정의되어 있다.

1. 우리 자신에게 생각하는 능력이 있으며, 인생살이에서 만나게 되는 기본적인 역경에 맞서 이겨 낼 수 있는 능력이 있다는 자신에 대한 믿음이며,
2. 우리 스스로가 가치 있는 존재임을 느끼고, 필요한 것과 원하는 것을 주장할 자격이 있으며, 자신의 노력으로 얻은 결과를 즐길 수 있는 권리를 가지며, 또 스스로 행복해질 수 있다고 믿는 것이다.

장국영의 죽음 앞에서 내가 그토록 안타까워할 때 진정으로 가슴 아팠던 대목은 그에게 자기애나 자기 존중감이 조금만 더 있었더라면 하는 것이있다. 그것이 없었기에 그는 인생에서 만나는 잠깐의 역경을 이겨 내지 못했고, 자신의 노력으로 얻은 결과를 즐기지 못했고, 자신이 행복해질 수 있는 존재라고 느끼지 못했던 것 같다. 그가 스스로 가치 있는 존재라고 느꼈다면 그렇게 쉽게

목숨을 버리지 않았을 텐데 싶었다.

대중 스타들의 매혹의 본질이 숨어 있는 무의식에는 틀림없이 검고 위험한 구멍이 함께 존재한다. 엄마를 잃은 아기가 느꼈을 박탈감, 표출하지 못한 분노, 자신이 사랑받을 가치가 없다고 느끼는 비하감 같은 것이 화석처럼 선명하게 각인되어 있을 것이다. 그것은 무의식에 있는 것이기 때문에 아무리 많은 팬, 친구, 연인의 사랑을 받아도 충족될 수 없다. 유명 스타들이 그토록 많은 사랑을 받으면서도 외로움과 중독과 결핍감을 안은 채 이른 나이에 생을 마감하는 이유가 거기 있을 것이다. 저들의 치명적인 매혹은 곧 치명적인 결핍감이었을 것이다.

내게도 오래도록 자기애나 자기 존중감이 없었다. 내가 평생토록 힘들게 이겨 내야 했던 감정은 나 자신이 '초라하고 보잘것없고 무가치하다.'는 느낌이었다. 정신분석을 받은 후에야 그것이 나의 객관적인 실체와 다르며 유아기에 만들어진 착각임을 알았지만 그 전까지는 명백한 심리적 진실이었다. 때로 자신의 무가치함과 무력감이 지나쳐 숨이 막힐 때면 친구에게 전화를 걸어 이렇게 부탁했다.

"무엇이든 내게 힘이 될 만한 말을 한 마디만 해 줘."

그러면 친구는 "너는 글을 잘 쓰잖아."라거나, "너 예뻐!" 같은 낯간지러운 말을 해 주곤 했다. 마음 깊은 곳으로부터 그 말을 긍정하지는 못했지만 그럼에도 그 순간은 그런 말이 숨통을 틔워 주곤 했던 기억이 있다. 돌이켜 보면 그것은 내가 심리적으로 살아

남기 위한 안간힘이었다.

자기 존중감이 없었기 때문에 그토록 좋아하는 '정선 아라리'의 어떤 구절을 제대로 이해하지 못한 일도 있다.

"산중의 귀물은 머루나 다래, 인간의 귀물은 나 하나라."

이십 대 중반에 그 구절을 처음 들었을 때는 이렇게 생각했다. '어떻게 자기 자신만이 유일하게 귀하다고 노래하지? 그것은 극단적으로 오만한 태도 아닌가?' 그런 의문은 '자기 존중감'이라는 개념과 만날 때까지 십 년 이상 계속되었다. 그 노래의 의미를 진심으로 수용하게 되자 비탈 밭에 쪼그리고 앉아 감자밭을 매는 아낙들도 자신이 세상에서 가장 소중한 존재라는 사실을 알고 있었다는 점이 감동적이기까지 했다.

내게 그토록 치명적으로 자기 존중감이 부족했던 이유는 유년기에 형성된 자아의 구멍뿐 아니라 부모의 이혼도 큰 몫을 했을 거라는 사실을 그즈음에 이해했다. 이혼한 부모의 자녀로서, 부모의 이혼이 아이의 정서에 어떤 영향을 미치는지에 대해 이제는 좀 정리해서 말할 수 있을 것 같다.

아이의 입장에서 부모의 이혼은 자신을 양육하고 보호해 주던 세계가 와해되는 경험이다. 그 순간 갖게 되는 생존에 대한 불안감은 거의 평생을 지배하는 흔적으로 남는다. 또한 아이는 부모 중 어느 한쪽, 혹은 양쪽 모두로부터 버림받았다는 느낌을 받게 되며, 그 생각은 자신이 사랑받을 가치가 없는 사람이라는 자기 비하감으로 자리 잡는다. 치명적으로 사랑을 잃은 경험 때문에 사랑을 믿지 못하고, 사랑 앞에서 방어적인 태도를 취하게 된다. 상황을 객관적으로 인식할 줄 모르기 때문에 부모의 이혼과 가정의 해체가 자기 탓이라는 죄의식도 안게 된다. 부모 중 어느 한쪽을 잃은 박탈감은 성장을 저해하는 질투나 시기심으로 변형된다. 무엇보다도 그 트라우마의 시기에 고착된 아이가 내면에 자리 잡고 있어 성인으로서의 삶을 간섭하고 불편하게 한다.

미국에서는 1960년대 히피족들로 인해 이혼율이 높아지기 시작했다고 한다. 그 후 조금씩 성장하던 이혼율이 1990년대 후반으로 접어들어 폭발적으로 늘고 있다는 기사를 본 일이 있다. 1998년 무렵 뉴스위크지에서 보았던 그 기사는 이혼한 히피 세대의 자녀들이 성인이 되어 자기 가정을 꾸리기 시작했는데 그들이 바로 이혼율을 기하급수적으로 끌어올린 장본인들이라고 분석하고 있었다. 그 기사를 보면서 묵묵히 고개를 끄덕인 일이 있다.

여행을 다니던 중 뉴질랜드 크라이스트처치에서 밀레니엄의 첫날을 맞았다. 밀레니엄의 첫날, 아침 일찍 숙소에서 나와 버스를 타고 그 도시 근교에 있는 브라이튼 해변으로 나갔다. 40분쯤 달려간 해변에는 뜻밖에도 아무것도 없었다. 길게 펼쳐진 백사장과 푸른 바다, 휴게소와 나란히 선 공공 도서관, 바다로 향해 놓인 다리뿐이었다. 전날 공연의 흔적인지, 그날 저녁 공연을 준비 중인지 가설 중인 야외무대에서 천막이 바람에 펄럭이고 있었다.

쓸쓸하고 스산한 마음이었을 것이다. 오늘이 밀레니엄의 첫날이 아니어도 마음이 이랬을까 짚어 보기도 했다. 바다 위에 놓인 다리를 끝까지 걸어갔다가 오고, 백사장 위에 발자국도 남겨 보고, 도서관을 짓는 데 기부금을 낸 사람들의 이름이 찍힌 마당의 벽돌 위를 걸어 보다가 도서관으로 들어갔다. 그 도서관은 바다 쪽을 통유리로 지은 2층짜리 건물이었는데, 바다가 보이는 유리창 앞에 안락한 의자를 나란히 비치해 놓고 있었다. 의자에는 비행기 좌석처럼 클래식, 팝, 이지 리스닝 등 몇 종류의 음악 채널이 있는 오디오 시스템도 장착되어 있었다.

이미 한 할머니가 예쁘게 단장하고 의자에 앉아 헤드폰으로 음악을 들으면서 신문을 읽고 있었다. 나는 그 할머니 옆자리에 앉아 할머니처럼 음악을 들으며 신문을 보다가, 바다를 보다가 했다. 가끔 할머니의 빨간 립스틱을 바라보며 나도 나중에 저렇게 살아야지 생각하기도 했다. 음악을 열 곡 남짓 들은 후 설치 미술품처럼 지어진 도서관 내부를 구경했고, 한 아이가 엎드린 채 몰두해 있는 컴퓨터 오락을 지켜보기도 했다. 도서관에서 더는 할 일이 없어졌을 때 도서관을 나와 마을 쪽으로 걸어갔다.

그때쯤 마을에서는 밀레니엄 축제가 시작되는 듯했다. 마을의 중심 도로일 법한 곳에 벼룩시장 같은 판매대가 세워지고 그 위에 물건들이 진열되고 있었다. 그것들 사이를 천천히 걷는데 누군가가 "해피 뉴 이어!"라고 말을 걸어왔다. 배가 나온 중년 사내였는데 그는 웃음 띤 얼굴로 내게 작은 조화를 내밀었다.

그는 자신이 가설해 둔 오락 시설을 홍보하는 중이었다. 비록 그것이 상술이라고 해도 처음 듣는 새해 축하 인사에 문득 기분이 좋아졌다. 그때부터 나는 그 거리를 천천히 구경하면서 눈이 마주치는 모든 이에게 "해피 뉴 이어!"라고 인사를 건넸다. 물론 환하게 웃는 웃음 방어기제도 함께 사용했다. 내 쪽에서 그렇게 하자 모든 이들이 똑같은 웃음을 지어 보이며 인사했다. 뉴질랜드 시골 마을의 이름도 모르는 사람들, 여자거나 남자거나, 젊거나 늙었거나, 날씬하거나 뚱뚱하거나 눈을 마주치는 모든 사람들과 인사를 주고받으며 그 거리를 끝까지 걸어갔다 오자 비로소 새 천년을 맞는 기분이 되었다.

크라이스트처치로 돌아와 그날 오후를 새 천년맞이 기념으로, 새 천년을 맞는 나를 위한 특별한 행사를 마련했다. 특별히 더 맛있는 음식을 먹었고, 그 도시에 있는 아트 앤드 크라프트라는 예술 공예품 단지에 가서 태극 문양이 새겨진 태국산 반지를 하나 사서 손가락에 끼워 주었다. 예전이라면 쑥스럽고 낯간지러워서 도저히 엄두도 못 냈을 일을 자연스럽고 행복한 마음으로 해 내는 자신을 바라보기도 했다.

오래도록 나는 '자기애/나르시시즘'이나 '자기 존중/셀프 이스

팀'이란 외국 정신분석 책에나 있는 말인 줄 알았다. 그런데 여행이 끝나던 무렵의 어느 날 문득, 꿈에서 본 듯 흐릿하게 어떤 장면 하나가 떠올랐다. 어렸을 때 외할머니가 머리를 쓰다듬으시면서 이런 말씀을 하셨던 것 같았다.

"항상 자중자애해라."

어린 마음에는 그 말을 또 하나의 잔소리쯤으로 받아들였던 것 같다. 그런데 알고 보니 자중자애의 진정한 의미가 곧 자기애와 자기 존중이었다. 자중자애가 이미 우리 문화에 녹아 있는 삶의 방식이며 일상의 가치라는 것을 뒤늦게 알아차렸을 때는 새삼 감동적이었다.

제임스 F. 매스터슨의 《참자기》는 한 인간이 진정한 '자기'를 발현시키며 성장하는 과정에 대해 고찰한 책이다. 그 책에 의하면 성장 과정에서 트라우마를 입으면 아기는 거짓되거나 확장되거나 위축된 자기를 갖게 된다고 한다. 진정한 성장과 자기실현을 이루기 위해서는 거짓되거나 위축된 자기를 벗고 참자기를 발현시켜야 한다.

매스터슨은 참자기의 기능을 열 가지 제시하고 있는데 그것은 나다니엘 브랜든이 정의한 자기 존중의 기준과 비슷하다. 활기 있고 기쁘게, 자발적으로 다양한 감정을 깊이 있게 체험하는 능력, 자기를 활성화하고 자기주장을 할 수 있는 능력, 고통스러운 감정을 진정시키고 슬픔을 애도하는 능력, 인생에서 전념할 만한 일을 정해 매진하는 능력 등이 그것이다.

그중 '적절한 보상을 기대하는 능력'이라는 항목을 읽을 때 머릿속이 핑 돌면서 어떤 대사 하나가 떠올랐다.

"왜 무엇을 주고도 보답을 받으려 하지 않죠?"

정신분석을 받을 때 면담자에 대한 고마움에서, 또한 전이가 시작되는 한 현상으로 그에게 전기 포트를 선물한 일이 있었다. 나는 선물을 대기실 한쪽 구석에 놓아둔 채 면담실로 들어가 "선물이 저기 있다."는 식으로 말했다. 그때 면담자가 물었다. 왜 무엇을 주고도 보답을 받으려 하지 않죠?

면담자는 나의 행위에서 전면적인 관계를 맺지 않으려는 마음과 거절당하는 것을 두려워하는 마음을 자각하게 했다. 거기까지였을 뿐, 그때는 질문의 진정한 의미를 깨닫지 못했다. 그 후로도 오래도록 그랬던 것 같다. '자기 존중'이나 '참자기'의 개념과 만난 후에야 그 질문의 진정한 의미에 닿았을 것이다.

내게는 적절한 보상을 기대하는 능력이 없었다. 선물을 준다는 행위는 틀림없이 그만한 사랑을 요구한다는 의미임에도, 자신이 보답을 받을 자격이나 가치가 있다고 진정으로 느끼지 못했다. 그것은 전형적으로 자기 존중감이 약한 사람의 태도였다. 그러고 생각해 보니 이십 대 때 취미생활처럼 했던 짝사랑의 진정한 본질도 그것이었다.

요즈음 젊은 여성들 사이에는 "헌신하면 헌신짝 된다."는 말이 있다고 들었다. 건강한 사랑, 정당한 보상을 약속하는 사랑, 자기를 존중하는 사랑을 하라는 뜻의 경구일 것이다. 짝사랑이나 스토

킹처럼 응답 없는 대상을 향해 사랑을 호소하기, 보상 없는 사랑을 일방적으로 보내기, 사랑을 위해 내 삶을 희생하기 등은 전형적으로 자기 존중감이 약한 자의 사랑법일 것이다. 그런 태도는 자신을 병들게 할 뿐 아니라 궁극적으로 사랑도 파괴한다.

나다니엘 브랜든은 자기 존중감이 천부적으로 절로 생기는 게 아니라 습득해서 터득해야 하는 삶의 기능이라고 설명한다. 자기를 긍정하고, 자기 삶에 책임을 지며, 주체적으로 사고하고, 고독을 참아 내며, 성실성과 정직성을 유지할 수 있으려면 자기 존중감이 있어야 한다고 말한다. 자기 존중감은 또한 자기의 장점과 단점에 대해 충분히 인식하고 받아들이는 태도에서 비롯된다. 자신의 긍정적인 속성을 거짓 겸손이나 우월감 없이 인정하며, 자신의 부정적인 속성을 열등감이나 자기 비하감 없이 시인하는 마음, 그것이 자기애와 자기 존중감의 본질을 형성하는 토대이다.

몸이 곧 정신이고 육체가 곧 정체성이다

몸 사랑

노인과 거리의 예술가들이 특별하게 시선을 끌었던 것처럼 여행 중 그런 대상이 또 하나 있었으니 그것은 여성의 몸이었다. 거리를 걸을 때면 날씬하거나 비만인, 아름답거나 그렇지 않은, 젊거나 늙은 여성들의 몸을 유심히 보곤 했다.

몸에 찰싹 달라붙는 옷을 입고 동산만한 엉덩이를 흔들며 걷는 비만 여성, 거친 화상 흉터가 다 드러나도록 등이 많이 파인 옷을 입고 있는 젊은 여성, 주름이 밀리도록 액세서리를 치장하고 늘어진 가슴까지 슬며시 드러낸 할머니……. 그들에게서 내가 보는 것은 몸에 대해 어떤 자의식도 없는 자들의 편안하고 자연스러운 태도였다.

암스테르담의 16인실 백패커에 묵을 때는 여학생들이 대체로 팬티 한 장만 걸친 채 토플리스 상태로 돌아다녔다. 오클랜드의 호스텔에서는 목욕 타월을 몸에 감고 복도를 천천히 걷는 뚱뚱한 여학생이 있었다. 그런 차림으로도 그녀는 사색에 잠긴 듯 심각한 표정을 짓고 있었다. 손바닥만 한 보라색 보자기 한 장만 달랑 허리에 감고 다니는 피지 섬 출신 청년은 늘 허밍으로 콧노래를 부르고 다녔다. 열대 섬으로 가니 남녀노소 할 것 없이 대체로 헝겊 한 장만 몸에 걸치고 다녔다. 그 한 장의 옷이 허전한지 상의 대용으로 크고 빨간 꽃목걸이나 풍성한 조개껍질 목걸이를 걸친 남성이 많이 보였다.

그런 모든 몸을 볼 때마다 내가 보는 것도 결국은 나 자신이었다. 몸을 수치스러운 것으로 여기고, 몸을 억압하거나 방치하고, 몸의 욕망을 외면해 온 나의 내면이었다. 가끔은 몸 억압의 근거나 내력을 짚어 보기도 했다. 어렸을 때, 엄마가 결벽증에 가까운 말투로 인간의 몸에 대해 경멸하듯 말하는 것을 들은 기억이 있다. 그때 엄마가 경원시했던 몸은 특별히 성적 욕망을 가진 몸뚱이였다.

이십 대에는 몸과 마음의 이분법을 확고하게 갖고 있었다. 정신만이 고결하고 우위에 있는 가치이며 몸은 할 수 없이 데리고 다니면서 씻기고 먹여 주어야 하는 귀찮은 것쯤으로 생각했다. 여성의 몸을 수치스럽고 불경한 것으로 여기도록 교육해 온 사회 분위기의 영향도 있었을 것이다. 여성의 몸은 항상 어떤 관습이나 가치의 통제 아래 있었다.

몸에 대한 사랑은커녕 몸에 대한 객관적인 인식조차 없었다. 지금보다 몸무게가 10킬로그램쯤 덜 나갈 때조차 뚱뚱하다고 생각해서 품이 넓은 티셔츠, 엉덩이를 덮는 재킷을 입었다. 지금보다 피부가 곱고 탄력 있었을 그 시절에도 목의 주름이 흉하다고 생각해 목을 가리는 티셔츠나 블라우스를 선택했다. 내게 있었던 것은 나의 실체와는 무관한, 언제 어떤 이유로 만들어졌는지 알 수 없는 그릇된 몸 이미지뿐이었다.

당연히 나의 옷 입기는 몸을 가리는 데 중점을 두었고, 몸 가운데에서도 여성으로서의 몸을 숨기기에 급급했다. 심리적으로도 여성인 자신을 외면했듯이 몸의 여성성에 대해서도 은폐 축소하는 데에 역점을 두었다. 나는 결코 여성으로 보이고 싶어 하지 않았고 여성 가운데에서도 성적 이미지를 가진 여성으로 보이고 싶어 하지 않았다. 외모 지상주의를 경멸했고 다이어트에 목숨 거는 여성들을 자기 몸을 학대하는 사디스트라 여겼다. 인생은 미인 경연 대회가 아니며 오직 성적 매력을 지닌 몸뚱이만이 여성의 자산이던 시대는 지났다고도 생각했다.

그런 논리들까지 동원하여 몸을 외면하고 방치하면서 내 몸은 병들어 갔을 것이다. 늘 몸이 무거운 피로감에 시달리면서도 몸을 돌봐야 한다고 생각하지 못했다. 몸무게가 표준 체중보다 10킬로그램 이상 불어나는 동안에도 살이 찌고 있다는 사실을 자각하지 못했다. 몸이 아프게 되었을 때에야 내가 비만이라는 것을 알았고, 병을 치료하는 과정에서야 한 번도 몸을 이해하거나 보살핀 적이 없다는 것을 알았다. 결과적으로 병은 내게 다행스러운 경험이었다.

아픈 몸을 치료하는 과정에서 몸에 대한 생각이 전폭적으로 바뀌었다. 우선 오래도록 몸을 방치해 온 사실에 대해 입술을 깨물며 뉘우쳤다. 다음으로 몸과 마음이 긴밀하고도 직접적으로 소통되는 하나의 통합된 실체라는 사실을 이해했다. 정신분석을 받는 동안 어떤 말을 했을 뿐인데도 몸이 아팠고, 면담자가 던지는 말 한 마디에 어지러움과 탈진감이 몰려오는 것을 경험했다. 그동안 간간이 앓았던 위궤양이나 무력감이 모두 심리적 요인에서 비롯된 병적 증상이었음을 자각했고 그것의 뿌리가 깊다는 것도 알아차렸다.

돌이켜 보니 과거의 기억 속에는 정신적인 충격이 있을 때마다 몸의 병으로 그것을 치러 냈던 궤적이 선명했다. 생후 18개월에 외가로 보내졌을 때는 한동안 어떻게 손을 써 볼 수 없을 정도로 심한 열병을 앓았다고 했다. 발진이 온몸을 뒤덮었고, 외할머니가 매일 십 리 밖에 있는 병원으로 업고 다녔다고 들었다. 부모가 이혼한 후 약 1년 동안은 양지 바른 옥상에 가만히 앉아 있는 버릇이 있었다. 그것은 틀림없이 병들고 상처 입은 짐승의 자세였다. 고등학교 때는 저녁마다 가려워 미칠 것 같은 피부병에 걸려 고

생한 적이 있었는데, 아버지의 뒷모습을 보면서 절망감을 느낀 어떤 사건이 있은 직후였다. 몸의 병을 앓을 때마다 마치 공식처럼 그 직전에 정신적 충격이 있었다. "인간이 몸으로 경험하는 모든 통증, 마비, 종양 등은 표출하지 못한 감정이 신체 기관으로 되돌아가 일으키는 반란"이라는 말을 온몸으로 입증하고 있었던 셈이다.

여행 중에도 건강 상태가 그리 안정적인 것은 아니어서 최우선으로 주의한 것은 몸의 건강이었다. 늘 몸의 상태에 관심을 갖고 몸이 원하는 대로 움직였다. 여행의 좋은 점 가운데 하나는 많이 걸을 수 있다는 것이었다. 낯선 여행지를 많이 걸어 다닌 것, 그것이 여행 중의 건강을 유지한 비결이었던 것 같다.

오전 아홉 시쯤 숙소를 나서면 저녁 여섯 시나 일곱 시에 숙소로 돌아갈 때까지 대부분의 시간을 걸으면서 보냈다. 전차나 버스를 타거나, 점심 식사나 차 한 잔을 마시기 위해 잠시 앉기도 했지만 그 시간은 아주 잠깐이었다. 거의 매일을 걸어 다니면서 몸의 감각을 면밀히 느껴 보았다. 오감을 활짝 열고 외부의 사물을 받아들이고, 그것이 몸에서 일으키는 화학작용을 감지하고, 내 몸이 하는 이야기에 귀를 기울였다.

그렇게 걸었던 곳이 아주 많다. 그중에서도 유독 오래 걸었던 거리가 떠오른다. 카타콤 가는 길에 길을 잘못 들어 무작정 걸어야 했던 것처럼, 암스테르담에서는 골목 하나를 잘못 접어들었다가 하염없이 걸어야 했다. 암스테르담 중앙역 앞에서 시작되는 운하는 부채꼴 모양으로 난 물길이 겹겹이 겹쳐지도록 만들어져 있는데 출발지에서 5도만 삐끗 다른 길로 접어들어도 운하가 끝나는 곳에 가면 목적지로부터 45도쯤 벌어진 곳에 도착하게 되었다.

폭스글라시아는 오직 빙하 계곡만이 볼거리인 뉴질랜드의 시골 마을이었는데 날씨가 흐려 빙하로 가는 헬기가 이륙하지 못하자 아무것도 할 일이 없었다. 특별한 문화 시설도, 어떠한 볼거리도 없는 그 시골 마을에서 할 수 있는 일이란 오전 내내 낯선 시골길을 걸어갔다가 오후 내내 걸어서 돌아오는 것뿐이었다. 시에스타가 있는 나라에서도 그 시간에 낮잠 자는 습관이 없는 여행객은 걷는 일밖에 할 수 없었다.

그렇게 걸으며 몸의 감각을 느끼는 과정에서 자연스럽게 옷차림에도 변화가 왔다. 예전에는 노출하면 큰일 나는 줄 알았던 무릎 위나 등도 드러내 보았고, 몸의 곡선이 그대로 드러나는 옷도 입었다. 전에는 결코 선택한 적이 없는 얇은 레이스 원피스나 요란한 꽃무늬 의상을 입기도 했다. 오직 내 몸의 감각과 욕망에 충실하게 옷을 입었을 때 그 행위에서 다시 심리적인 해방감이 따라오는 것이 느껴졌다. 여행은 몸에 대한 억압을 벗고, 몸을 있는 그대로 사랑하고, 몸의 욕망을 수용하는 과정이기도 했다.

여행에서 돌아온 후 지금도 걷기 습관은 계속되고 있다. 얼마

전에는 '행복'이라는 주제로 에세이를 청탁받은 일이 있는데 그 단어를 듣자마자 걷기의 만족감이 떠올랐다. 다음은 그때 쓴 에세이의 전문이다.

> 처음에는 건강상의 필요에 의해 그 일을 시작했을 것이다. 전문가들은 운동을 권했고, 운동 가운데에서도 지금 그 체력으로 할 수 있는 일은 걷기밖에 없다고 말했다. 운동으로서의 걷기가 아니라도 발걸음에 의식을 집중한 채 천천히 걷는 것은 '포행'이라는 불가의 수행법이라고 한다. 머리 쪽으로 올라간 기를 내리는 데에도 걷는 방법이 최고라고 도가에서는 이른다. 여러 분야의 전문가들은 하루 두 시간 이상, 적어도 만 보 이상은 걸어야 한다고 공통적으로 말했다.
>
> 처음에는 목적지로 정해 둔 지점이 너무 까마득해서 집을 나서는 순간부터 다리가 무거웠다. 자주 걸음을 멈춰 서서 허리께의 만보계를 확인하며 숨을 고르곤 했다. 그러나 이제 걷는 행위는 일상의 중요한 요소이면서 삶의 몇 가지 즐거움 가운데 하나가 되었다. 사랑하는 사람들과 공유하는 시간, 친구들과 나누는 수다, 어려운 일을 해냈을 때의 성취감, 좋은 책이나 영화를 보았을 때의 감동, 그것들에 비견할 만한 만족감을 준다.
>
> 걸을 때는 되도록 몸을 가볍게 한다. 옷차림도 가볍게 하고 소지품도 단출하게 지니고, 무엇보다 마음을 가볍게 한다. 하던 일이나 고민거리, 의무나 책임 같은 것은 고스란히 집에 남겨 둔 채 되도록 빈 마음만 가지고 집을 나선다. 처음에는 잘되지 않았다. 하던 일은

송두리째 머리에 들어 있었고, 해결하지 못한 문젯거리는 어깨를 짓눌렀다. 그런데 어느 순간, 걷는 동안 그 모든 것들이 저절로 비워진다는 사실을 알게 되었다.

걷기 시작한 지 20분쯤 지나면 그런 지점이 찾아오곤 했다. 머리를 가득 채우고 있던 의무나 고민이나 절망들이 요술처럼 사라지고 근거 없는 희망과 넓은 마음과 새로운 아이디어가 그 자리를 채웠다. 여러 차례 반복해서 관찰한 결과 그것은 틀림없는 사실이었다. 문젯거리가 큰 것일 때는 30분쯤 걸어야 할 때도 있지만, 어둡고 부정적인 마음이 사라지면서 밝고 긍정적인 마음이 그 자리를 차지하는 현상은 걸을 때마다 어김없이 반복되곤 했다. 그래서 삶의 노하우를 또 하나 터득했으니 이제는 골치 아픈 일이 있을 때면 서둘러 채비를 챙겨 걸으러 나간다. 섣불리 말하건대 우울증 정도는 규칙적인 걷기만으로도 치료될 수 있지 않을까 싶다.

걷는 코스는 다양하다. 나무와 호수가 있는 공원 쪽 길도 있고, 아파트 숲 사이로 곧게 뻗은 도로를 따라가는 길도 있다. 자동차가 지나가는 큰길을 따라 상가와 노점을 구경하는 코스도 있고, 인간의 조형적 손길이 전혀 가미되지 않은 야외의 논밭 사이를 걷는 코스도 있다. 걷는 노선은 날씨와 기분에 따라 정해진다. 바람이 심한 날은 아파트 사잇길이 좋고, 기분이 울적한 날은 상가 거리가 좋고, 햇살이 화사한 날은 야외의 논밭길이 좋다.

걷는 행위에는 양쪽 다리를 규칙적으로 교차시키며 몸의 흔들림을 느끼는 동작만 있는 게 아니다. 걷는 동안 사물들은 새로운 모습으로 눈앞에 나타난다. 차를 타고 달릴 때는 보지 못했던 것들이 시선에 포착된다. 나뭇잎 뒤편에 붙어 천천히 이동하는 무당벌레, 노점 아주머니가 까먹는 도시락 속 김치, 산당화가 애쓰며 꽃봉오리를 여는 순간, 나대지에 야채를 심어 놓고 한 주전자씩 물을 나르는 노인, 공터에 버려진 쓰레기 더미 속에서 발견하는 낯선 이의 사진……. 그것들을 보면서 삶의 실체에 닿는 듯한 느낌을 받는다.

시각만이 아니다. 걷는 동안은 오감이 모두 열려서 활기차게 작동한다. 삭과류들이 어느 순간 제 몸을 여는 소리, 노점상들의 높거나 수다스러운 호객 소리, 바람이 나무들에게 재빨리 속삭이고 지나가는 세상의 비밀, 앞서 걷는 노인들이 재미나게 나누는 이야기-"늙으면 돈 많고 영감 없는 게 최고야."-들을 듣는다. 청각으로 자극된 감각은 자주 촉각으로도 전이된다. 삭과류가 몸을 열 때는 내 몸의 어느 한 귀퉁이에서도 톡, 막혀 있던 혈관이 터지는 듯한 감각이 전해진다. 코끝에 와 닿는 햇살의 간지러움, 종아리를 건드리고 지나가는 바람의 관능, 뱃속까지 들어온 꽃향기가 몸을 관통하고 지나가는 떨림…….

그렇게 걷는 동안 열 번이 훨씬 넘는 계절이 지나갔다. 공원의 나무 그늘이 매년 더 짙어지는 것을 보았고, 공터에 타워 크레인들이 몰려들더니 뚝딱 건물들이 들어서는 광경도 보았다. 작년에는 열매가 열댓 개밖에 없던 대추나무가 올해는 가지가 휘도록 열매 맺는 것을 보기도 했다. 맨발로 걸을 때면 아스팔트, 아스콘, 인조 대리석, 시멘트 블록이 각각 어떻게 다른 감각을 전해 주는지도 알게 되었다.

지난 초겨울에는 노점마다 붕어빵의 맛을 비교하면서 밀가루 반죽을 숙성시킨 시간, 팥소의 맛내기 비법, 굽는 불길의 세기 등을 유추해 보는 즐거움을 맛보았다. 새로 들어선 러브호텔을 지날 때는 주차장에 세워진 자동차의 숫자와 종류를 세어 보면서 고객들의 성향을 짐작해 보는 일도 재미있다.

걷는 행위는 그 자체에 온전한 충만감과 해방감이 담겨 있다. 걷는 동안은 세상으로부터, 일거리로부터, 심지어 나 자신으로부터도 자유로워진다. 오감을 열고 눈앞의 대상을 온전하게 받아들이는 시간이 찾아온다. 그러니까 걷는 행위란 알몸으로 세상을 가득 받아 안는다는 뜻이고, 그렇게 해서 삶의 본질에 닿는 듯한 감각을 오롯이 맛본다는 뜻이기도 할 것이다.

오후 두 시, 태양이 가장 뜨겁게 작열하는 시간, 홀린 듯 나는 또 집을 나선다. 정신없이 몰아치는 시간들의 공격을 피해, 허겁지겁 떠밀려 가는 일상의 욕망을 피해, 채권자처럼 찾아오는 절망과 우울을 피해 천천히 걷는다. 걷는 행위는 아무래도 사랑의 과정과 닮은 것 같다. 처음에는 사랑에 미친 '나'라는 존재가 사라지고, 다음에는 이상화되고 미화된 사랑의 대상이 사라지고, 마지막에는 사랑이라는 추상성이 온몸의 감각만으로 구체화되는 순간, 바로 그 순간과도 같은 성심이 걷는 행위에는 내포되어 있다. 틀림없이 나는 걷는 행위가 주는 절정감에 중독된 것 같다.

다시 읽어 보니 초보자답게 들떠서 걷기의 즐거움에 대해 부풀린 듯한 말투로 이야기한 것 같다. 하지만 그 내용에는 여전히 공감한다. 예전에는 항상 마음의 향방에 유의하고 감정의 진폭을 다스리려 애썼다. 그러나 이제는 몸의 상태에 더 귀를 기울이고 몸의 건강을 조절하려 애쓴다. 몸을 건강하게 관리하는 것이 마음의 평화를 얻는 길이고, 일의 능률을 높이는 방법이고, 인간관계를 원만하게 하는 법이라는 것을 알았다.

몸이 아프던 시기에 문득 글이 써지지 않았던 경험이 있다. 20년 이상 글 쓰는 일을 직업으로 살아왔기 때문에 그 단절의 상태는 당혹스러웠다. 이제는 다른 직업을 가져야 하나 하는 위기감도 느꼈다. 모든 사고 작용이 멎고, 모든 감각이 마비되고, 모든 언어를 잃어버린 듯한 그 정지의 상태는 몸의 건강이 나아지는 것과 비례해서 천천히 회복되었다. 그때서야 알았을 것이다. 좋은 작가의 자세는 늘 짐승의 자세가 되는 것이라 생각했고, 짐승이 오감을 활짝 열고 사냥감을 노리듯 사물을 바라봐야 한다고 믿었으면서도 그것을 제대로 실천하지 못했다는 것을. 아마도 나는 몸의 감각은 마비시켜 놓은 채 짐승의 자세만 취하고 있었을 것이다. 건강이 회복되고 다시 글을 쓸 수 있게 되었을 때, "문체는 곧 육체다."라는 저 유명한 명제를 온몸으로 이해할 것 같았다. 육체는 문체일 뿐만 아니라 정신이고 정체성이기도 하다는 것을.

몸의 감각이 되살아난 이후 약간의 부작용이 있기는 하다. 어떤 음악을 듣기 힘들어졌다는 것과 진한 감정을 오래 품을 수 없다는 것이다. 내장을 쥐어짜듯 호소하는 창법의 발라드 음악을 들으면 무너지듯 몸이 아파 온다. 지인의 어설픈 플루트 연주에서 눈물이 흐르기도 한다. 음악이 온몸을 곧장 뚫고 들어와 몸을 무너뜨릴 것 같아 라이브 공연장에 가기가 두렵다. 감정에 대해서도 마찬가지인데, 사랑이든 그리움이든 분노든 과도한 감정에 휩싸이면 금세 몸이 아파 온다. 탈진감 같은 것이 전신을 뒤덮을 때면 몸과 마음이 어떻게 하나인지를 느끼곤 한다.

옛 선사들은 몸에 병이 들어오면 마음을 활짝 열어 병을 내보냈다고 한다. 그 말을 들었을 때 절로 입이 벌어지면서 그렇게 자의적으로 몸과 마음을 조절할 수 있는 경지는 어디쯤일지 짐작조차 되지 않았다. 평범한 인간으로서 내가 할 수 있는 일은 마음에 병이 들어올 때 몸을 보살피는 것이다. 우울증이 찾아오면 햇빛 속을 오래 걷고, 슬픔이 밀려오면 한증막에 가서 땀을 빼고, 무력감이 찾아오면 야산을 뛰어오른다. 내게 한 가지 이분법이 있다면 세상 사람들을 이렇게 나눌 것이다. 운동하는 사람과 운동하지 않는 사람.

생의 에너지이자 예술의 지향점

에로스

시인, 소설가, 화가, 가수이신 이제하 선생님 아틀리에에는 선생님의 회화 작품들이 벽에 걸려 있거나 바닥에 세워져 있다. 그 그림들에는 대체로 말이 그려져 있다. 말은 화면 한가운데 우뚝 서 있거나, 앞쪽에 길게 누워 있거나, 먼 곳을 보고 엎드려 있기도 한다. 말 옆에는 항상 여성이 등장한다. 여성은 말에 등을 기대고 앉아 있거나, 말과 거리를 둔 채 홀로 엎드려 있거나, 말과 무관한 다른 곳을 보고 서 있거나 한다. 어떤 자세를 취하든 말과 여자는 막막하게 단절되어 있는 분위기를 발산한다.

선생님의 아틀리에에 들러 캔버스 속의 말에 시선이 닿을 때마다 묘하게 불편한 감정을 느끼곤 했다. 딱 꼬집어 말할 수 없는 저항감, 무력감, 쓸쓸함, 거부감 같은 감정들이 내면에서 뒤섞여 피어오르곤 했다. 그림 하나로 사람을 이렇게 불편하게 하다니, 선생님은 역시 훌륭한 예술가시군 싶기도 했다. 선생님의 그림이 가지고 있는 몽환적인 분위기, 해체 직전의 사물들이 간신히 존재하는 듯한 안간힘, 그것을 표현하는 색감과 구도의 의외성을 좋아하면서도 그 그림을 내 벽에 걸어 두고 싶지는 않았다. 시선이 닿을 때마다 불편한 감정을 일깨우는 말 때문이었다. 그런데 어느 날, 한 친구가 그림들을 둘러보면서 이렇게 얘기를 꺼냈다.

"선생님, 시간이 갈수록 그림 속의 말들이 점점 힘이 없어지는 것 같아요. 허리가 구부정해지고 바닥에 주저앉으려 하고. 저 말이 처음에는 힘 있게 서 있었는데……."

그 친구의 관찰력에 감탄하면서 나도 질문을 보탰을 것이다. 늘 저 말이 불편했다고, 왜 그림마다 말을 배치하시느냐고. 선생님은 예의 그 니힐리스틱하고 시니컬한 웃음을 지으시며 짧게 대답했다.

"그게 남성으로서의 힘의 상징이지."

그때 내가 속으로 놀랐다면 아마도 무의식의 정확함 때문이었을 것이다. 공포의 대상으로 여기고 있는 남성의 물리적 힘을 그림 속 말에서조차 정확히 느끼고 있었던 셈이다.

정신분석을 받을 때 면담자는 내게 '야하고 뻔뻔하게' 만들어 주겠다고 했다. 그 말이 성적, 도덕적 억압의 뒷면이며 동시에 내 생의 모든 열쇠가 들어 있는 지점이라는 사실도 직감적으로 알아차렸다. 야하고 뻔뻔해져야 한다는 명제를 삶의 당위적 목표로 받아들이기도 했다.

그런 심리적 배경이 있었기 때문일 것이다. 박물관이나 미술관의 예술 작품들을 볼 때마다 그것이 어떻게 에로스와 관계 맺고 있는지, 어떤 방식으로 인간의 감정이나 생존 욕망을 표출하는지 유심히 보곤 했다. 이탈리아 전역에서 만난 고대 예술품이나 르네상스 미술들에는 고통, 절망, 신성 속에도 에로스가 녹아 있는 듯했다. 아기 예수를 안고 있는 모든 마리아가 그토록 에로틱한 표정을 짓고 있었고, 미켈란젤로의 노예상도 고통과 비장함 속에 에로티시즘을 담고 있었다. '피에타'가 아름다운 이유도 그 속에 숭고함, 페이소스, 에로스가 적당히 버무려 있기 때문인 듯했다. 모든 르네상스 미술들에서 인상적으로 눈에 띄는 것은 에로스적 요소를 억압이나 자의식 없이 자연스럽게 표출하는 방식이었다.

그중에서도 에로스의 심리에 대해 가장 극명하게 이해하도록 해 준 작품은 일련의 '유디트'였다. 유디트를 처음 만난 것은 바티칸의 베드로 성당 박물관에서였다. 박물관의 미로 같은 전시 공간을 이리저리 따라가다가 우연에 기대지 않는다면 결코 다시 찾아갈 수 없을 것 같은 어느 전시실에서 '유디트'라는 제목이 붙은 그림을 보았다. 그 그림과 시선이 마주치는 순간 온몸이 얼어붙는 느낌이었다. 그림에서 전해지는 강한 힘이 내 몸에 닿아 나의 내면에 숨은 어떤 힘을 끌어내는 것 같았다. 5분, 어쩌면 10분쯤 몸이 굳은 상태로 그림 앞에 서 있었을 것이다.

한 여성이 목의 단면에서 피가 뚝뚝 흐르는 남자의 머리통을, 머리카락을 움켜쥔 채로 공중 높이 쳐들고 있는 그림이었다. 그녀의 다른 손에는 피 묻은 칼이 늘어뜨려져 있었다. 칼과 머리통을 양손에 나누어 들고 있는 여자는 너무나 젊고, 아름답고, 그러면서도 거칠 것 없는 결연한 표정을 짓고 있었다. 잘린 머리에도 얼굴 표정이 생생하게 담겨 있었는데, 그것은 어쩐지 덤덤하고 초연해 보였다. 그 장면의 잔혹스러움과는 달리 그림 속의 여성은 거의 영웅처럼 묘사되어 있었다.

부끄럽지만 그때까지 카라바조를 몰랐던 것처럼 유디트에 대해서도 그랬다. 그날 저녁 숙소로 돌아와 바티칸 대학교에서 종교음악을 공부하는 여학생에게 유디트가 누구인지 물어보았다. 그녀는 유디트를 한마디로 표현했다. '이스라엘판 논개'라고.

유디트 이야기는 아시리아의 왕이 팔레스타인 땅을 정복하기 위해 홀로페르네스 장군을 파견하는 데서 시작된다고 한다. 수많은 군사를 거느리고 유다의 베툴리아를 포위한 홀로페르네스는 물길을 차단한 채 유대인들이 항복해 오기를 기다리고 있었다. 이때 미보의 유대인 과부 유디트가 도주한 것처럼 가장하고 홀로페르네스에게 가서 그가 승리할 것이라고 예언한다. 기분이 좋아진 홀로페르네스는 유디트를 자신의 막사로 초청한다. 유디트는 홀로페르네스가 술 취해 잠들었을 때 그의 목을 베어 자루에 넣어 가지고 돌아왔고 유대인 군사들은 간단하게 승리했다. 이 이야기는 역사적인 오류가 많기 때문에 사실성이 의심된다는 학자들의 지적에도 불구하고 그리스어, 시리아어, 히브리어, 라틴어 등의 판본으로 각각 보존되어 왔다고 한다.

유디트 이야기는 그저 범상한 성서 이야기의 일종으로 이해된 후 관심의 뒤편으로 넘어갔다. 아니, 그런 줄 알았다. 그런데 그 후 어디를 가든 잊을 만하면 한 번씩 유디트와 맞닥뜨리곤 했다. 나폴리 국립미술관에서도, 피렌체의 우피치 박물관에서도, 독일과 네덜란드에서도 유디트를 만났다. 니스의 한 미술관에서는 '페미니즘 기획전'을 하고 있었는데 그곳에는 프랑스의 유디트가 한자리에 모여 있었다.

맨 처음 맞닥뜨려서 가장 충격이 컸던 바티칸의 '유디트'(메모를 하지 않아 화가 등 작품에 대한 정보가 없다)는 영웅 전사의 모습으로 그려져 있었다. 아주 작은 머뭇거림이나 두려움도 없이, 대의와 명분을 위해 적장의 목을 벤 용감한 여성 전사가 있을 뿐이었다.

로마의 디 아르테 안티카 국립미술관에서 본 카라바조의 '유디트'는 미망인도 전사도 아닌, 겁에 질린 소녀의 모습으로 그려져 있었다. 상체는 무서운 사물을 피하듯 뒤로 젖혀져 있고, 무엇보다도 얼굴 가득 두려움과 머뭇거림이 담겨 있었다. 그렇게 연약하고 확신 없고 공포에 찬 모습으로 적장의 목에 칼을 꽂고 있다.

피렌체의 우피치 박물관에서 본 아르테미시아 젠틸레스키의

'유디트'는 표정이 조금 더 복잡했다. 미간에 세로 주름을 세운 채 찡그린 표정에는 분노와 신경질적인 예민함뿐 아니라 묘한 체념과 초연함의 분위기가 함께 묻어난다. 역시 피렌체에서 본 보티첼리의 '유디트'는 홀로페르네스의 머리통을 인 하녀와 함께 귀환 중이다. 그녀는 쓸쓸하거나 차분한 표정이고 조금 슬퍼 보이기도 한다.

니스의 페미니즘 기획전에서 본 '유디트'는 더욱 다채로웠다. 거기서 사 가지고 온 도록을 펼쳐 놓고 다시 보니 차갑고 무표정한 유디트, 괴기스럽고 음울한 유디트, 연약하고 쓸쓸해 보이는 유디트, 처연하거나 연민에 찬 눈빛을 지닌 유디트, 인형처럼 예쁘기만 한 유디트, 도발적인 유혹의 시선을 던지는 유디트 등이 있다. 재미 삼아 유추해 보면 그 모든 유디트는 화가의 내면이거나 그들의 이성 취향이 아닐까 싶기도 하다.

다채롭게 변주되던 유디트 그림이 도착하는 최종 지점에 클림트가 있는 게 아닌가 싶다. 1901년에 그린 클림트의 '유디트'는 황금빛 배경 위에 발그레한 볼과 유두와 배꼽을 드러낸 채 반쯤 눈을 감고 있다. 눈조차 짝짝이로 감고 있어 얼핏 사랑의 절정감에 도달해 있는 여성의 표정 같아 보인다. 적의 머리는 그림 오른쪽 아래에 아주 작게, 얼굴의 왼쪽 삼 분의 일 정도만 그려져 있다.

클림트가 1909년에 그린 '유디트 2'는 거기서 한 발 더 나아간다. 사랑의 절정감을 막 지나와서 이제는 알맞게 나른하고 적당히 허탈하며, 얼마간 음울한 감정 상태에 도달한 듯 보인다. 적장의 얼굴은 오른쪽 아래 조그맣게 놓여 있는데 그의 표정 역시 유디트와 비슷하다. 에로스와 타나토스가 서로 등을 맞대고 있는 듯한 표정.

유디트가 여러 화가들에 의해 변주되어 온 내밀한 이유를 클림트에게서 보았을 것이다. 그녀가 에로스와 타나토스를 한몸에 구현하고 있는 여성이라는 것. 홀로페르네스의 입장에서 적진의 젊은 과부는 얼마나 위험한 욕망의 대상이었을까. 아마 유디트를 자신의 처소로 데려가는 바로 그 순간부터 그는 위험한 열정으로 전율했을 것이고, 그 전율 속에는 이미 죽음에의 예감이 깃들어 있었을 것이다.

일련의 유디트를 보면서 에로스가 어떻게 생존 욕망이며, 예술의 핵심이며, 타나토스인지를 짐작할 수 있을 것 같았다. 에로스란 그 모든 유디트 표상들이 내면에서 활성화되어 웅성거리고 부딪치고 소통하는 상태가 아닐까 싶었다. 그것이 또한 생의 에너지이며 창조성의 근원일 것이다. 비로소 내가 이십 대 내내 시달려왔던 자살 충동의 뒤편에 있었던 진정한 욕망이 무엇이었는지도 알 것 같았다.

여행에서 돌아온 후 두 편의 장편소설을 썼다. 그 작품들에는 에로스에 대해 변화한 의식이 반영되어 있다. 특히《성에》는 여성이 주체적으로, 여성의 언어로, 여성의 성에 대해 말할 때 어떤 방법이 있을지에 대해 많이 생각한 작품이다. 한 매체에서 '내 소설의 인상적인 사랑 이야기'라는 주제로 에세이를 청탁받았을 때 그런 생각을 다음과 같이 얘기한 적이 있다.

소설을 쓰면서 오래도록 남몰래 느껴 온 콤플렉스가 있는데, 그것은 사랑 이야기를 쓰는 데 서투르다는 사실이었다. 몇 해 전까지 나는 본격적으로 사랑 이야기를 쓴 일이 없으며, 다른 이야기에 양념 정도로 사랑 이야기를 곁들일 때조차 그 사실 앞에서 이해할 수 없는 어려움을 느끼곤 했다. 내 소설에는 로맨스도 에로스도 없었다. 등장인물들을 서로 사랑하게 하고, 그들이 지극한 사랑 행위를 하도록 은밀한 장소로 옮겨 놓고, 몇 줄 사랑 장면을 그려 놓으면 나중에 친구에게서 이런 지적을 받았다.

"커튼의 꽃무늬를 묘사하고 있다니……. 몸이 달아 호텔에 들어간 사람 눈에 그게 보일 거라고 생각해?"

또 다른 친구는 이렇게 말했다.

"모텔에 들어간 불륜 커플은 심리적으로 절대로 베란다 같은 곳에 나가서 강물을 바라보지 않아."

사랑 이야기를 쓰는 데 서투르다는 것은 경험의 유무나 그 행위를 이해하는 감수성이나 그런 장면을 그려 내는 표현력의 문제가 아니었다. 그 모든 것에 선행되는 의식과 정체성의 문제라는 것을 스스로 짐작하고 있었다. 성과 사랑만큼 영원하고 보편적인 주제, 인간의 본질을 단칼에 내리치는 핵심 기제, 만인이 널리 공감하는 고전적 서사가 없는데 그 지점에서 장애를 겪다니……. 그런 자책보다 더 마음에 걸리는 것은 잘 알지도 못하는 영역에 대해, 어영부영한 태도로, 헛된 환상이나 복제해 내고 있는 건 아닌가 하는 우려였다.

그런 속수무책이고 어리바리한 태도를 깨는 전기는 정신분석을 통해서 왔다. 삼십 대를 끝내는 지점에서 호되게 몸이 아팠는데, 병원에 가면 병명이 나타나지 않았고, 신체적인 무력감은 정신적 공황 상태 비슷한 것으로 이어졌다. 여러 분야의 전문가와 상담한 결과는 몸의 병은 마음의 억압에서 비롯된 것이라 했다. 전문 용어로 말하면 '리비도의 억압에 의한 히스테리 발작' 쯤 될 것이다. 그 일을 계기로 길고 지난한 정신분석 과정을 거쳤는데, 그 작업은 내가 삶을 어떤 밀실에 가두고 있었는지를 알게 했고, 의식을 폐쇄된 공간으로부터 해방시켜 주었다. 내가 왜 사랑 앞에서 속수무책이 되는지, 성애 장면을 묘사할 때 내면에서 느껴지는 자기 검열의 실체가 무엇인지도 알게 되었다. 거기에는 내가 가지고 있는 개인적 문제뿐 아니라 동시대를 살아가는 동료 여성들이 안고 있는 사회적 문제도 있었고, 생물학적 인간이기 때문에 본질적으로 안고 나올 수밖에 없는 진화심리학적 문제도 있었다.

《사랑을 선택하는 특별한 기준》과 《성애》는 그런 변화 위에서 쓰인 작품이다. 두 작품을 쓸 때 내가 가졌던 욕심 중에는 '사랑'이라는 것을 낱낱이, 끝까지 파헤쳐 보고 싶다는 욕망이 있었다. 우리가 사랑이라는 말에 덧씌워 놓은 여러 겹의 정서적, 심리적, 사회적, 생물학적 외피들을 벗겨 보고 싶었고, 그 외피들을 모조리 벗겨 낸 가장 안쪽의 핵심에 도달하고 싶었다.

《사랑을 선택하는 특별한 기준》에서는 인혜와 세진이라는 두 여성을 등장시켜 동시대 여성들이 사랑과 성에 대해 느끼는 불능의 느낌, 그 여성들과 함께 살아가는 남성들이 겪는 어려움에 대해 이야기하고자 했다. 《성에》에서는 사랑이라고 말할 때 우리가 그 속에 담아 표현하는 모든 감정과 행위를 극단까지 파헤쳐, 그것을 언어로 표현할 수 있는 극단까지 묘사해 보고 싶었다. 그것을 쓰는 데 대한 심리적인 저항이나 자기 검열은 크지 않았지만 표현의 수위, 언어 선택의 강도 측면에서는 미미한 자의식이 발동했던 게 사실이다. 상징과 은유를 동원해 모호한 방식으로 처리하면 쓰는 사람도 편하고 읽는 이들도 몽롱한 아름다움을 느낄 수 있을 테지만, 그렇게 하는 것은 또 하나의 헛된 사랑 이미지를 만들어 내는 게 아닌가 싶었다. 오래도록 묘사 방법과 그 수위에 대해 고민하던 중 해법은 의외의 곳에서 왔다. 우리 동네 한증막에서였다.

남성들은 예비군복을 입혀 놓으면 그전까지와는 완전히 다른 인격으로 변한다고 들었다. 자연스럽게 욕설과 침을 뱉고, 껄렁하고 거친 태도로 음담패설에 열을 올린다고 들었다. 알몸에 한증막 가운을 걸친 여성들도 예비군복을 입은 남성과 비슷한 심리 상태에 도달한다고 보면 틀림없을 것이다. 한증막 휴게실에 앉아 중년 여성들이 나누는 이야기를 듣고 있으면 거기에는 교양과 허위와 인격의 외피가 없었다. 가장 자연스럽고 본질적인 여성 그 자체가 되어 솔직하고 적나라한 여성의 언어를 동원해 이야기한다. 아니, 적나라하다는 표현만으로는 부족한, 보다 직관적이고, 금기에 도전하며, 기존 질서를 파괴하는 통렬함 같은 것이 보인다.

그들의 이야기를 옆에서 듣고 있다가 내심 무릎을 쳤을 것이다. 여성이 자신들의 고유한 언어로, 자신들의 욕망에 대해 말하는 법이 있다면 바로 저것이겠구나 싶었다. 수백 년 몸에 밴 가부장적 남성 문화의 검열을 걷어 내고 한 인간으로서의 고유한 여성이 되어 자신의 성, 자신의 욕망에 대해 말하는 가장 적절한 방식이 저것이겠구나 싶었다.

《성에》에서 나는 의도하는 것을 더 잘 표현하기 위해 두 남녀를 폭설로 단절된 산속에 고립시켰다. 그 폐쇄된 공간에서 두 남녀가 사랑의 이름으로 행할 수 있는 행위를 상상할 수 있는 극단까지 그려 보았다. 사랑이라는 감정이 지극한 나르시시즘에서 시작되어, 히스테리와 분열 상태를 거쳐, 어떻게 죽음에의 욕망에까지 다다르는가를 표현하고자 했다.

처음에는 공포와 긴장 속에서 패닉 상태의 히스테리를 벗어나는 방식으로 성을 받아들이는 장면을 그렸고, 다음에는 감정의 분열을 느끼면서 그 분열된 감정들이 저마다 다른 신체 언어로 표현되는 모습을 그렸다. 사랑이란 집착, 질투, 갈망, 망상, 연민, 분노 등의 감정이 얽히고설킨 거대하고 복잡한 감정의 결집이며, 성행위는 바로 그 감정들이 저마다 다른 행동으로 표출되는 방식임을 묘사하고자 했다.

그 다음에는 성이 가진 중독의 속성에 대해 말했다. 두 사람이 성에 중독되어 어떻게 더 자발적으로 그 공간에 머무르며 성에 탐닉하는지를 그렸고, 마지막으로는 에로스를 극단까지 밀어붙일 때 그것이 어떻게 타나토스로까지 이어지는지를 표현해 보았다. 그 산속에서의 마지막 밤에 두 남녀는 상대방의 손에 죽고 싶다는 지극한 파괴적 욕망을 서로에게 투사하면서 살해 행위에 가까운 성행위를 한다. 사실, 그 모든 이야기의 끝에서 내가 말하고자 한 것은 사랑이라는 개념이 인류학적으로, 생물학적으로, 심리학적으로 결국 환상일 뿐이라는 것이었다.

그 모든 사랑 장면을 쓸 때 나는 늘 한증막 가운을 입은 여성의 태도로 임했다. 내숭 없고 솔직한 언어, 에둘러 가지 않아 더 세밀하게 실체를 보여 줄 수 있는 표현, 겉멋 부리지 않아 더 빨리 본질에 닿을 수 있는 문체를 구사하고자 했다. 간혹 느껴지는 자기 검열의 기제를 무시하였고, 은유나 상징으로 비켜 가는 화법을 채택하고 싶은 유혹도 뿌리쳤다. '성'이라는 단어에 내포되어 있는 행위의 끝까지 가 보고 싶었고, 여성 작가가 성에 대해 말할 수 있는 자기 검열의 한계선을 넘고 싶었다.

소설이 출간되었을 때는 책을 읽은 이들의 반응이 재미있었다. 예비군 훈련장 남성들의 언어에 대해 남성들은 통쾌하게 공감하지만 여성들은 고개 돌려 외면하는 것처럼, 한증막 여성들의 언어에 대해서도 그런 것 같았다. 여성 독자들은 재미있게 읽고 공감하는 반응이 많은데 몇몇 남성 독자들은 어딘가 불편해하는 듯한 반응을 보였다. 한 후배가 전한 독후감도 그런 맥락이 아닐까 싶다.

"사랑의 실체를 그토록 적나라하게 파헤치다니, 나는 누나가 앞으로 사랑을 하지 못할 거라는 생각이 들었어."

후배에게는 말없이 웃기만 했지만 나는 후배와는 반대되는 생각을 품고 있었다. 《성에》를 끝낸 후 앞으로는 사랑을 잘할 것 같다는 용기를 얻었다. 나르시시즘 없이, 환상 없이, 헛된 기대나 욕망 없이. 그런데 이렇게 쓰고 나니 가슴 한켠으로 바람이 지나가는 듯 서늘하다. 역시 사랑의 핵심은 그 환상이나 헛된 기대에 있는 걸까.

유아적 환상 없이 세상 읽기

뻔 뻔 하 게

암스테르담 여행 안내소에서 소매치기를 두려워하며 서너 시간쯤 기다려 소개받은 숙소는 백패커였다. 암스테르담 시내의 모든 호텔이 풀 부킹 상태여서 남은 숙소가 그것밖에 없다고 했다. 역에서 전차로 서너 정거장 거리에 있는 백패커는 운하를 끼고 있는 3층짜리 건물이었다. 1층은 사무실과 식당이 있고 2층은 여성 전용, 3층은 남성 전용이었다. 돈을 지불하고 담요를 한 장 받아 2층으로 올라가니 계단 바로 앞에 공동 화장실과 샤워실이 있고 그 양편으로 방들이 있었다. 내게 배당된 방은 2층짜리 침대가 여덟 개나 놓인 16인실이었다.

그날 밤에 절감한 것이 있다면 여행은 좀 더 젊고 건강할 때 해야 한다는 사실이었다. 용수철이 아무렇게나 튀어나와 있는 침대 때문에 허리와 등이 아팠고, 담요를 한 장 더 얻어다 덮었지만 밤새도록 추웠다. 어수선하게 뒤척이다가 새벽녘에야 겨우 잠들었는데 늦잠에서 일어나니 몸이 무거우면서 감기 기운이 있었다. 그대로 하룻밤만 더 보내면 건강에 아주 나쁜 일이 일어날 것 같았다. 아무래도 좀 더 편안한 숙소부터 찾아야겠다 싶어 다시 여행 안내소에 가 보기로 했다. 아무리 호텔이 풀 부킹 상태라 해도 빈 방 하나 없을 리 없었고, 정말 없다면 12시까지 기다려 체크아웃하는 방이라도 잡아야겠다고 생각했다.

그런데 중앙역으로 들어가기도 전에 역 앞 도로에 무수히 줄지어 있는 관광 안내소들이 보였다. 대부분의 도시에서 관광 안내소는 국가에서 운영하는 공공 기관이고, 그곳에서 보는 업무란 관광객에게 베푸는 일종의 서비스 개념이었다. 암스테르담 역 구내에 있는 두 군데 안내소도 그런 성격인 듯했다. 그러나 중앙역 앞에 길게 늘어서 있는 관광 안내소들은 사설 영업점인 것 같았다. 관광 안내소라는 간판을 달고 호텔 소개뿐 아니라 관광 상품과 기념품 판매까지 관광객에게 팔 수 있는 모든 것을 다 팔고 있었다.

우선은 여행 안내소가 많은 점이 다행스러웠고, 그 모든 곳을 다 돌아다니더라도 빈 방을 찾아내야겠다는 비장한 결심까지 하고 있었다. 그런데 가장 처음 들어간 안내소에서 당연하다는 듯

방이 있다고 했다. 무언가 허탈한 느낌이 들어 빈 방이 많이 있느냐고 다시 물었더니 그는 당연히 방이야 많다고 말했다. 뒤통수를 맞는 느낌이었다. 소개 절차를 다 밟은 뒤 그는 이렇게 말했다.

"일주일치 숙박비가 얼마인데, 그중 10퍼센트의 커미션은 여기다 내고 나머지 금액은 호텔에 가서 지불해라."

갑자기 아주 많은 것들이 이해되는 기분이었다. 전날 저녁에는 몇 시간을 기다려도 없던 방이 다음 날 아침 열 시에는 많은 이유, 호텔과 안내소들 사이에 이루어지고 있을 모종의 커넥션, 호텔들이 역 구내의 공공 안내소보다 역 바깥의 사설 안내소에 더 많은 방을 배정해 주는 이유……. 무엇보다 '더치페이'라는 말이 가지고 있는 정신에 닿을 것 같았다.

호텔과 사설 안내소 사이에 어떤 커넥션이 이루어져 있다고 해도 그들 사이에 오가는 커미션은 나중에 따로 계산하는 게 보편적인 상식이었다. 그동안 이용한 다른 나라의 어떤 여행 안내소에서도 커미션을 따로 내놓고 가라는 경우는 없었다. 그러나 네덜란드의 더치페이 정신은 어차피 받을 거, 이렇게 미리 받으면 더 확실하고 간편하지 않느냐고 생각하는 것 같았다.

명분보다는 실리, 체면보다는 손안의 이익을 더 중시하는 더치페이 정신은 그 후 암스테르담 곳곳에서 만나곤 했다. 소개받은

숙소에 짐을 부려 놓고 현지에서 산 지도와 가이드북을 살펴볼 때부터 그랬다. 그곳에서 산 지도에는 한국에서 준비해 간 지도에는 없는 낯선 표시가 있었다. 손톱만 하게 둥근 면적을 그리고 그 안에 빗금 표시를 해 두었는데 그 옆에는 이렇게 적혀 있었다. 'Redlight District'.

무슨 말이지? 하고 의아해하다가 잠시 후에야 그것이 우리가 사용하는 것과 똑같은 말의 '홍등가'라는 것을 알아차렸다. '붉은 등불의 거리'도 세계 공통어인 모양이었다.

빗금 표시가 된 구역은 세 군데였다. 관광 상품을 소개하는 전단에는 그곳을 둘러보는 '워킹 투어' 상품도 소개되어 있었다. 믿기지 않는 마음으로 그곳을 찾아갔을 때 운하를 끼고 형성되어 있는 그곳은 정말 홍등가였다. 여성들은 거리 쪽으로 유리를 낸 상점 안에 작게 칸이 나뉜 공간마다 한 명씩 앉아 있었는데 흡사 유리 상자 안에 든 인형들을 보는 것 같았다. 유리 상자 안의 여성들은 그야말로 국제적이어서 그들의 피부색은 흰색에서 황토색, 커피색, 자주색, 잿빛까지 다양했다. 여성들이 진열된 집 사이에는 섹스용품을 파는 상점이나 '라이브 바'라는 간판을 단 상점이 섞여 있었다. 그 골목을 투어 가이드를 따라 두세 명씩 무리지어 다니는 관광객이 보였다.

네덜란드가 마약을 불법으로 규정하지 않을 뿐 아니라 동성 결혼과 공창 제도를 인정하는 나라라는 것은 알고 있었다. 그럼에도 그토록 환한 대낮에, 아무런 수치심이나 비밀스러움 없이, 껌이나 담배를 팔듯 성을 팔고 있을 줄은 몰랐다. 중앙역 앞에 늘어선 여행 안내소와 선물용품점 사이에는 여성 종업원이 토플리스 차림으로 서빙하는 찻집도 있었고 '섹스 박물관' 도 있었다.

섹스 박물관은 음란하거나 퇴폐적이지도, 자료적 가치가 있지도 않았다. 동서양의 춘화나 노출증 환자 인형 같은 것을 전시해 두었는데 '참 별것도 아닌 것을 늘어놓고 돈을 버는군…….' 이라는 생각이 들게 상업적 욕망이 더 많이 읽혔다. 중앙역 앞의 그 거리에는 모든 종류의 리비도적 상품, 이미지, 분위기들이 흘러넘쳤지만 이상하게도 그것들은 섹시하지도, 수치스럽지도, 대단한 가치를 주장하지도 않았다. 그저 어딘지 뻔뻔하다는 느낌뿐이었다.

'뻔뻔하게' 란 정신분석을 받을 때 면담자가 했던 '야하고 뻔뻔하게' 라는 말 중 하나다. 처음 그 말을 들었을 때는 그것을 도덕적 억압의 뒷면쯤으로 이해했다. 그런데 암스테르담 거리를 이리저리 걸으면서 만나는 그 모든 리비도적 기호와 상징들 틈에서 다시 '뻔뻔하게' 라는 단어를 떠올렸다. 명분보다는 실리, 도덕적 당위보다는 손안의 이익을 가장 우선으로 여기는 그 생존 방식이 바로 '뻔뻔하게' 가 아닐까 싶었다.

암스테르담의 '뻔뻔하게' 체험은 그 도시를 떠나는 순간까지 계속되었다. 나는 유레일패스 1등석을 끊어 갔는데 그 이유는 돈이 많아서가 아니라 나이가 많아서였다. 배낭여행하는 학생들이 이용하는 2등석 티켓은 27세 미만까지만 사용할 수 있었다. 이왕 1등석 패스를 가진 김에 추가 요금을 조금만 더 내면 이용할 수 있는 유럽 각국의 초고속 열차도 골고루 타 보는 중이었다.

암스테르담에서 파리로 이동하기 위해 티켓을 예약하러 갔을 때의 일이다. 창구 여직원은 초고속 열차에는 좌석이 없다고 하면서 여행 성수기인데다가 암스테르담에서 국제회의가 열려 호텔도 비행기도 풀 부킹이라고 설명했다. 대신 특급열차에는 자리가 있으니 그것을 이용하라고 권했다. 이번에는 그녀가 하는 말의 뒷면을 더 쉽게 알아들었다. 유레일패스 이용자는 많이 할인된 가격으로 열차를 이용하는데다가 초고속 열차를 탈 때도 아주 약간의 추가 비용만 내기 때문에 그 돈을 받고 비싼 초고속 열차 티켓을 내주기가 아깝다는 것을. 나는 기차 노선과 시간표를 검토한 다음 그녀가 받아들일 만한 절충안을 냈다.

"암스테르담에서 국경 도시까지는 특급열차로 가겠다. 거기서 파리까지는 초고속 열차를 예약할 수 있는가?"

창구 여직원은 자신의 속맘을 알아차린 나의 의도까지 알았다는 듯 환하게 웃으며 가능하다고 했다. 낯선 역에 내려 무거운 여행 가방을 들고 플랫폼을 오르내리고, 소시지빵을 먹으며 한 시간 이상 기다릴 때는 공연한 고집을 부렸나 싶었다. 하지만 막상 기차에 올랐을 때에는 그렇게 하길 잘했다 싶었다. 파리행 초고속 열차에서 받은 풀코스 정식 서비스가 아주 마음에 들었다.

물론 그렇다고 해서 암스테르담이 부도덕하고 삭막하고 성적으로만 흥청망청한 도시라는 뜻은 아니다. 암스테르담에 도착해 처음 환전했을 때는 네덜란드 지폐들이 얼마나 화려한지 마치 꽃을 한 아름 받아안는 느낌이었다. 고흐 미술관과 렘브란트 미술관, 국립현대미술관과 박물관까지, 예술적으로도 풍성하고 감동적인 것이 많았다. 거리의 예술가들도 다른 어느 도시보다 다양하고 수준이 높았다. 버스를 타고 중앙역 앞을 벗어나 주택가로 들어가니 그곳에는 정갈하고 조용한 마을이 있었다. 인간 정신의 비밀에 대해 생각해 보면, 아마도 중앙역 앞의 그 일탈의 공간이 있기 때문에 더 감성이 풍부한 예술, 평온한 일상, 레이시즘이 전혀 느껴지지 않는 관대함이 존재할 수 있는 게 아닌가 싶기도 했다.

그러니까 '뻔뻔하게'란 냉철한 현실 인식 위에 서 있는 엄혹한 생존 방식을 말하는 게 틀림없었다. 우리의 겉치레 의식 아래쪽에 있는 것, 허위의식 뒷면에 있는 것을 전면으로 꺼내 놓는 행위를 가리키는 말일 것이다. 생에 대한 환상을 벗고, 인간에 대한 미화된 이미지도 깨고, 에로스가 지닌 생존 욕망을 현실의 삶 위에서 구현하는 방식을 이르는 말일 것이다. 마음 깊은 곳으로부터 뻔뻔한 사람은 강한 정신력, 흔들리지 않는 주체성, 유연한 포용력을 가진 사람일 것 같았다.

그런 생각은 암스테르담의 '유대 박물관'에 갔을 때 더 확고해졌다. 지도에서 유대 박물관을 발견했을 때 왜 이곳에 이런 게 있을까 생각하며 그곳을 찾아갔다. 샤갈이나 로맹 가리처럼 내가 더 깊이 공감하는 예술가들은 대체로 유대인이었고, 그들 민족의 특별함의 근원이 늘 궁금했다. 그 박물관에서는 우선 어렸을 때 《안네의 일기》를 읽으면서 품었던 오래된 의문 한 가지를 해결했다.

어린 마음에 그 삼엄한 나치 치하에서 어떻게 안네의 집에 그토록 오랜 기간 음식물이 공급될 수 있었는가 하는 점이 궁금했다.

유대 박물관에는 네덜란드 유대인의 역사가 잘 정리되어 있었다. 그들은 18세기 말 러시아 정부의 박해를 피해 그곳으로 이주했다는데 19세기에는 암스테르담 경제의 90퍼센트를 장악하고 있었다. 비로소 무언가가 분명해지는 것 같았다. 암스테르담의 그 '뻔뻔하게'는 곧 더치페이 정신과 닿아 있으며, 더치페이 정신은 또한 전 세계 정치, 경제, 문화의 배후를 장악하고 있는 유대인들의 정신력의 핵심이었다. '뻔뻔하게'라는 말의 비밀과 위력을 다시 한 번 절감했을 것이다.

암스테르담에서 만났던 그 '뻔뻔하게'를 또다시 맞닥뜨린 곳은 베이징이었다. 무식하고 부끄러운 얘기지만 나는 오래도록 우리 사회를 지배하는 유교 문화가 중국에서 비롯된 줄 알았다. 그러나 막상 중국에 첫발을 디뎠을 때 어리둥절하거나 충격적인 기분을 넘어 절망스러웠다. 중국은 내가 경험한 어떤 나라보다 즉물적이고, 실리적이고, 자유분방했다. 즉 야하고 뻔뻔했다. 우리의 유교 문화란 이미 오래전에 폐기처분된 대국의 방식 한 가지를 아직도 절체절명의 가치로 보존하고 있는 변방국의 노이로제가 아닌가 싶었다.

최근 몇 년간 베이징을 세 차례 오가면서 직접 체험한 중국은 내가 아는 한 세계에서 가장 허례나 체면과 무관한, 심지어 양식이나 도덕과도 무관한, 오직 실리와 실용만을 중시하는 나라였다. 검은 고양이든 흰 고양이든 쥐만 잘 잡으면 된다는 흑묘백묘론, 중국인의 핏줄에는 돈이 흐른다는 말, 전 세계 짝퉁의 80퍼센트가 중국, 대만, 홍콩에서 만들어진다는 말, 세계에서 가장 자본주의에 적합한 마인드를 가진 민족이 중국인이라는 얘기 등. 세상을 떠도는 그 모든 속설들이 얼마나 진실인지를 온몸으로 체험하면서 이해하곤 했다.

중국에서 8년 동안 산 동생은 중국인들에 대한 불신감이 뼛속까지 차 있었다. "중국인들은 절대로 믿을 수 없다. 그들은 실리 앞에서는 서류상의 약속조차 아무 의미가 없다."는 극단적인 생각을 갖고 있었다. 뭣도 모르고 중국에 진출하는 소자본 한국 상인들이 어떻게 속고 막무가내로 가게를 빼앗기는지를 무수히 보았다고 했다. 처음에는 동생의 태도가 좀 이상했는데 중국에서 한 발 디딜 때마다 그 모든 얘기가 사실임을 확인하곤 했다. 다기 세트를 사려고 흥정하다가 아무래도 좀 비싼 듯해 그냥 돌아섰더니 등 뒤에 대고 물건 값의 십 분의 일을 부르면서 가져가라고 했다. 구두 밑창을 갈아 주던 수선공은 처음부터 그 일이 아주 힘든 듯한 표정을 연기하더니 적정 가격의 다섯 배를 불렀다.

내가 경험한 여러 사례 중 가장 압권은 한 택시 기사였다. 공항에서 택시를 타고 동생네 아파트에 도착했을 때 미터기에 찍힌 요금은 67위안이었다. 백 위안짜리 지폐를 내밀자 사십 대쯤 되어 보이는 택시 기사는 지폐를 받아 주머니에 넣은 다음 시선을 정면으로 향한 채 큰소리로 "메이요"라고 말했다. '없다'는 말이었다. 그러니까 '잔돈이 없다, 그래서 거스름돈을 주지 못하겠다.'는 뜻이었다. 아마도 한국인들에게는 그것이 그리 큰돈이 아니니까 "없다"고 하면 다른 한국인들은 그냥 내리기도 했던 모양이었다. 사실 그가 거스름돈을 제대로 주었다면 20위안짜리 지폐 한 장은 팁으로 줄 셈이었다. 그런데 그가 너무나 '뻔뻔하게' 메이요라고 말하는 순간 내게도 그와 똑같은 마음이 발동했다.

가방에서 수첩과 펜을 꺼내 그의 눈앞에 커다랗게 100-67=33이라고 뺄셈을 해 보였다. 그리고 33이라는 숫자 위에 동그라미를 그리면서 영어와 한국어를 섞어 거스름돈 33위안을 달라고 말했다. 내가 그렇게 하자 그는 의외라는 듯 나를 돌아보더니 다시 정면을 응시한 채 말이 없었다. 나는 조금 더 큰 목소리로 33위안을 달라고 요구했다. 내가 계속 그러고 있자 그는 다시 한 번 돌아보더니 20위안짜리 지폐 한 장을 마지못해 건네주었다.

나는 20위안짜리 지폐를 받은 후 수첩 새 페이지를 펼쳐 다시 뺄셈을 했다. 33-20=13을 그의 눈앞에 그려 보이며 나머지 13위안을 달라고 했다. 이번에는 택시미터기 옆에 적혀 있는 전화번호도 수첩에 옮겨 적었다. 사실 그 전화번호가 무엇인지는 알지 못했다. 다만 그런 곳에 적혀 있는 전화번호는 택시 회사거나 공공기관일 거라고 짐작할 뿐이었다. 그는 아까보다 더 느린 동작으로 나를 한 번 바라보더니 이번에는 10위안짜리 지폐를 한 장 더 내밀었다. 나는 나머지 3위안까지 달라고 했다. 동전 한 닢까지 다 받아 내고 싶은 마음은 오기나 분노는 아니었다. 중국인들의 뻔뻔스러움에 대한 시험이면서 동시에 나의 뻔뻔스러움에 대한 시험이기도 했다. 그 결과가 어떻게 될지, 마지막 3위안을 달라고 말하는 순간에도 궁금했다.

내가 마지막 3위안까지 달라고 하자 그때까지도 표정 변화 없이 가면 같던 택시 기사의 얼굴이 비로소 흔들렸다. 그는 놀라움을 넘어 어처구니없다는 듯한 표정을 짓더니 문득 이상한 목소리를 냈다. 마치 엄마에게 떼쓰는 아이가 그러하듯, 투정 같은 목소리에 예상치 못한 제스처를 썼다. '뭐 그것까지 다 받아내려고 하느냐?'는 뜻이었다. 그 태도를 본 후에야 택시에서 내렸다.

중국에서는 '뻔뻔하게'가 어떤 심리적 상태를 의미하는지, 어떤 생활 방식을 말하는지 보다 명료하게 느꼈을 것이다. 그것은 세상에 대한 헛된 환상이나 인간에 대한 나르시시즘이 없는 상태뿐 아니라 '지금 이곳'의 삶을 적극 수용하는 상태를 말하는 것 같았다. 즉 유아적 환상 없이 세상을 보는 태도, 모든 분석 치료가 그토록 강조하는 '지금 이곳'의 중요성을 충분히 자각하고 있는 자의 삶의 방식 같았다.

엄마의 정서적 보살핌이 결핍된 아기에게 '좋은 엄마'의 환상이 생기고, 성장하면서 그 환상은 어딘가에 부자 부모가 있을 거라는 식의 현실 부정으로 변형된다고 한다. 사춘기가 되면 좋은 보호자가 나타나 줄 거라는 환상을 담은《키다리 아저씨》같은 하이틴 소설에 매혹된다. 그런 이들은 성인이 된 후에도 현실의 삶을 수용하지 못한 채 어딘가 다른 곳에 다른 삶이 있을 거라는 환상을 품게 된다. '생은 다른 곳에'를 꿈꾸며 이상주의자나 예술가나 몽상가가 될지도 모른다.

'뻔뻔하게'를 더 깊이 이해하고 난 후 내가 오래도록 반복해 온 생의 서투름의 근본에 무엇이 있었는지 이해할 수 있었다. 유아적 환상에서 비롯된 온정주의적 세상 인식이 문제였을 것이다. 세상을 보는 틀이 잘못 짜여 있었기 때문에 세상을 살아가는 방식에도 오류가 잦았을 것이다. 세상이 내 맘 같지 않다고 서운해할 때 바로 그 '내 맘'이 잘못된 환상 위에 서 있었던 것임을 알게 되었다.

냉전시대가 가고 세계는 큰 시장으로 변해 버렸다. 이제 세계는 미국을 거점으로 전 세계 정치, 경제, 문화를 좌우하는 유대인과, 어마어마한 땅덩이와 노동력을 무기로 무섭게 도약하는 중국인들의 각축장으로 보인다. 두 민족은 무섭게 실리적일 뿐 아니라 리비도를 억압하지 않는 문화로 인해 개인의 역량을 최대한 끌어낸다는 공통점이 있는 것 같다. 또한 그 개인적 역량을 바탕으로 전 세계 어디서든 뿌리 내려 민족적 거점을 다양하게 확보하고 있다는 공통점도 있었다. 중국인과 유대인이 세계 시장을 반씩 나누어 먹는 힘은 바로 그 '뻔뻔하게'의 생존 방식에서 나오는 게 틀림없어 보였다.

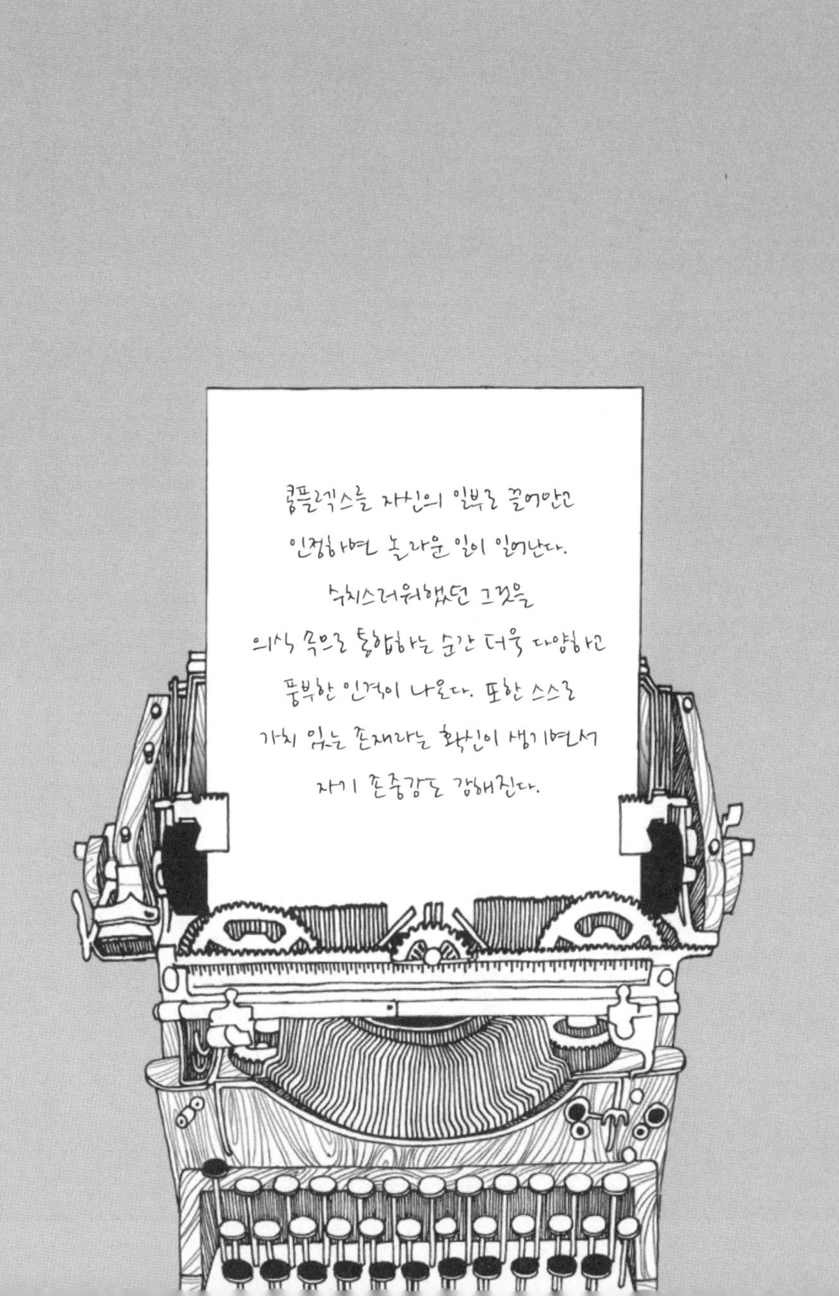
콤플렉스를 자신의 일부로 끌어안고
인정하면 놀라운 일이 일어난다.
수치스러워했던 그것을
의식 속으로 통합하는 순간 더욱 다양하고
풍부한 인격이 나온다. 또한 스스로
가치 있는 존재라는 확신이 생기면서
자기 존중감도 강해진다.

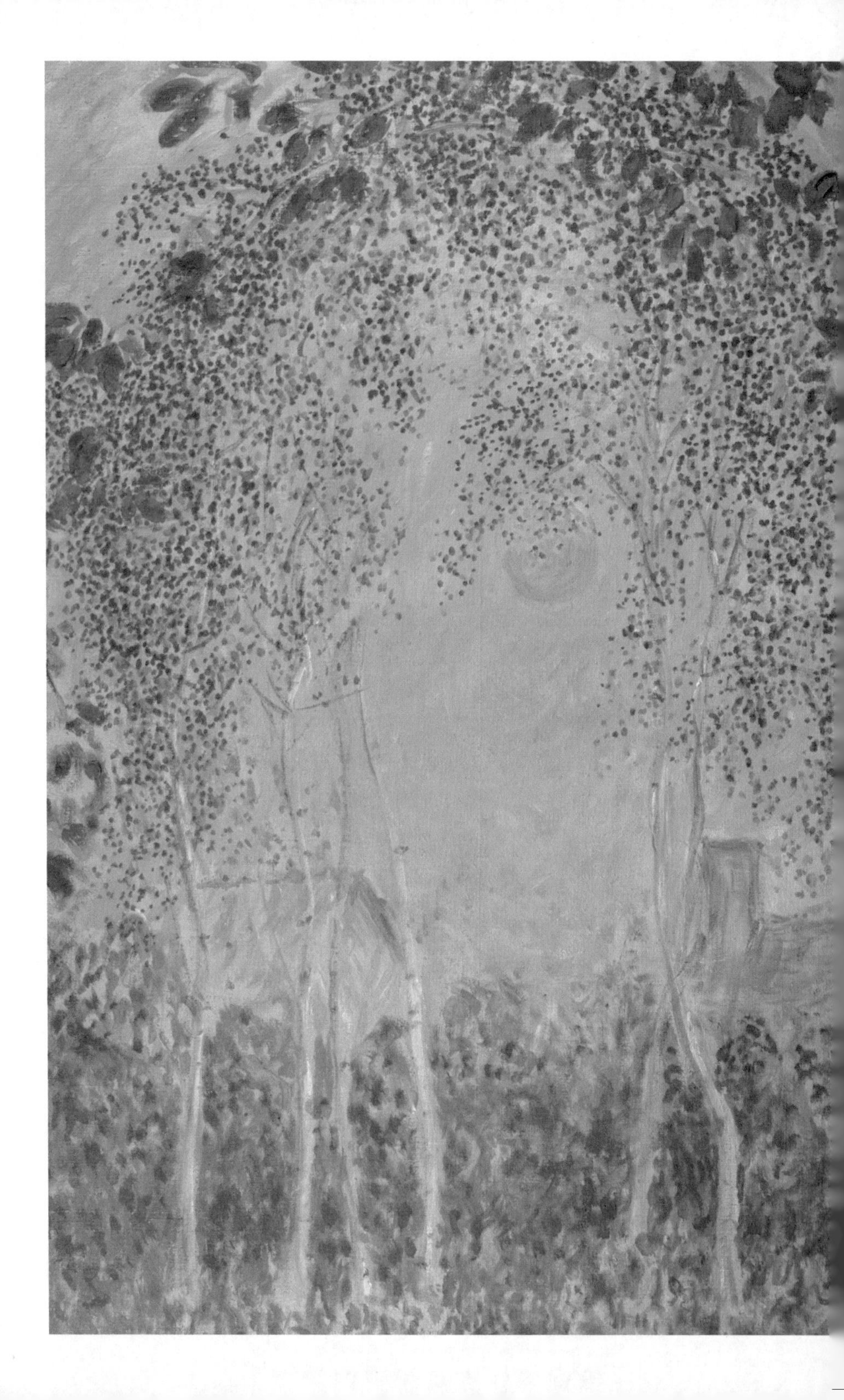

성장의 덕목

Chapter 4

친절
인정과 지지
공감
용기
변화
자기실현

오른손이 한 일을 왼손이 지켜보기

친절

폼페이는 고대 도시의 황량한 구조물만 끝없이 펼쳐질 뿐, 나무 한 그루, 풀 한 포기 없었다. 유적지 내부에는 매점 같은 것도 없었고, 물 한 모금 마실 수 있는 시설조차 없었다. 유적지에 들어서서 30분쯤 지난 후부터 준비성 없는 자신을 탓했다. 왜 가이드북에조차 챙 넓은 모자, 두 병쯤 되는 생수를 준비해야 한다는 언급이 없는지 원망스럽기까지 했다. 비슷비슷한 외형의 흙벽돌 구조물만 끝없이 이어지는 거리를 걷다가 지쳐 길바닥에 주저앉았다. '그만 돌아갈까, 조금 더 관람할까' 속맘으로 망설이고 있었을 것이다.

그때 유적지를 관리하는 관리인이 다가와 말을 붙였다. 어디서 왔느냐, 혼자 왔느냐 그런 통상적인 대화가 오간 다음 그는 내가 주저앉은 발치의 돌멩이에 뚫린 작은 구멍을 가리키며 이게 무엇인지 아느냐고 물었다. 모른다고 하자 그것이 예전에 말고삐를 매어 두던 곳이라고 설명했다. 붉은 흙벽돌 담장 사이로 난 도로에는 직육면체 돌덩이가 보도블록처럼 깔려 있었는데 그곳은 예전에 말이 다니던 길이라고 했다. 그는 또 다른 길을 가리키며 그것이 예전에는 물을 끌어오던 수로였으며, 그 위에 일정한 간격으로 놓인 돌은 사람들이 발을 적시지 않고 다닐 수 있도록 놓았던 디딤돌이라고 했다. 거리 한 블록을 가리키며 여기서부터 저기까지는 보석류를 팔던 시장 거리였고, 부자 동네였다고 말했다. 이곳뿐 아니라 폼페이 전체가 '웰시·뷰티·럭셔리한' 도시였다고 자랑스러움에 가득 차서 설명했다.

아마도 그는 아침부터 저녁까지 변화 없는 유적지를 지키면서 관광객을 구경하는 재미로 살아가는 사람 같았다. 내가 그의 말에 관심을 보이자 그는 이쪽으로 와 보라면서 길가의 어느 집 안으로 나를 안내했다. 그 집은 내부가 거의 온전하게 복원되어 있었다. 그는 집을 한 바퀴 안내하면서 여기는 침실, 여기는 부엌, 여기는 화장실이라며. 묻지도 않은 것을 일러주었다.

집은 ㅁ자 구조로 되어 있고, 집 한가운데에 정원이 있고, 집안은 우리가 복층이라고 부르는 것과 같은 미니 2층으로 꾸며져 있으며, 화장실이 그토록 주방 가까이 있다는 사실 등등을 그 관리인의 설명이 아니라면 모르고 지나쳤을 것이다. 그는 얼굴에 변함없는 웃음을 띤 채 열정적인 배우가 연기하는 듯한 제스처와 발성으로 유적에 대해 설명했다.

그가 특히 내게 보여 주고 싶어 했던 것은 집의 내부와 함께 온전하게 발굴되어 있는 사람들의 시신이었다. 입구 쪽 침실에 누워 있는 아기와 방 안에 누워 있는 성인 두 사람이 있었다. 그것은 사람이 아니라 사람의 형상을 한 잿빛 화산재 덩어리였지만 가슴이 쿵 내려앉는 충격은 너무나 선명했다. 관리인의 예상치 못했던 친절 덕분에 그만 돌아가고 싶은 마음도 다스렸고, 가이드북의 설명으로는 도달할 수 없는 세계에 한결 세밀하게 접근해 본 느낌이었다. 그는 하루 종일이라도 친절을 베풀 것 같은 태도였고, 내가 그의 관리 영역을 벗어나 다른 쪽으로 옮겨 가자 매우 아쉬워했다.

여행을 하다 보면 소매치기의 위험이나 레이시즘의 차가운 눈빛만큼 뜻밖의 친절도 많이 만난다. 폼페이의 안내인이 그랬던 것처럼 여성 관광객으로서 여행지에서 만나는 친절의 90퍼센트는 남성들의 것이었다. 큰 여행 가방을 들고 기차를 타거나 내릴 때면 반드시 어디선가 누군가가 나타나 가방을 대신 올려 주거나 내려 주곤 했다. 상품 카트를 밀며 기차 내에서 물건을 파는 직원조차 자신의 상품 카트를 내려놓은 후 다시 뛰어 올라와 내 가방을 들어 내려 주었다. 물론 큰 여행 가방 옆에 서 있는 내 덩치가 너무 작아서, 혹은 내 무의식의 의존성이 온몸으로 도움을 요청하고 있어서 그들의 친절을 유도했을지도 모른다는 혐의도 부인할 수 없다. 한 번은 앞서 기차를 내린 남성이 문득 몸을 돌리더니 나를 향해 손을 내밀었다. 영화에서 본 것처럼 손을 잡아 주겠다는 뜻인 모양이었다.

서양 남성들이 혼자 여행하는 동양 여성에게 친절한 것은 그 여성이 새롭게 보는 성적 대상이기 때문이라는 이유가 가장 클 것이다. 어디든 잠시 쉴 요량으로 머물러 있으면 5분이나 10분 안에 누군가가 나타나서 말을 붙였다(독일에서만 그런 경험이 없었다). 그럴 때면 속으로 '이 사람들은 혼자 여행하는 여자를 길가에 떨어진 과일쯤으로 보는 게 틀림없어.'라고 생각하며 웃기도 했다.

그게 아니라면 그들이 동양 남성들에게는 친절하지 않은 이유가 설명되지 않는다. 간혹 사석에서 외국 여행에 대해 이야기할 때 남성들이 레이시즘에서 비롯된 차별이나 모욕감에 대해 말하는 것을 듣는 일이 있다. 세밀하고 구체적으로 그 이야기를 하는 게 아니라 다른 이야기에 섞어 슬며시 지나치듯 언급하는 것을 듣는다. "자존심 강한 사람은 절대 외국에서 못 살지."라든가, "우리가 외국에서 당한 것을 그대로 갚아 줘야지."라는 식으로 말이다. 그런 말들을 통해 그들이 레이시즘의 시선에 노출된 정도를 짐작할 뿐이다.

여성 여행자로서 현지 남성들로부터 친절을 더 많이 경험하는 것에 반해 현지 여성으로부터는 노골적인 레이시즘의 시선, 경원이나 분노의 시선을 받는 경우가 있었다. '투사' 이야기를 하면서 언급한 독일 할머니를 비롯해, 이탈리아와 뉴질랜드에서 서너 번 그런 경험이 있었다.

로마에서 전차를 타고 있을 때였다. 어디선가 더 유심한 시선이 얼굴에 와 닿는 것을 느끼며 무심히 그쪽으로 고개 돌렸을 때 나를 향해 뜨거운 시선을 보내고 있는 할아버지의 시선과 맞닥뜨렸다. 그는 나와 시선이 마주쳤어도 피할 생각을 하지 않은 채 얼굴이며 몸 전체를 삼킬 듯한 시선으로 훑어보고 있었다. 그 할아버지는 아마도 상상 속에서 내 옷을 거의 다 벗긴 것 같았다.

그런데 그 할아버지의 눈빛보다 더 무서운 눈빛이 그 옆의 할머니에게서 쏟아져 왔다. 할머니는 분노와 적의에 가득 찬 시선을 내게 정통으로 꽂고 있었다. 이유는 단 하나일 것이다. 자기네 나라 남자가 내게 관심을 보인다는 사실, 그리하여 자신의 생존 권력 하나를 잃을까 봐 두려워하는 시기심과 분노 때문일 것이다. 두 시선은 전적으로 나와 무관한 그들 내면의 환상에서 비롯된 것이었기에 최초의 당혹감을 빨리 다스릴 수 있었다.

인류 역사를 통해 인간의 유전자 속에는 외국인 남성은 침략자로, 외국인 여성은 새로운 성적 대상으로 보는 의식이 형성되어 있는 게 틀림없었다. 그것은 우리나라도 마찬가지 같아 보인다. 동남아에서 온 남성 노동자들에 대해서는 노골적인 편견과 불친절의 태도를 보이면서도 러시아 여성에 대해서는 어떤 경계심도 품지 않은 채 다만 흥미로운 성적 대상으로 보는 시각이 일반적인 것 같다.

성적 의미도 내포되지 않고, 다시 보답을 받을 확률도 거의 없는, 그리하여 진정으로 선한 마음에서 나오는 여성의 친절을 만나지 않았던 것은 아니다. 암스테르담과 파리에서 그런 경험이 있었다. 암스테르담에서는 '안네 프랑크의 집'에 가기 위해 사방 연속무늬처럼 이어진 운하와 그 운하 앞에 늘어서 있는 비슷비슷한 집들 사이 길을 걷고 있었다. 거의 목적지에 도달한 것 같은데 안네의 집이 보이지 않았다. 거리에 안내 표지판도, 특별한 표지도 없었다. 지도와 거리를 번갈아 보고 있을 때 한 여성이 다가와 어디를 찾느냐고 묻고 친절하게 길을 안내했다. 안네 프랑크의 집은 길가에 선 집의 뒤편에 몸을 숨기듯 서 있었고, 거리에서 들어가는 입구는 아주 좁게 만들어져 그냥 지나쳤던 것이다.

파리에서는 소개받은 숙소로 가기 위해 전철을 내린 곳이 도로가 다섯 갠가 여섯 개가 휘돌아 나가는 거대한 로터리였다. 로터리에 세워진 도로 표지판에는 화살표가 온 사방을 향하도록 붙어 있어, 지도와 화살표를 번갈아 바라보며 방향 감각을 찾으려 애쓰고 있었다. 그때 한 여성이 다가와서 어디를 찾느냐고 묻고 내가 가야 할 도로 입구까지 안내해 주었다.

적절한 시점에서 만나는 그런 종류의 친절은 물론 고마웠다. 만약 정신분석을 받기 전이었다면 '파리와 암스테르담은 세계에서 가장 친절한 도시다.'라는 식의 편견을 갖게 되었을지도 모른다.

그러나 이제는 생각이 좀 다르다. 친절이 미덕이기는 하지만 궁극적으로는 그들의 자기만족, 그들 나라의 이미지 제고에 기여하는 또 하나의 관광 상품일 뿐이라는 생각이다.

다녀 보면 관광 수입에 더 많이 의존하는 도시나 자국 문화에 대한 자부심이 강해 관광객에게 좋은 인상을 심어 주고 싶어 하는 도시가 더 관광객에게 친절했다. 적당한 선에서 그들의 친절에 감사를 표하기는 하지만 뭐, 대단히 감동하지는 않았다. 똑같은 이유로 관광객에게 냉랭한 독일인이나 동양 여성에게 공연한 적대감을 드러내는 이탈리아 여성들의 차가운 시선에도 별로 서운하지 않았다. 그들은 친절한 민족이라는 평판을 기대하지 않으며, 그것을 상품화할 생각이 없을 뿐이었다.

예전에 나는 친절한 사람인 쪽에 속했고 그렇게 살기 위해 노력했다. 물론 지금도 타인을 대하는 방식에서는 여전히 친절하다. 그러나 최근 몇 년 사이에 친절의 심리에 대한 인식이 전복적일 만큼 달라졌다. 예전에는 세상이 따뜻한 곳이며 선의와 친절이 넘치며 정의가 승리한다고 믿으며 그렇게 살고자 했다. "친절한 사람을 조심하라."는 잠언을 믿는 사람들을 의심했고 친절이 아니라면 어떻게 휴머니즘을 실천할 것인가 의아했다. 그러나 이제 나는 친절한 사람을 조심하라는 명제에 120퍼센트 동의한다.

타인에게 과잉 친절을 베푸는 사람에는 두 부류가 있을 것이다. 상대에게 사기를 치는 사람과 자기 자신에게 사기 치는 사람. 심리적으로 더 문제가 되는 사람은 후자이다. 그런 이들은 친절하고 관대한 사람이라는 자기 이미지를 지키기 위해서, 자기가 받고 싶은 보호와 관심을 타인에게 투사하는 방식으로 친절을 베푼다. 또한 상대방으로부터 돌아올 호의를 무의식적으로 기대하면서 그 일을 한다. 인간에게는 호의를 베풀어 놓고 상대가 그것에 대해 보답하는지를 지켜보는 무서운 속성이 있다고 한다. 오른손이 한 일에 대해 왼손이 보답 받기를 바란다는 뜻이다. 그동안 내가 베푼 친절에도 틀림없이 그런 속성이 있었을 것이다.

여행의 중요한 요소 중에는 '쇼핑'이 있다. 나는 물건을 사기 위한 쇼핑이 아니라 상점에 진열된 물건들에서 그들의 삶과 문화를 살펴보는 윈도쇼핑을 즐긴다. 새로운 도시에 가면 늘 백화점이나 슈퍼마켓, 서점과 레코드점에 들러 보곤 한다. 백화점에 가면 어떻게 전 세계가 하나의 시장인가를 더 명확히 알 수 있었고 서점에 가면 그냥 책 표지만 구경하는 것도 좋았다. 레코드점에 가면 점원에게 가장 '트래디셔널'한 음악과 가장 '파퓰러'한 음악을 소개해 달라고 해서 들어 보곤 했다. 관광지마다 빠짐없이 있는 기념품점, 혹은 선물용품점에 들러 그 나라의 특산물, 문화를 상품화하는 방법, 관광객의 지갑을 열려고 애쓰는 노력을 구경하는 일도 의미 있었다.

그러면서 '선물 가게'라는 것에 대해 생각했을 것이다. 우리나라에 '선물 가게'라는 상점이 등장한 것은 80년대 말인 것으로 기억되는데, 그때부터 나는 그 상점의 성격이 다소 의아했다. 선물 가게에 진열되어 있는 상품들은 대체로 문구점, 완구점, 액세서리점, 캐주얼 의류점 등에 가면 다 살 수 있는 것들이었다. 그것들 가운데 선물용으로 적합한 작고 예쁜 것들을 골라 모아 놓고 '선물 가게'라는 간판을 단 상점이 등장했을 때 그 상술이 의아했던 것만큼이나 그 가게가 영원히 성업하는 점도 의아했다. 여행에서 돌아온 후《이타적 유전자》를 읽다가 그 의문을 밝혀 주는 한 대목을 만났다.

"어느 한 시기를 잡아 조사해 보면, 영국 전체 경제의 7~8퍼센트는 선물용 상품을 생산하는 데 투여된다. 일본의 경우에는 이보다 수치가 높을 것이다. 선물 시장은 경기 침체를 거의 모르는 시장이다. 그렇다면 사람들은 왜 서로에게 선물을 주는가? 그것은 한편으로는 상대에게 호의를 베풀기 위한 것이고, 다른 한편으로는 아량 있는 사람이라는 평판을 지키기 위한 것이며, 또 다른 한편으로는 선물받는 사람을 보답이라는 의무감에 묶어 놓기 위한 것이다. 선물과 뇌물 간에는 큰 차이가 없다."

그 책에 의하면 '평판'은 이 위험하고 불확실한 시대를 살아가는 데 중요한 자산이며 부가가치 높은 상품이다. 또한 '호의'는 상대가 기지고 있을지도 모르는 분노와 적개심의 감정을 누그러뜨리는 방법이다. 그러니까 호의나 친절 같은 것도 또 하나의 생존법일 뿐이었다.

책에서 그런 내용들을 읽었을 때 얼굴이 붉어졌다. 나 역시 친절한 사람이었고 타인에게 선물하는 행위를 좋아했다. 그런 방식으로 이웃과 나누며 산다고 생각했을 것이다. 정신분석을 받을 때는 그런 행위의 배면에 사랑을 구걸하는 심리가 있었음을 알고 다소 충격을 받았다. 그 후 여행을 하고, 좀 더 시간이 지난 후에야 나의 친절이나 선물하는 행위가 무의식적으로 작동된 생존법이었음을 깨달았을 것이다.

인간은 본질적으로 늘 무엇인가를 욕망하는 이기적인 존재이기 때문에 인간의 어떤 행위에도 당사자의 욕망이 배제된 행위는 없다는 것도 알게 되었다. 사랑이나 헌신도, 친절이나 호의조차도. 내가 타인에게 베풀었던 친절의 본질을 알게 되자 타인의 친절에 대해 특별히 감동하지도, 불친절에 대해서 서운하지도 않았다. 그저 내 마음이 조금 더 잘 보이니 세상이 조금 더 잘 보인다고 생각하게 되었다.

혼자 재미 삼아 해 본 생각이지만, 이제 나는 사기당하기 쉬운 사람의 특성을 가려낼 수 있을 것 같다. 그런 이들은 우선 세상이 따뜻하고 온정 넘치는 곳이라는 유아적 환상을 토대로 한 현실 인식을 가지고 있을 것이다. 또한 모든 호의에는 보답을 요구하는 무서운 속성이 있다는 사실을 상상조차 못한 채, 자신이 그런 친절이나 호의를 받아 마땅하다고 생각하는 나르시시즘적인 요소도 가지고 있을 것이다. 더불어, 누군가 전능하고 힘 있는 사람이 나타나 자신의 문제를 요술처럼 해결해 주기를 바라는 의존성도 가지고 있을 것이다.

위의 세 가지 요소는 사기당하는 사람의 필요충분조건이며, 동시에 내게 있는 요소이기도 했다. 늘 세상살이에 미숙하고 위태롭다고 느꼈던 미진함의 본질도 그것이었다. 순수하고 사심 없이 살기 위해서는 역설적이게도 세상과 인간에 대해 더 냉철하고 음험한 수준까지 이해하고 있어야 한다는 것, 그것을 최근에야 알게 되었다. 세상과 인간의 속성에 대해 알지 못한 채 순수하게 산다는 것은 자신에게뿐 아니라 타인에게도 위험한 일이다. 그런 사람은 타인으로 하여금 사기치고 싶은 욕망을 품게 하기 때문이다.

고래도 춤추게 하는 놀라운 힘

인정과 지지

로마의 숙소에 들렀던 배낭여행을 하는 젊은이들 가운데 한국예술종합대학교에 다니는 커플이 있었다. 그들과 여행 정보를 주고받으며 이야기하다가 미켈란젤로의 '피에타' 얘기가 나왔다. 나는 미켈란젤로의 작품들에서 느낀 감동을 열띠게(부끄럽지만 틀림없이 그랬던 것 같다) 토로하면서, 미켈란젤로의 작품이 소장되어 있다는 모든 곳을 방문 중이라고 말했다. 피렌체의 아카데미아 박물관에 소장된 미완성 노예상들 앞에서는 절로 눈물이 흐르더라고도 했다. 그랬더니 그 학생들이 이렇게 말했다.

"우리 선생님하고 똑같은 말씀을 하시네요."

그들의 선생님 역시 미켈란젤로에 대해 열광하면서 밀라노의 '피에타'를 보고 눈물을 흘렸다고 했다. 그 선생님은 이름만 대면 알만한 유명한 중견 시인이었다. 그 말을 듣는 순간 밀라노의 '피에타'를 꼭 보고 싶었다. 중세 서양 조각 작품의 어떤 점이 오늘의 한국 남성, 그것도 중년 남성을 울게 했을지 궁금했을 것이다.

'피에타'는 '연민' 정도로 번역되는 말이다. 가톨릭에서 말하는 '긍휼히 여기다'의 의미와 불교에서 말하는 '대자대비'의 마음이 그것에 해당될 것이라 이해하고 있다. 미켈란젤로는 '피에타'라는 제목으로 성모 마리아가 십자가에서 내려진 그리스도를 안고 있는 조각 작품을 네 점 제작했다. 한 점은 바티칸에, 두 점은 피렌체에, 나머지 한 점이 밀라노에 소장되어 있다. 밀라노의 '피에타'는 미켈란젤로가 72세에 시작한 작품이며 끝내 완성시키지 못한 채 세상을 뜬 미완성 작품이라고 한다.

'피에타'가 있는 밀라노의 스포르체스코 성은 1, 2층 전체를 박물관으로 꾸며 놓고 있었다. 입구 안내원에게 '피에타'의 위치를 물었더니 손을 들어 안쪽을 가리키며, 몇 번 전시실에 있다고 말했다. 그 성이 그렇게 크고, 전시된 유물들이 그렇게 많을 줄 상상도 못했다. ㄷ자로 생긴 전시실은 가도 가도 끝이 없었고 길을 잘못 들었나 싶게 출구가 보이지 않았다. 중간에 안내원에게 다시 확인하자 그 역시 일방통행으로 이루어진 관람 코스의 진행 방향을 가리키기만 했다. 모든 중요하고 비중 있는 인물들이 행사 마지막에 등장하듯 '피에타'도 그랬다. 두 시간쯤 지나 지치고 지쳤을 때, 출구 바로 앞쪽에 설치된 별도의 전시실이 눈에 들어왔다. 그 입구를 향해 다가갈 때까지도 내게 가장 큰 감정은 피로감과, 피렌체의 미완성 노예상들만큼 감동을 주지는 못할 거라는 심드렁한 마음이었다. 그러나 둥근 칸막이 안쪽으로 한 발을 들여놓는 순간 그 모든 감정이 일시에 날아갔다.

지금도 명료하게 기억하는 것은 '피에타'에 시선이 닿는 것과 동시에 얼굴 근육들이 불수의근처럼 제멋대로 움직이기 시작했다는 점이었다. 근육들이 경련하고 표정이 일그러지면서 눈가에 핑그르르 물기가 맺혔다. 노예상들을 보면서 받았던 자극보다 좀 더 강도가 센 자극이 뇌든 심장이든 신체의 어느 부분을 건드린 것 같았다. 동시에 온몸에서 맥이 풀렸다. 감동으로 다리가 풀리는 사람이나 작품을 오래 감상하고 싶은 사람을 위한 배려인 듯, '피에타' 앞에는 길쭉한 나무 의자가 비치되어 있었다. 주춤주춤 걸어가 의자에 앉으면서도 '피에타'에서 눈을 떼지 못했다.

그 '피에타'는 막 무너질 듯한, 고스란히 주저앉을 듯한 예수를 성모가 뒤에서 안아 일으키는 형상이었다. 예수를 일으킨 자세로 간신히 유지시키고 있는 것은 성모의 손길이었다. 다리는 힘없이 늘어뜨려져 있고, 고개는 왼쪽으로 꺾여 있고, 팔은 모든 것을 놓아 버린 듯 축 늘어져 있었다. 그런 자세로 두 사람이 만들어 내는 표정, 정서, 분위기는 너무나 절연해서 순식간에 주변 풍경을, 세상을, 보는 이의 존재까지도 사라지게 만드는 마력이 있었다.

그것은 굳이 성모와 성자가 아니라고 해도 좋을 것 같았다. 그저 우리 주변에서 보는 보통의 어머니와 아들, 누이와 동생, 비극적인 사랑에 빠진 연인…… 어떤 관계라 해도 상관없어 보였다. 나는 여전히 의자에 앉은 채 조각상을 올려다보면서, 저런 작품은 생을 다 살아 본 이후에나 창조할 수 있는 것이겠구나 생각하면서 반쯤 입을 벌리고 있었다. 지금 내가 보는 이 시선으로, 이 감동이 담긴 손길로, 저 '피에타' 사진을 딱 한 장만 갖고 싶다고도 생각했을 것이다. 그런데 거짓말처럼, '피에타' 만을 전담하는 관리인이 다가오더니 귀에 대고 낮게 속삭였다. "여기는 원래 사진 촬영이 금지되어 있지만, 혹시 원한다면 사진을 찍어도 좋다."

그는 동양 여성에게 유독 친절하다는 이탈리아 남성 특유의 웃음을 짓고 있었다. "너에게만 특별히 허락해 주는 거다."라고 덧붙이면서 공범자의 눈빛으로 주변을 둘러보기까지 했다. 나는 물론 감사하게, 기쁜 마음으로 사진을 찍었지만 그때는 그 관리인의 마음, 그의 마음을 움직여 예외적 행동을 하게 만든 요인에 대해서는 생각해 보지 않았다.

그 후 독일 뮌헨의 국립미술관에서 비슷한 일을 또 경험했다. 그 미술관을 둘러보면서 한 가지 가슴 아팠던 것은 1, 2차 세계대전을 겪으면서 독일 미술의 전통이 어떻게 단절되었는가 하는 점

이 문외한의 눈에도 선명히 보였다는 점이었다. 19세기까지 독일 미술에는 서정적이고 깊이 있는 회화의 전통이 풍요롭게 살아 있었다. 그런데 20세기로 접어들면 설치미술, 전위미술, 실험 작품 등을 통해 일탈과 모색의 노력을 보이고 있었다. 그 간극 사이에는 틀림없이 두 차례의 전쟁의 기억이 있을 것이다. 많은 것을 단절시킨 그 간극을 이제는 어찌해 볼 도리가 없겠구나 생각하면서 우두커니 서 있기도 했다. 관람을 끝내고 전시실을 나서려는데 제복 차림의 여성 안내인이 다가와 말을 걸었다.

"저쪽 구석에 또 하나의 작품이 있는데 혹시 보았느냐?"

그녀가 가리키는 구석 쪽에 또 하나의 전시 공간이 있는지조차 알지 못했다. 그녀는 나를 벽 구석 쪽에 따로 마련된 두 평 크기의 별도 전시실로 데리고 갔다. 그 안에는 특별한 설치미술 작품이 전시되어 있었다. 그동안 보았던 작품보다 한결 복잡하고 정교하게 만들어진 기계 작품이었다.

관리인은 자랑스러운 표정으로, 자상한 동작으로 미술품 앞쪽의 버튼을 눌렀다. 복잡한 동력 전달 장치를 닮은 그 작품은 레이저빔 같은 불빛을 뿜으면서 요란하게 움직였고 그녀는 다시 한 번 자랑스러운 미소를 지으며 나를 바라보았다. 나는 고맙다고 했다. 그 작품은 한 번 버튼을 누르면 1분이나 2분쯤 작동하도록 되어 있었는데 한 차례 작동이 끝나자 그녀는 친절하게도 다시 한 번 버튼을 눌렀다. 그 기계가 멈출 때까지 나는 웃음 띤 얼굴로, 고스란히 그 앞에 서 있어야 했다.

미술관을 나오면서 그 안내인이 많은 관람객 가운데 내게 예외적 친절을 베푼 이유가 무엇일까 생각했을 것이다. 그러자 밀라노에서 예외적으로 사진을 찍게 했던 '피에타' 관리인이 떠올랐다. 그들의 자발적인 친절은 일차적으로 그들이 관리하는 작품에 대한 자긍심의 발로일 것이다. 그러나 이차적으로는 나의 태도에서 비롯되지 않았을까 싶었다. 진심으로 '피에타'에 감동하는 모습, 진심으로 독일 미술의 어떤 점에 대해 안타까워하는 태도가 그들의 마음을 움직인 게 아닐까 싶었다.

어느 책에선가 "남성들은 자신을 인정해 주는 사람을 위해서는 목숨도 바칠 수 있다."는 구절을 읽은 일이 있다. 그것만큼 '인정'의 위력을 잘 설명해 주는 문장이 또 있을까 싶었다. 인정과 지지는 인간을 앞으로 나아갈 수 있게 하는 든든한 후원의 힘이라고 한다. 걸음마를 배우기 시작하는 아기는 앞으로 걸어 나가다가 자주 뒤를 돌아보며 엄마의 지지를 확인한다. 아이들은 다 먹은 밥그릇을 자랑스럽게 들어 보이거나, 제가 그린 그림을 엄마 코앞에 들이밀며 인정받고자 한다. 인정받아야만 그 행위를 한 자신의 존재에 대해 안정감을 갖게 되고, 지지가 있어야만 다음 행위를 향해 나아갈 수 있는 추진력을 갖게 된다.

성인이 된 우리의 내면에도 여전히 인정받고 싶은 아이, 지지해 주는 사람을 만나고 싶은 욕구가 고스란히 존재한다. 사회적 성취를 중시하는 남성들은 특히 인정받고자 하는 욕망을 더 강하게 느낀다고 한다. 인정받고자 하는 마음이 얼마나 강한지 우리는 넥타이나 원피스에 대해 칭찬해도 그것을 자신의 존재에 대한 인정이라며 만족스러워한다. 밀라노와 뮌헨의 두 관리인이 예외적 친절을 베푼 가장 큰 이유도 바로 '인정받는다는 느낌' 때문이었을 것이다.

뉴질랜드 남섬의 픽턴이라는 항구 도시에서도 비슷한 경험이 있었다. 그곳에는 난파된 배 한 척과 그 배에서 수거한 유품들을 전시해 놓은 해양 박물관이 있었다. 에드윈 폭스라는 그 배는 영국령 인도에서 뉴질랜드와 오스트레일리아 사이를 오가던 무역선이라고 하는데 1853년에 풍랑을 만나 픽턴 해안에서 좌초당했다고 했다. 박물관에는 에드윈 폭스 호에서 건져 낸 유물과 그 배의 항해 코스, 그 배가 태풍을 만나 난파된 후 해류에 밀려 해안에 닿을 때까지의 과정이 상세히 전시되어 있었다.

난파된 배는 박물관 건물 바깥의 별도 도크에 전시되어 있었다. 배가 전시되어 있는 자리가 난파된 배가 해안에 닿은 바로 그 지점이라고 했다. 한자리에서 140년 동안 비와 해풍을 맞으며 삭아 가고 있는 목선 한 척이 거기 있었다. '난파선의 전설, 난파선의 애수, 난파선에서 삭아 내리는 나뭇결과 같은 몰락의 시간을 관광상품으로 파는구나.' 처음에는 그런 생각을 했을 것이다. 대부분의 관광객은 난파선 입구에서 안쪽으로 고개를 들이밀거나, 한두 발걸음 걸어 보고는 돌아나갔다.

웬일인지 나는 그 난파선 내부에 오래 머물렀다. 배가 자꾸만 내게 말을 거는 것 같았다. 녹슨 못, 결을 따라 삭아 내리고 있는 나무판, 흔들리는 쇠붙이 하나, 폐선의 내부를 휘돌아 나가는 바람이 무슨 말인가를 건네는 것 같았다. 상상과 몽상이 피어오르는 신화적 공간으로 들어선 것도 같았다. 갑판과 여객실과 화물실을 상상하면서, 이물에서 고물까지를 천천히 왕복하면서, 난파선 내부를 살피고 다니는 동안 현실 감각을 잃는 듯했다. 배처럼 온몸이 습기로 축축해져 밖으로 나왔을 때는 해가 많이 기울어져 있었다.

매표소를 겸하는 관리 사무실을 지나 바깥으로 나가려는데 직원이 나를 불러 세웠다. 배가 많이 나온 중년 사내는 갑자기 친절하고 온화한 표정으로 다가와 기념품 스카프를 집어 주고, 내가 미처 챙기지 못한 브로슈어도 주고, 그 사무실 벽에 붙은 사진들도 가리켜 보였다. 배가 난파당했던 당시의 모습부터, 시간이 흐르면서 점점 더 풍화되어 가는 과정을 시대순으로 찍어 전시해 놓은 사진들이었다. 그가 사진들에 대해 연대기적 설명을 곁들일 때, 그때쯤에는 그 특별한 친절의 의미를 좀 더 명확히 이해할 수 있었다. 뚱뚱한 중년의 백인 남자를 의자에서 일어나 길고 자상한 설명을 하도록 만든 힘도 비로 '인정받는다는 느낌'이라는 것을.

《칭찬은 고래도 춤추게 한다》는 책도 있고, 아이를 칭찬으로 키우라는 말도 있지만 그때의 칭찬은 엄밀한 의미에서는 인정과 지지의 태도이다. 만약 내가 입으로만 번드르르한 칭찬의 말을 내놓았다면 저들 관리인들의 마음을 움직이지 못했을 것이다.

칭찬은 엄밀한 의미에서 인정이나 지지와는 다른 개념이라고 한다. 칭찬은 우선 시기심의 다른 얼굴이다. 타인이 가지고 있는 물질이나 재능에 대해, 그것을 빼앗고 싶은 마음을 누르기 위해 칭송하는 방법을 택한다는 것이다. 칭찬은 또한 말로써 타인을 움직이려는 방어기제라고 한다. 칭찬의 위력을 아는 사람들은 칭찬으로써 타인을 조종하는 생존법을 사용한다. 자기 존중감이 약한 사람일수록 타인의 칭찬에 더 많이 황감해하고, 더 많이 지배당하기도 한다. 내가 알고 있는 비밀 한 가지는 모든 연애 선수들이 동시에 칭찬 선수이기도 하다는 점이다.

나도 가끔 칭찬을 이용해 타인을 내 뜻대로 움직이는 것을 느끼곤 한다. 타히티에서 묵었던 숙소의 여직원이 나를 근처 섬으로 가는 배를 탈 수 있는 항구까지 픽업해 줄 때의 일이다. 그녀는 고갱의 그림에서 보았던 여자들과 닮아 있었다. 순진함이 가득 담긴 큰 눈, 육감적으로 두터운 입술, 윤기 흐르는 적갈색 피부가 그대로 고갱의 그림에서 걸어 나온 것 같았다. 그녀는 운전하면서 간간이 노래를 불렀는데 그 목소리는 바닷속 울림처럼 깊고 둥글었고, 멜로디는 바다 표면을 스치는 갈매기처럼 경쾌했다.

그 모습이 보기 좋아 "당신은 고갱의 여자와 닮았어요."라고 말했다. 고맙다고 말한 후 그녀는 갑자기 내게 친절해지기 시작했다. 부두에 차를 세운 후 배 타는 곳까지 가는 길에, 배를 기다리는 동안 조금만 기다리면 배가 온다고 설명할 때도 며칠 동안 본 태도와 완연히 달랐다. 고작 그 한 마디가 그녀를 그토록 들뜨게 했다는 사실이 믿기지 않았고, 무심히 건넨 칭찬 한 마디가 얼마나 강력한 방어기제인가를 확인하는 일은 씁쓸했다.

고래를 춤추게 하는 것은 칭찬이 아니라 인정과 지지다. 우리가 열심히 일하는 것은 인정받기 위해서고 우리가 가끔 무너지는 태도를 취하는 것은 지지를 기대하기 때문일 것이다. 인정받고 싶은 마음이 지나칠 경우 '인정 중독'이 된다. 인정 중독인 사람들은 인정받는 데서 자신의 정체성을 찾고, 인정받기 위해 일 중독자가 되고, 그럼에도 늘 충분히 인정받지 못한다고 느끼면서 불안해한다.

사회적으로 엘리트 코스를 밟아 온 사람이나, 타인의 박수갈채를 들으며 살아 온 사람 중에 의외로 인정 중독이 많다. 그런 이들은 술자리에서 자기가 왕년에 어떻게 잘 나갔는지를 이야기하고, 지금 어떻게 대단한 일을 하고 있는지 떠들기도 한다. 인정 중독이 되는 이유는 유아기에 칭찬과 격려에 인색한 부모, 지지해 줄 줄 모르는 냉담한 부모, 감질나는 방식으로 사랑을 주는 부모의 양육 태도에서 비롯된다고 한다. 그런 이들은 외부에서 오는 인정과 지지를 기대하기보다는 자기 스스로가 내면에서 인정과 지지를 기대하는 아기를 돌보고 격려해야 한다고 전문가들은 말한다.

《지지 정신치료》라는 책에 의하면 '지지'란 모든 형태의 정신치료의 중요한 요소이며, 카운슬러에게 필요한 기능이라고 한다.

지지는 '판단하는 마음 없이 타인의 행위를 인정하는 것, 충고하고자 하는 마음을 누른 채 타인의 이야기를 들어 주는 것'으로 정의된다. 바로 그 지지의 태도를 자기 자신에게 돌릴 수 있으면 타인의 칭찬에 그토록 들뜨거나, 외부의 비판에 그토록 흔들리지 않는 건강한 자기중심을 획득할 수 있을 것이다.

타인에 이르는 가장 선한 길

공감

아시시 역에서 기차를 내렸을 때, 프란체스코 성당을 중심으로 한 중세 도시 아시시는 저쪽 언덕 위에 하얗게 빛을 발하면서 솟아 있었다. 아시시는 전체적으로 평원에 자리 잡은 도시였지만 중세 도시가 보존되어 있는 그곳은 유독 높은 구릉 지대여서 산처럼 불쑥 돋아 있었다. 저런 지형 위에 자리 잡았기 때문에 외세에 의해 파손되지 않고 지금까지 원형을 보존할 수 있었겠구나 싶었다. 막상 아시시 내부로 들어서면 건축물들조차 겹겹의 성벽 구조로 지어져 말 그대로 물 샐 틈조차 없어 보였다.

성 프란체스코 성당은 1998년에 있었던 지진으로 인해 많이 훼손되어 있었다. 마당이 아래로 움푹 꺼져 가장자리로만 겨우 다닐 수 있게 나무 통로가 설치되어 있었다. 나무 통로를 아슬아슬하게 디디면서 마당 쪽을 내려다보면 얼마나 깊이 가라앉았는지 바닥이 보이지 않았다. 성당 건물 전체가 비계와 휘장으로 덮여 한창 보수 중이었고 관광객이 관람할 수 있는 곳은 1층과 지하뿐이었다. 폐쇄 중인 2층에는 프란체스코 성인의 생애를 그린 조토의 프레스코화가 있다는데 그것을 직접 보지 못해서 유독 아쉬웠다.

이탈리아에는 "프란체스코 사원에 있는 돈이 얼마인지는 하느님도 모른다."라는 말이 있다고 한다. 함께 지내던 유학생은 많은 이탈리아인이 프란체스코 성당을 훼손시킨 지진을 하느님의 뜻이라고 생각한다고 말해 주었다. 그 성당 지하에 모셔진 프란체스코 성자의 묘에 가 보니 그 말이 사실인 듯했다. 지하에는 참배객들이 끊임없이 이어지면서 발 디딜 틈조차 없었다.

참배객들은 자기 손으로 직접 프란체스코 성자의 제단에 초를 켜고 싶은 소망을 갖고 있는 듯했다. 그들은 기부금 함에 돈을 넣고 양초를 사서 제단 위에 올렸고, 관리인은 나중에 그 초들을 차례차례 사용할 테니 우선은 놓고 가라고 관람객들에게 당부하고 있었다. 나는 30분 이상 그곳에 머물렀는데 조금 전에 관람객이 올린 초들이 그대로 다시 판매대로 옮겨지는 것을 보고야 말았다. 초는 제단과 판매대 사이를 오르내리면서 끊임없이 돈을 끌어모으는 듯했다. 평생 아무것도 소유하지 않은 채 설교와 고행, 철저

한 가난으로 이웃 사랑을 실천한 그 수도회가 이제 와 그토록 돈을 끌어모은다는 사실이 아이러니했다.

성당 바깥으로 나오자 14세기에 지어졌다는 그 도시의 골목들에서 오히려 조용한 성스러움이 느껴졌다. 성당 앞 선물 가게들을 둘러보다가 프란체스코의 생애를 그린 조토의 그림이 담긴 도록을 한 권 샀다. 거리를 걸으며 그것을 넘겨보는데 그중에 '새들에게 설교하는 프란체스코'라는 그림이 오래 시선을 끌었다. 프란체스코 성자는 고개를 숙인 채 새들을 내려다보며 무슨 이야기인가를 하는 듯한 모습으로 그려져 있었다. 그의 발 앞 땅바닥에는 열 마리 정도의 새들이 그의 이야기를 알아듣는 듯한 표정으로 그를 올려다보고 있었다.

프란체스코 수도회가 그토록 짧은 시간에 그토록 많은 지지자와 신도를 모았던 비밀이 거기 있는 것 같았다. 새 한 마리, 풀 한 포기에도 그토록 공감하는 프란체스코의 태도가, 부유한 중세 교회를 외면한 채 가난한 자들의 삶에 그토록 공감했던 방식이, 많은 지지자를 모았을 것이다.

신화나 전설을 보면 모든 성인, 종교 지도자, 신화 속 인물들은 반드시 고통과 고난의 시간을 거치는 것으로 되어 있다. 이제는 그 이유에 대해 짐작할 수 있을 것 같다. 우선은 고통의 담금질 속에서 인간 정신이 성장한다는 만고불변의 진리 때문일 것이며, 또 한 가지는 그런 과정을 통해 타인에 대한 공감 능력을 획득하도록 하는 게 아닐까 싶다. 그 고난과 고통과 절망의 시간을 지나와 봐야 나중에 그들이 보호해야 하는 공동체 구성원들의 내면에 공감할 수 있을 것이다. 인간 정신의 어둡고 깊고 탁한 영역에까지 공감할 수 있어야 진심으로 이웃에 대한 사랑을 가질 수 있을 것이다. 프란체스코 성자가 가난과 고행을 자처했던 것도 그런 이유에서였을 것이다.

공감은 현대 정신분석의나 심리상담가에게 절대적으로 필요한 기본 자질이며 전제 조건이라고 한다. 공감은 '환자의 내부 경험에 일관되게 초점을 맞추는 것'을 의미한다. 한 정신과 전문의는 가끔 대학에 특강을 나가는데 어떤 학생들은 이렇게 질문한다고 한다.

"대체 그 사람들은 아무것도 아닌 일을 가지고 왜들 그렇게 요란을 떠는 거죠?"

그 학생은 사람들이 아무 일도 없이 우울해하고, 근거 없이 자기를 비하하고, 특정한 사물에 대해 예민하게 반응하는 것을 이해하지 못하는 것이다. 그럴 때 그 전문의는 "빨리 연애해서 실연이라도 당해 보라."고 충고한다고 한다.

공감 능력은 인간 감정의 다채로운 영역에 대해 세밀하게 체험한 위에서 획득되는 능력일 것이다. 내 속에 억압되어 있는 분노에 대한 이해가 없다면 타인의 분노에 대해서도 헤아려 볼 수 없다. 내 마음의 얼룩덜룩하고 울퉁불퉁한 면들을 인정하고 수용할 수 있어야만 타인의 그런 감정에 대해서도 공감하고 이해할 수 있을 것이다. "상처 입은 자가 치유한다."는 델포이 신전의 신탁은 모든 종교 지도자나 신화 속 주인공이 왜 반드시 고난과 순교의 시간을 뚫고 나가야 하는지를 설명하는 정확한 명제일 것이다.

공감 능력의 결여에 대한 또 한 가지 사례를 들은 적이 있다. 한 초등학생이 친구 부모가 이혼하게 되었다는 이야기를 전하면서 이렇게 덧붙이더라고 했다.

"영수는 자기네 엄마 아빠가 이혼한다는데 왜 자기가 그렇게 난리를 치지?"

그 초등학생은 친구의 불안이나 고통에 공감할 만한 경험이나 감정을 가지고 있지 못한 것이다.

공감 능력이 가장 둔한 부류는 나르시시스트라고 기록된 글을 본 적이 있다. 그럴 것도 같았다. 항상 자기만 옳고, 자기 방식만 주장하고, 나를 따르라는 식으로 행동하고……. 그런 이들은 타인과 소통하지 못한 채 타인을 자기 욕구를 해결하는 수단으로 사용할 뿐이다.

미켈란젤로와 카라바조를 본 것만으로도 여행에서 얻을 수 있는 것의 반을 얻었다고 말한 적이 있다. 카라바조에 대해 그랬던 것처럼 미켈란젤로에 대해서도 그의 작품을 되도록 빼놓지 않고 보려 했다. 그의 회화 작품인 '성 가족'에서는 어린 나이에 귀족

가문의 화공으로 팔려간 미켈란젤로가 꿈꾸었을 가족의 환상을 보는 듯했다. '천지창조'나 '최후의 심판'은 그가 인식하는 모든 세상을 압축해 놓은 것 같았다.

그의 조각 작품 중 남성미의 극치를 보여 준다는 '다비드상'이나 권위와 위엄이 절로 느껴진다는 '모세상'도 아름다웠지만 내 발길이 오래 머문 작품은 '노예상'들이었다. 그 노예상들은 귀족들의 무덤에 장식되던 조각상들이라고 했다. '배고픈 노예', '노예 아틀라스', '잠깬 노예' 등의 제목이 붙어 있는 그 작품들은 눈길이 닿는 순간 곧바로 생의 어떤 조건들과 맞닥뜨리는 듯한 느낌을 주었고, 그 직설적인 감정의 충격에 놀라 꼼짝도 할 수 없었다. 그 작품들에는 교황이나 귀족 가문을 위해 작품을 제작해야 했던 미켈란젤로의 자의식이 표현되어 있는 게 틀림없어 보였다.

그런 면에서 네 점의 '피에타'도 특별했다. '피에타' 가운데 가장 널리 알려진 작품은 바티칸의 베드로 성당에 소장되어 있는 작품이다. 성모 마리아가 죽은 예수를 무릎 위에 눕혀 놓고 오른팔로 어깨를 받치고 있는 형상의 조각 작품이다. 간혹 특별한 상상력을 가진 사람들은 예수보다 마리아가 더 젊고 아름다워 보인다는 사실을 지적하면서, 예수상에 미켈란젤로 자신이 투사되어 있다면 그 성모는 틀림없이 미켈란젤로가 사랑했던 여인이었을 거라고 추측한다.

내게 그것보다 더 인상적인 것은 미켈란젤로가 스물다섯 살 때 첫 번째 '피에타'를 제작한 후 노년에 이르러 다시 그 주제를 잡고 세 점의 '피에타'를 제작했다는 점이다. 죽은 예수를 안아 일으키는 성모 마리아. 그 모티브를 잊지 않고 있다가 노년에 이르러 반복해서 형상화한 노화가의 마음 깊은 곳을 더듬어 보는 일은 특별했다.

네 점의 '피에타'에서 예수의 모습은 점차 달라진다. 첫 작품에서는 성모의 무릎에 누워 있던 예수가 그 다음 작품에서는 무릎이 꺾인 자세로 부축된 채 반쯤 서 있고, 가장 마지막 작품에서는 두 다리를 거의 편 자세로 마리아와 똑같은 키 높이로 서 있다. 아마도 그것은 미켈란젤로가 어머니, 연인으로 이어지는 여성들과 맺어온 관계에 대한 자신의 이미지를 표출하고 있는 게 아닐까 싶었다.

그런 눈으로 보면 마리아의 모습이 달라지는 것도 감지된다. 첫 작품의 마리아는 딱 스물다섯 살짜리 처녀처럼 예쁘기만 한 모습이다. 그 처녀는 자신이 느끼는 감정이 무엇인지 잘 모르는 듯한 표정이다. 시간이 갈수록 마리아의 표정은 편안하고 부드러워지면서 연민과 슬픔의 감정들이 세밀하게 살아난다. 특히 밀라노 '피에타'의 마리아는 생의 모든 국면들을 한데 모아 두터운 솥에서 오래 끓였을 때 마지막에 남는 것이 무엇인지 아는 자의 표정을 하고 있다. 아마도 미켈란젤로가 그때쯤에야 여성의 진정한 내면과 닿았던 게 아닐까 싶었다.

미켈란젤로의 작품도 카라바조처럼 누가 일러 주지 않아도 금방 알아볼 수 있을 만큼 독특한 분위기를 갖고 있었다. 그의 작품에는 절연한 곡선이 흐르고 있었고, 그 곡선의 선마다에서는 묘한 감정의 기류들이 전해지곤 했다. 온기와 피가 흐르는 듯한 생생함이라는 표현만으로는 부족한, 미묘하고 다채로운 인간의 감정들이 그 대리석에서 솟아나곤 했다. 그의 모든 작품에 '피에타'라는 제목을 붙여도 무방하겠구나 싶었고, 바로 그 '피에타'의 마음이 공감이구나 싶었다.

공감은 18세기 미학에서도 중요한 개념이었다고 한다. 예술 작품에서 받는 감동이란 그 작품을 만든 사람의 마음과 공감하는 순간의 상태일 것이다. 보는 사람으로 하여금 그것을 창조한 사람의 마음에 곧바로 감응하게 만드는 힘, 그것도 시공을 뛰어넘어 모든 사람의 마음속으로 스며드는 강력한 힘의 비밀이 '공감'일 것이다. "한 인간이 가질 수 있는 공감 역량은 유아가 아직 말을 하기 이전에, 엄마와 아기 사이에 발생하는 상호작용과 관련되어 있는 것으로 간주된다."고도 한다. 공감은 전 의식적으로, 조용하게, 그리고 자동적으로 일어난다는 것이다.

오래전부터 예술 작품을 대하는 나의 기준은 '감동'이었다. 선입견이나 편견 없이 어떤 작품을 대할 때 내면에서 올라오는 울림을 느끼는 것을 좋아했다. 그 울림이 심장이나 두뇌의 어떤 부분을 자극하고, 그 자극이 감정과 신체에 어떤 파장을 만들 때, 그 떨림을 세밀하게 느껴 보는 것이 내가 예술 작품을 감상하는 방식이었다. 바로 그 떨림의 지점에서 공감 작용이 일어나고 있었을 것이다. 어떤 그림 앞에서 놀란 듯 걸음을 멈출 때, 내면에서 올라오는 떨림을 느끼며 한 작품 앞에 오래 서 있을 때, 그런 때는 또한 무의식의 어느 지점과 조응하고 있을 것이다.

강렬한 공감을 이끌어 낸 많은 작품이 있었지만 그중 특히 인상적인 것은 오클랜드 미술관에서 본 회화 작품이었다. 처음 봤을 때 받은 인상이 하도 강해서 그 근처를 지날 때면 수시로 들러서 그 작품을 보곤 했다. 그때 사용했던 수첩에는 작품에 대한 정보는 없고 다만 당시의 인상만이 간단하게 메모되어 있다.

"불길한 붉은 석양이 퍼지고 벌써 달이 떠올랐다. 해가 지는 쪽을 향해 배 위에 앉은 다섯 여인. 절망적으로 보이는 상황 속에서 서로 다르게 반응하는 다섯 여인의 태도가 인상적이다. 손으로 얼굴을 가린 채 울부짖는 여인이 있고, 수평선 끝을 향해 아주 멀리까지 시선을 밀어내는 여인이 있고, 수긋한 태도로 간절히 기도하는 여인이 있다. 그 상황에서도 빼어나게 단정한 자세, 의연한 눈빛을 허공에 두고 있는 여인이 있고, 발치에 앉은 개를 쓰다듬는 여인이 있다. 여인들은 모두 옆모습을 보이고 있고, 화면 앞쪽에는 아무것도 모르는 개 한 마리가 천연덕스럽게 엎드려 있다. 털에 더러운 먼지가 많이 묻은 개는 지쳐 보이기도 한다. 화면 위쪽에서부터 덮이는 어둠이 벌써 그녀들의 어깨까지 내려와 있다."

처음에는 그림 속의 다섯 여성에게서 이 세상을 살아가는 여성들의 서로 다른 태도를 본다고 느꼈던 것 같다. 그 여성들의 모습을 보고 있으면 그들 가운데 아테나, 헤라, 아르테미스, 데메테르, 페르세포네가 있었고 그들이 세상을 대하는 방식이 보였다. 여러 차례 그림을 마주하던 어느 순간, 내가 저 그림을 통해 나의 내면을 보고 있었구나 싶은 깨달음이 왔다. 무엇보다 먼저 그 배가 좌초된 게 틀림없다고 믿는 나의 불안감을 보았을 것이다. 다음으로는 배 위의 여성들이 나의 내면에 깃들어 있는 서로 다른 여러 자아들에 가까워 보였다. 나중에는 내 안에 있는 아테나, 헤라, 아르테미스, 데메테르, 페르세포네를 더 명료히 자각하고 공감하는 마음으로 그 그림을 보고 또 보았을 것이다.

인간 심리와 행위의 배면에 대해 어설프게 이해하기 시작하던 초기에는 한동안 그런 고민을 했다. 친절은 궁극적으로 자신의 이익에 필요한 행동일 뿐이고, 칭찬은 소극적 시기심이거나 타인을 자기 마음대로 조종하려는 방어 의식이고, 연민이란 타인을 가엾게 여기는 우월감의 표현이며, 선행이란 불확실한 시대를 살아가는 사회적 보험 상품일 뿐이며, 그런 것들이 사실이라면 대체 타인과 어떤 방식으로 소통하고 관계 맺어야 하는 것일까. 그런 고민 끝에 만난 단어가 공감이었다.

공감은 연민이나 동감과도 구분되는 감정이라고 한다. 연민은 자신이 상대방보다 우월하다는 의식을 전제로 한 감정이고, 동감은 객관적 태도를 잃고 상대방에게 휩쓸리기 쉬운 감정이다. 반면 공감은 중립적이고 비판단적인 태도로 상대방의 내면을 고스란히 함께 느끼는 것이라 한다. 한 인간의 비통, 애착, 공포, 분노, 그리하여 인간이 그토록 나약하고 불완전한 존재라는 사실을 마음 깊은 곳으로부터 느끼는 상태이다. 인정과 지지 역시 공감이 전제

되어야 실천할 수 있는 삶의 덕목일 것이다.

"자기 마음에 고요히 머물러 본 경험이 있는 사람은 타인의 마음에도 잠시 머물 수 있다."

어디서 읽고 옮겨 놓은 건지 모르는 이 구절이 메모지 한켠에 있었다. 타인을 이해하고 관대하게 대하고자 마음먹을 때 우리가 사용하는 관용구 '그 사람도 알고 보면 불쌍한 사람이다.'라는 표현 역시 타인에 대한 연민이 아니라 공감의 상태를 지칭한다. 인간의 부정적 속성에도 불구하고 위대하고 힘겨운 긍정의 태도를 견지할 수 있는 것은 우리 자신이 모두 그러하다는 자각과 그 자각을 바탕으로 하는 공감에서 나오는 게 아닌가 싶다.

절망 속에서도 전진할 수 있는 능력

용 기

여행을 준비할 때 꼭 가 봐야겠다고 다짐한 곳 중에 하드리아누스 황제의 겨울 별장이 있었다. 프랑스 여성 작가 유르스나르의 《하드리아누스 황제의 회상록》이라는 소설을 읽고 어떤 환상을 품게 되었을 것이다. '죽음의 옆모습이 보이기 시작한다.'라는 매혹적인 문장이 들어 있는 그 소설은 한 사람의 삶을 회고조로 진술하고 있는데 관조와 통찰이 묻어나는 문체가 특히 인상적이었다. 더구나 그 황제가 예술과 우주의 비밀에 관심이 많아 로마의 판테온 신전과 산탄젤로 성당을 지었고, 전 세계에서 수집해 온 문화재들을 그 별장에 보관해 두었다는 사실도 매혹적이었을 것이다.

그 별장은 로마 동남쪽 티볼리라는 작은 도시에 있다고 했다. 로마에서 티볼리까지는 우리식으로 말하면 경의선 국철 같은 기차가 다니고 있었다. 기차가 출발하는 역도 테르미니 역이 아니라 우리식으로 말하면 청량리역쯤에서 타게 되어 있었다. 역을 한 번 더듬거린 후에야 기차를 탔는데 객차가 단 세 량 달린 기차였다. 출퇴근 시간에는 어떨지 모르지만 열한 시 무렵의 기차는 텅 비어 있어 내가 탄 칸에는 저만큼 앉은 청년과 내가 승객의 전부였다. 그런 때는 거의 본능적으로 안전을 향해 움직이는 감각이 발동하는 것 같았다. 나는 다음 객차로 건너가 그곳에 드문드문 앉아 있는 대여섯 명의 승객 가운데 가장 평온한 얼굴을 하고 있는 노부부 옆으로 자리를 옮겼다.

눈인사를 나눈 후 그들은 자주 내게 시선을 던졌지만 처음에는 말을 붙이지는 않았다. 차창 밖으로는 야산과 수풀들이 지나가고 노부부는 하염없이 소곤소곤 이야기를 나누었다. 그러나 얼마 지나지 않아 기어이 이탈리아어로 말을 걸어왔고, 나는 그들이 뭐라고 묻는지 알아듣지도 못한 채 내가 가고자 하는 지명을 말했다. 그들은 내게 무슨 설명인가를 자상하게 들려주었고 나는 웃음 띤 얼굴로 고개를 끄덕였다. 그들 눈에는 동양인 여성이 혼자 이탈리아 시골 마을을 찾아가는 것이 신기해 보였던 모양이다. 그들은 내가 내릴 역보다 한 정거장 먼저 내리면서 다음 역에서 내리면 된다는 뜻으로 짐작되는 말을 길게 남겼다. 나는 또 고맙다고 말했다.

그 역도 황제의 별장도 산의 팔 부 능선쯤에 있었다. 역에서 얼마 떨어지지 않은 곳에 있는 그 별장은 상상했던 것과 거리가 있었다. 아마도 나는 소박하고 안온하고 신비로운 어떤 건축물을 상상했을 것이다. 그러나 산비탈 지형에 얹힌 건물은 전체적으로 어수선하고 불안정해 보였고, 내부로 들어가면 어딘지 폐쇄적인 이미지를 풍겼다. 예전에 보관되어 있었을 문화재와 유적들은 모두 박물관으로 옮겨 가고 텅 빈 건물에는 몇 점의 프레스코 벽화만 남아 있었다. 그 별장이 높은 곳에 서서 서민들이 사는 저 아래 계곡 마을을 까마득히 먼눈으로 굽어보고 있는 점도 마음에 들지 않았다.

한 가지 인상적인 것은 무수한 물줄기를 쉴 새 없이 뿜어내는 정원의 분수였다. 그 분수는 저 아래 강에서 물을 끌어올려 다시 아래로 흐르도록 하면서 그 과정에서 자연적으로 물이 솟구치도록 설계된 것이라고 했다. 아무런 동력의 도움 없이, 자연의 힘만으로 그 거대한 분수가 작동된다는 사실이 믿기지 않았다. 과연 로마 건축술의 백미라 할 만했다.

황제의 별장을 보고 역으로 돌아갔을 때는 두 시 무렵이었다. 기차는 세 시간 후에나 온다고 되어 있었다. 내가 예상하지 못한 것은 역 주변에 달랑 별장 외에는 아무것도 없다는 점이었다. 그렇다고 해서 세 시간을 그 작은 기차역에 죽치고 있을 수는 없어 일단 역 바깥으로 나와 마을로 내려가는 길을 따라 걷기 시작했다. 한 시간 남짓 걸어가면서 야산을 둘러본 후 되짚어 돌아오면 로마로 돌아가는 열차 시각에 맞출 수 있을 것 같았다.

숨을 크게 들이쉬고 발걸음을 되도록 크게 하며 그 길을 걸었을 것이다. 외딴 산길로 들어서자 내면에서 다시 두려움이 올라오기 시작했다. 산비탈을 따라 조성된 길은 왕복 2차선 포장도로였고 인도가 따로 있는 것은 아니었다. 그 길과 황제의 별장을 제외한 나머지 공간은 그냥 키 작은 잡목과 잡초들이 자라는 거친 돌산이었다. 낯선 산길을 혼자 걷고 있자니 점점 더 무서워졌다. 그렇다고 포기하고 돌아갈 수는 없었다. 지나가는 택시가 한 번, 오토바이가 한 번 곁에서 멈춰 서서 태워 주겠다는 의사를 보였지만 그런 것을 함부로 타기에는 너무 겁이 많았다.

내면에서 점점 커지는 두려움을 안은 채 걷다가 어느 순간, 고인 물이 흘러넘치듯 두려움이 제 풀에 툭 터져 나가는 지점을 만났다. 그 지점에서 어떤 심리적 기제가 발동했는지는 잘 알 수 없지만 두려움과 긴장으로 응축되어 있던 마음이 제 풀에 풀어지는 것을 느낄 수 있다. 그렇게 내면의 어려움을 넘어서고 나면 바로 그 두려움만 한 크기의 해방감 같은 것, 긴장감만 한 크기의 광활한 마음이 깃들곤 했다. 그런 것에 대한 기대나 확신이 있기 때문에 매번 두려움 속에서도 한 발씩 앞으로 내디딜 수 있었던 게 아닌가 싶다.

그 산길 끝에는 제법 큰 마을이 있었고, 거기서는 로마를 오가는 시외버스가 20분 정도의 간격으로 있었다. 편한 교통수단, 또 다른 풍경을 만날 수 있었던 것도 산길을 걸어 낸 용기 덕분이었을 것이다.

여행하면서 만나는 사람들로부터 받는 첫 번째 질문은 "어느 나라에서 왔느냐?"는 것이다. 그 다음에 한국인들에게서만 듣게 되는 두 번째 질문이 있는데 그것은 "혼자 여행 중이냐?"는 것이다. 그렇다고 대답하면 따라오는 반응이 두 가지였다. "참 용기 있으시네요." 혹은 "외롭지 않으세요?"

용기 있다는 말을 들을 때마다 마음이 불편해지곤 했다. 평생에 걸쳐 나는 한 번도 자신이 용기 있다고 생각해 본 적이 없었기 때문이다. 오히려 그 반대였다. 대충 겁쟁이로 살아왔고, 우유부단했고, 수시로 좌절의 느낌을 디디며 걸었다. '용기'에 대해, 여행을 추진시킨 내면의 힘에 대해 생각해 보게 된 것은 그래서였다.

사실 내 여행의 본질은 현실의 고통으로부터 도망치는 회피 방어기제에 더 가까웠다. 어리석음을 닮은 단순함, 현실 감각이 결여된 무모함, 둔감함에 더 가까워 보이는 초연함, 그런 요소도 깃들어 있었다. 그 여행을 일상 속에서 추진시킨 힘이 있다면 그것은 용기가 아니라 호기심이었을 것이다.

낯선 도시에 도착해 지도를 펼쳐 들면 가 보고 싶은 곳이 너무 많아 가슴이 두근거렸다. 지도를 몇 등분으로 분할해 놓고 하루에

한 구역씩, 그곳에 있는 박물관이나 유적지를 관람할 때면 시간이 부족해 그냥 지나쳐야 하는 것들이 안타까웠다. 영어 속담에 "호기심은 고양이도 죽인다."는 말이 있는데 나는 그 속담의 강렬함을 몸으로 느낄 수 있을 정도였다.

호기심 때문에 길을 잃거나 밀실에 갇힐 뻔한 적도 있었다. 엉뚱한 곳으로 들어갔다가 잠깐씩 길을 잃는 일이야 수시로 있었고 나중에는 그 일을 즐기게 되었지만 처음 길을 잃었을 때는 등줄기가 서늘해지도록 무서웠다. 지금도 가장 처음 길을 잃었던 로마의 어느 골목이 강렬한 인상으로 남아 있다. 거리를 서성이던 노인들, 벽의 낙서와 쓰레기들, 지하 가구 공장과 장년의 노동자들……. 그리고 삶 가까이 다가간 듯한 느낌이 있었다.

밀실에 갇힐 뻔한 경험은 바티칸 박물관에서 있었다. 그 성당의 관람 코스를 이리저리 따라가다가 사람들이 별로 없는 쪽으로 들어가게 되었는데 그런 방을 몇 개 지난 다음 정신을 차리고 보니 외부로 나가는 길을 찾을 수 없었다. 박물관 폐관 시간이 가까워져 더욱 난감해하고 있을 때 나와 같은 입장인 듯한 여성 한 명이 저쪽에서 걸어왔다. 우리는 반쯤 웃으며, 반쯤 곤란한 표정을 지으며 함께 문을 찾으러 다녔다. 마침 마지막으로 전시실들을 점검하는 관리인이 나타나 우리에게 출구를 안내해 주지 않았다면 아마도 그곳에 갇혀 밤을 보냈을지도 모른다.

가끔은 이 지독한 호기심 역시 일종의 병적 증상이 아닌가 의심하곤 했다. 발달 단계에서 호기심은 두세 살 무렵에 가장 왕성하게 발현된다고 한다. 그 시기의 아기는 오감을 동원해 눈에 보이는 모든 것을 인식하고, 세상을 탐험하기 위해 한사코 집 밖으로 나가고자 한다. 전문가들은 유아의 그런 호기심을 "세상과 사랑에 빠졌다."고 표현한다. 나의 지나친 호기심 역시 그 시기의 트라우마에서 비롯되는 게 아닌가 싶었다. 내면에 성장을 멈춘 두세 살짜리 아기가 있어 여전히 세상을 탐험하러 나가고자 하는 게 아닌가 하는.

호기심과 두려움이 버무려져 만들어진 나만의 여행 방식에 '버스 타고 한 바퀴'라 부르던 것이 있다. 낯선 도시의 지도와 대중교통 노선표를 나란히 펼쳐 놓고 그 도시를 가장 크게, 골고루 돌아오는 노선 하나를 골라낸다. 그런 다음 버스나 전차를 타고 앉아 종점까지 갔다 오면서 그 도시를 한 바퀴 둘러보는 방식이었다. 그렇게 앉아 있으면 두려움 없이 도시 전경을 볼 수 있을 뿐 아니라 한 도시의 모습을 총체적으로 조망할 수 있었다. 그 도시가 전체적으로 어떤 이미지를 가지고 있는지, 현지인들의 주거 형태와 조경과 상점 간판들의 특색은 어떤지…….

눈부시게 흰 건물들과 그 사이에서 휘날리던 흰 빨래들이 그림 같았던 나폴리, 부드럽고 푸른 구릉들이 파도처럼 밀려들던 토스카나 지방, 서베를린을 출발해서 동베를린을 한 바퀴 돌아오는 버스 투어가 가슴에 깊이 새겨져 있다. 무슨 기념일이라면서 차비를 받지 않기에 버스를 타고 한 바퀴 돌고 온 후 반대 방향으로 가는 버스를 타고 또 한 바퀴 돌았던 니스, 개척 시대 가건물을 보는 듯한 목조 가옥들이 늘어서 있는 오클랜드 주택가, 왼쪽으로는 '핑팡'이라 불리는 낙후된 공동 주택단지와 오른쪽으로는 거대한 현대식 고층 건물이 나란히 달리는 베이징의 버스 투어도 인상적이었다.

오래도록 '용기'란 두려움이나 저어하는 마음 없이 용감하고 씩씩하게 어떤 일을 해 나가는 힘을 뜻하는 줄 알았다. 그런데 롤로 메이의 《창조와 용기》라는 책을 읽다가 용기를 '절망 속에서도 전진할 수 있는 능력'이라고 정의해 둔 구절을 만났다. 그 구절을 읽는 순간 처음으로, 그렇다면 내게도 용기가 있었구나 하는 마음이 들었다. 두려움을 참으며 낯선 여행지를 걸어 나갈 때, 좌절감을 안은 채 어떤 일을 해낼 때 온몸에 힘이 들어가도록 애쓰던 그 느낌이 바로 용기였구나 싶었다.

"용기 있으시네요."라는 말 때문에 용기에 대해 생각하게 된 것처럼, "혼자 여행하세요?"라는 질문 때문에 혼자 여행한다는 사실에 대해서도 생각해 보게 되었다. 이십 대부터 혼자 여행하는 것을 즐겼기 때문에 내게는 '혼자 여행하기'에 대한 자의식이 없었다. 더구나 오래전부터 나는 혼자 하는 일과 다른 사람과 함께 하는 일을 명료하게 구분해 놓고 있었다. 여행을 비롯해 영화 보기, 산책 등은 되도록 혼자 하려 한다. 혼자 해야만 그 행위 속으로, 그 행위 속에 있는 자신의 내면으로 더 잘 들어갈 수 있다고 믿는다. 옆에 누군가가 있으면 여행이나 등산 행위보다 상대방에 더 집중하게 되기 때문에 그런 시간은 그저 친구와 만나는 시간으로 여겨 왔다.

'혼자 여행하기'에 대해 생각하게 되었을 때 가장 먼저 눈에 띈 것은 의외로 많은 사람이 혼자 여행 중이라는 것이었다. 혼자 여행하는 사람은 뜻밖에도 남성보다 여성이 더 많았고 그들은 혼자 어떤 일을 할 때의 충만함에 대해 아는 것 같은 표정을 짓고 있었다.

로마의 테르미니 역 앞 공원에서는 혼자 여행 중인 젊은 여성이 점심 식사 하는 광경을 본 일이 있었다. 그녀는 공원 벤치에서 점심을 때우면서도 에피타이저인 스낵, 메인 디시인 샌드위치, 디저트인 커피까지 음미하듯 천천히 먹었다. 마지막으로 사과 한 알을 꺼내 껍질째 씹어 먹으며 식사 코스를 마무리한 다음 배낭을 베고 누워 30분쯤 휴식을 취했다. 나는 그녀 맞은편 벤치에 앉아 그녀가 일련의 점심 식사를 마칠 때까지 그녀를 지켜보았다.

니스에서는 혼자 배낭여행 중인 일본인 청년이 공원 수돗가에서 양치질과 세수를 하고 티셔츠를 갈아입는 장면을 보았다. 옆에서 손을 씻는 나와 시선이 마주치자 그는 전날 밤 공원에서 잤다고 말하면서 씨익 웃었다. 타히티의 오레아 섬에서는 혼자 여행 중인 일본인 여성이 인상적이었다. 이십 대 중반쯤으로 보이는 그녀는 내 숙소에서 대각선으로 건너다보이는 방갈로에 묵고 있었는데 낮 동안 해변에 비스듬히 누워서 책을 읽다가, 바닷물에 들어가 수영을 하다가 했다. 저녁의 바비큐 파티에서는 혼자 식사를 하고 배꼽춤을 가르치는 강사 옆에 웃으며 서 있었다. 그녀는 나와 마주치면 눈인사를 나누었지만 결코 내게 말을 걸지는 않았다.

혼자 여행하는 사람들의 특성 중에는 함부로 타인에게 말을 걸지 않는다는 공통점이 있는 듯했다. 그들은 자신의 내면 깊숙한 곳과 닿아 있으며, 그 깊은 곳에서 나온 독특한 감성으로 세상을 느끼고 싶어 하는 듯했으며, 그 감성과 느낌을 항상적인 상태로 유지하고 싶어 하는 것 같았다. 혼자 여행하는 이들은 또한 바삐 이동하기보다는 한자리에 가만히 머무는 것을 좋아하는 것 같았다. 아니, 한자리에 조용히 오래 머무는 사람들을 보면 대체로 혼자 여행하는 이들이었다. 그들은 박물관 계단이나 유적지 그늘에, 공원 벤치나 길가 풀섶에, 어디든 마음 내키는 곳에 머무르곤 했다. 그런 때 그들은 의식과 감각의 어느 지점에 샛길이 열리고, 그 샛길을 따라 한없이 걸어 들어가 세상을 잊은 지점에 도달해 있는 게 아닌가 싶었다.

'혼자 있다'라는 말이 거느리는 이미지나 울림은 그 진폭이 상당히 크다. 고독을 잘 이겨 내는 강인한 인성의 소유자라는 의미부터 외롭고 청승맞은 사람이라는 인상까지, 세속을 벗어난 독야청청한 수행자의 이미지부터 세상의 흐름에서 소외된 인물이라는 이미지까지. 아마 '혼자 있다'는 말에는 두 가지 측면이 다 존재할 것이다.

'혼자 있기'의 병리적 측면은 '세상으로부터 스스로를 격리시키는 극단적 방어 의식, 또는 분노의 표현'일 수 있다. 상처 입은 동물은 산의 가장 후미진 곳을 찾아가 조용히 웅크리고 있는다. '혼자 있기'의 건강한 측면은 독립된 인격체로서 분리와 개별화가 성공적으로 이루어진 상태를 말한다. 누구에게도 의존하지 않은 채 충만함 속에서 혼자 있을 수 있는 능력, 그것은 정신 건강의 중요한 척도라고 한다.

롤로 메이는 생의 각 국면에서 여러 종류의 용기가 필요하다고 말한다. 홀로 존재하는 용기, 자신의 내면과 직면하는 용기, 선이나 도덕을 지키는 용기, 신체의 힘을 잘 사용하는 용기, 창조하는 용기, 그 결과에 대한 피드백을 감정의 동요 없이 수용할 수 있는 용기. 그는 어떠한 용기든 남에게 보여 주기 위한 것은 모두 그 사람의 무의식적 공포를 감추기 위해 사용되는 단순한 허세라고 말한다. 용기가 없다면 사랑은 단순한 의존 상태가 되고 용기가 없다면 충성심은 획일주의가 되고 만다. 용기는 일체의 정신적인 덕을 가능하게 하는 전제 조건이다.

세상을 보는 시각과 삶의 방식 수정하기

변 화

뉴질랜드의 네이피어라는 도시를 출발해 오클랜드로 가는 버스에서였다. 출발할 때부터 얼굴에 잔주름이 가득하고 깡마른 버스 기사는 눈에 띄게 서두르면서 운전을 했다. 자동차가 왼쪽이나 오른쪽 방향 지시등을 넣을 때마다 삐삐삐 단속적인 경보음이 울리는 것도 이상했고, 버스 옆에 별표(뉴질랜드 버스는 호텔처럼 출입구 옆에 별표를 붙여 등급을 매겨 놓고 있었다)가 없는 것도 좀 다르구나 싶었다. 관광객이 많은 시기에 잠시 증편하는 임시 버스인 것 같았다. 버스가 평지를 벗어나 산길을 오르기 시작하면서부터 힘들어하는 기색이 내게까지 전달되었다. 아니나 다를까, 거의 산꼭대기에 이르러 고장 난 채 멈추어 서고 말았다. 출발한 지 한 시간쯤 지나서였다.

버스 앞쪽에서 흰 연기가 피어오르고 승객들이 하나 둘 차에서 내리기 시작했다. 운전기사는 내리는 손님들을 향해 자동차가 고장이라고 말한 후 회사에 연락을 취했다. 그는 사고 상황을 보고하며 아침에 점검했다, 그때는 아무 이상 없었다고 해명했다. 버스에서 내린 승객들은 연기가 새어 나오는 버스 바퀴 밑을 들여다보거나 길가에 주저앉아 휴식을 취했다.

무전 연락을 마친 버스 기사가 차에서 내렸을 때 몇몇 승객들이 그에게 자동차의 상황에 대해 물었다. 버스 기사는 곧 기술자가 올 거라고 대답했고 그것이 전부였다. 그 후로는 아무도 고장 난 버스에 대해 관심을 보이지 않았다. 승객들은 저마다 버스 주변에 흩어져서 자신들의 일거리에 몰두하고 있었다. 젊은이들은 휴대용 CD 플레이어로 음악을 듣고, 어린아이들은 휴대용 전자 오락기로 게임을 했고, 노년층은 어김없이 크로스 워드 퍼즐을 풀기 시작했다. 버스에서 처음 만난 것으로 보이는 남녀 배낭여행객 둘은 저마다의 지난 여행에 대해 이야기하며 정보를 주고받고 있었다. 중장년 남성 몇은 버스 기사와 함께 둘러서서 이야기를 나누고 있었는데 그들의 화제는 그즈음 뉴질랜드에서 열리고 있는 아메리칸스컵 요트 대회에 대한 것이었다.

버스가 멈춰선 지 한 시간쯤 지난 후 승용차 한 대가 버스 옆에 와서 섰다. 승용차에서 기술자 복장의 사내가 내렸다. 그는 운전석에 앉아 계기판을 점검해 보고, 버스 밑으로 들어가 거기도 살펴보고, 뒤쪽 짐칸을 열고 그 안에도 들어가 보고 하면서 20분쯤을 보낸 다음 마지막으로 고개를 가로저었다.

그가 본사와 무전 연락을 취한 후 자동차를 타고 돌아간 후 맑던 하늘에 빠른 속도로 검은 구름이 덮이기 시작했다. 살갗에 닿는 바람에서 습기가 느껴지더니 기어이 빗방울이 떨어졌다. 버스 밖에서 기다리던 승객들은 모두 버스 안으로 들어갔다.

다시 한 시간을 더 기다려 새로운 버스가 나타날 때까지 버스에 탄 승객들은 조용히, 타인의 휴식을 방해하지 않기로 결심한 사람들처럼 조용히 앉아 있었다. 그 고요한 기다림의 장면은 낯선 영화 같았다. 그동안 살면서 우리나라에서 버스가 고장 났을 때 보아 온 승객들의 반응에는 틀림없이 분명한 패턴이 있었다. 누구를 향한 것인지 알 수 없는 분노, 초조와 신경질이 묻어나는 항의, 다급하게 해결책을 요구하는 닦달 등이 터져 나오는 게 일반적이었다. 그러나 그 버스의 승객들은 단 한 사람도 상황을 재촉하거나 다급한 질문을 퍼붓지 않았다. 새로운 버스가 도착해 승객들이 옮겨 타고, 두 버스의 기사와 남성 몇몇이 짐칸의 여행 가방을 모두 옮겨 실을 때도 느긋하고 편안한 태도 그대로였다.

승객의 태도만큼 놀라웠던 또 한 가지 사실은 버스 회사가 그 상황에 유연하게 대처해서 모든 승객을 늦지 않게 목적지에 데려다 주었다는 점이었다. 버스는 경유지를 몇 군데 빼먹으면서 목적지를 향해 곧바로 달렸고, 중간 경유지로 가는 승객들에게는 따로 차를 배정해 불편이 없도록 했다.

그 버스 속에서 아주 많은 생각을 하게 되었을 것이다. 승객들이 여유 있었던 것은 버스 회사에 대한 믿음 때문이었을지도 몰랐다. 비록 버스가 고장 나긴 했어도 목적지에 도착하는 데 불편은 없을 거라는 사회적 믿음이 그들 내부에 존재했을 것 같았다. 그보다 더 중요한 것은 삶을 대하는 기본 개념에서 차이가 나는 게 아닌가 싶었다. 우리의 다급하고 초조한 빨리빨리 문화와 저들의 소박하고 목가적인 삶의 차이 같은 것.

뉴질랜드에서 10년 가까이 산 선배는 이런 말을 했다.

"이 나라는 참 달라. 스타가 지나가도 우리나라처럼 열광하지 않고 그냥 데면데면하게 지나쳐."

스타에 열광하는 마음은 나르시시즘과 선망이 결합된 심리이며, 그 감정의 뒷면에는 비하감과 결핍감이 있을 것이다. 그렇다면 스타가 지나가도 데면데면 바라볼 뿐인 저들의 태도에는 자기존중감과 개인주의적인 충만감이 있는 게 아닐까 짐작되었다. 그들 나라와 우리나라의 차이가 짚이는 것처럼, 나의 내면에서 그동안 내 삶을 추진시켜 온 힘이 무엇인지도 더 잘 알아차릴 수 있었다.

오래도록 나 역시 결핍감을 추진력으로 하여 살아왔을 것이다. 그 결핍감을 메우려는 욕망을 마음의 동력 장치로 삼아 현실적인 무엇인가를 성취해 왔다. 질투는 나의 힘, 분노는 나의 에너지, 콤플렉스는 나의 추진력. 다 맞는 말이었을 것이다. 게다가 인정받고자 하는 욕망, 나르시시즘적 자기 이미지를 유지하기 위한 욕구, 일상의 어려움이나 심리적 고통으로부터 멀리 떠나고자 하는 방어 의식. 그 모든 것이 뒤섞여 내 삶을 이끌어 온 게 틀림없었다.

삶이 막다른 곳에 부딪친 이유도 거기 있었을 것이다. 모든 정신 에너지는 양날의 칼이기에 외부로 나아가는 만큼 내면으로도 향하여 알게 모르게 나 자신에게 해를 끼쳤을 것이다. 감정을 무겁게 짓누르고, 정서의 생기를 빼앗고, 창조성을 억압했을 것이다. 그랬기에 아무리 성취해도 만족감이 없었고, 이유 없이 몸이 아팠고, 어쩐지 삶이 자꾸만 퇴보하는 듯한 느낌을 받았을 것이다. 생의 에너지와 추진력이 되어 주었던 바로 그 힘들에 의해 몸과 마음이 무너지게 되었을 것이다.

고장 난 버스에서 두 시간 이상을 기다리면서, 새 버스로 옮겨 타고 오클랜드로 가는 네 시간 동안 아주 많은 것을 생각했다. 내가 살아온 힘이 무엇이었는지를 깨달은 것처럼 생에 대해 가지고 있던 오해들도 한 줄로 꿰듯 정리되었다. 평생에 걸쳐 꿈꾸어 온 '삶이 안정되면……'이라는 욕망은 내 불안감이 만들어 낸 환상이었다. '생의 구체성을 만지고 싶다.'는 욕망은 우울증의 한 증상일 뿐이었고, '생은 아름답지만 일상은 참 너절하다.'는 생각은 일상이 안락하지 못하다고 느낀 유아기의 착오였을 것이다. 무엇보다도 가장 마지막까지 남아 있던 나르시시즘의 껍질을 들춰 보았다. 지금까지 이 책에서 언급된 모든 감정들인 분노, 불안, 공포,

의존, 시기, 질투, 방어 의식 등을 내면에서 낱낱이 직면하고 체험하면서 자신의 나르시시즘과 맞닥뜨렸을 것이다.

여행에서 돌아온 후 나는 아무것도 갖고 있지 않았다. 예전에 가지고 있던 자기 이미지도, 예전의 삶의 방식도, 앞으로의 삶의 전망도 모든 게 흐릿하고 모호하기만 했다. '자기 개념이 곧 운명'이라는데 바로 그 자기 개념을 잡아낼 수 없었다. 더 이상 예전처럼 살 수는 없고, 그렇다고 어떻게 살아야 할지도 알 수 없는 상태, 오래도록 그런 상태에 처해 있었다. 삶의 방식과 관계 맺기에 이런저런 실험을 해 보면서 동료나 선배 여성들의 삶을 더 유심히 보기도 했을 것이다.

바로 그 시기에 유난히 인상적으로 보거나 듣거나 한 몇 가지 이야기가 있었다. 가장 처음 본 것은 어느 집 거실의 장식장에 진열된 외국 가면들이었다. 대학에서 프랑스 문학을 가르치시며 좋은 프랑스 문학을 국내에 번역 소개하는 일을 많이 하신 그 집의 안주인이 간간이 떠나는 여행길에서 눈에 띌 때마다 하나씩 기념 삼아 사 가지고 오신 가면들이라고 했다. 이집트 여인 가면, 이탈리아 오페라 주인공 가면, 파리에서 산 가면 등 설명도 덧붙여 주셨다.

그분의 이야기를 들으며 가면들을 하나씩 바라보는데 문득 융의 '페르소나' 라는 용어가 떠올랐다. 내가 그분에 대해 가지고 있던 이미지와 가면의 이미지가 어느 지점에서 맞물려 떨어지는 것 같은 느낌을 받았다.

그분은 프랑스 문학을 국내에 소개하실 때 특히 여성의 자기 성찰이나 정체성 확립에 도움이 될 만한 작품을 선택하시곤 했다. 당연히 그 지명도 때문에 이런저런 단체로부터 다양한 직책을 많이 제안받으셨지만 모두 거절했고, 대사회적 발언도 피하시고, 오직 학생들을 가르치고 좋은 문학을 소개하는 일에만 전념하셨다. 언제 뵈어도 단아하고 조용하고 온정 많은 모습을 보이시며 늘 당신의 원칙이나 임무에 충실하신 삶을 살고자 하시는 듯했다.

간혹 그분의 모습을 물끄러미 바라보면서 '선생님도 노래방에 가서 큰소리로 노래하거나 술에 취해 비틀거리신 적이 있을까?' 혼자 궁금해한 적도 있었다. 그런 의문 뒤끝에 가끔, 저렇게 스스로에게 엄격하고 단아하고 조용하게 사시느라 얼마나 힘드셨을까 싶은 마음이 들기도 했다. 그래서였을 것이다. 그분이 사 오셨다는 가면이 융의 '페르소나' 라는 용어를 환기시키며 더욱 마음에 울렸던 것은……. 그분이 방학 때면 파리 같은 도시에서 한 달씩 머무르기도 한다는 이야기를 들었을 때에야 그 여행이 저분의 숨통을 틔워주었겠구나 싶었을 것이다.

가면을 본 것과 비슷한 시기에 외국 여행길에 종을 수집하신다는 여성의 이야기를 글에서 읽었다. 그분은 본인의 여행길에서도 종을 사지만 주변 사람들도 여행길에 종을 사다가 그분께 선물한다고 했다. 그분은 시인이신데, 우리 연배의 누구나 그렇듯이 나 역시 대학 습작기에 그분의 시를 탐독하는 시기를 보냈다.

아직도 인상적으로 기억나는 것은 그 시집에 실린 시인의 사진이 몹시 아름다웠다는 것이다. 그 아름다움에는 이목구비의 조형적인 미 말고 얼굴 전체에서 풍기는 어떤 이미지가 주는 감동이 있었다. 좀 과도하게 표현한다면 고대 제사장이 지닐 법한 신성이나 초월의 분위기 같은 것이었다. 시집 내용도 초혼가나 지노귀굿에 관한 것들이 주를 이루고 있어 더욱 그런 인상을 받았는지도 몰랐다.

그분에 대한 배경 인상이 그랬기 때문에 그분이 종을 수집하신다는 말을 들었을 때 어떤 이미지가 딱 맞아떨어진다는 느낌을 받았다. 그때 내 머릿속에 떠오른 것은 절집의 범종이나 처마 끝의 풍경, 만신들이 사용하는 종, 사제가 장례 미사에서 흔드는 종 같은 것이었다. 그것은 초혼의 도구이면서 동시에 미망에 빠진 사바세계의 만물을 두드려 깨우는 소품이었다. 종소리야말로 영육의 접점, 성과 속의 경계를 울리는 소리가 아닐까 싶었다. 그분이 세계 각국의 종을 어떤 방식으로 간직하고 계시는지, 그 종들 사이에 위치하셨을 때 어떤 이미지를 획득하실지, 그런 모습들을 혼자 상상해 보기도 했다.

가면과 종은 참으로 내가 그 당사자들에 대해 가지고 있는 이미지와 잘 부합되는 기념품이었다. 이미 정체성이 뚜렷한 사람들은 자기를 잘 알고 있고 자신의 감성에 감응하는 세련된 기념품을 모으는구나 싶기도 했다. 왜 하필이면 그런 이야기를 여행에서 돌아온 후에야 듣는가 하는 아쉬움도 있었다. 미리 들었다면 여행지의 기념품 상점들 앞에서 조금 더 깊이 내 취향이나 감수성의 향방을 생각해 보았을 텐데, 내게도 애착의 대상으로 삼을 만한 멋진 사물 한 가지가 생겼을 텐데 싶기도 했다.

그런 생각을 하던 무렵 한 선배의 집들이에 가게 되었다. 대학 선배이면서 드라마 작가인 그 선배 집에 도착했을 때 음식이 차려진 기다란 상 곳곳에 놓인 묘하고 아름다운 재떨이가 눈에 띄었다. 그날 도입부 화제는 단연 그 재떨이들이었다. 선배는 여행길마다 예쁜 재떨이를 하나씩 사 가지고 왔다고 설명하면서 터키 것, 뉴욕에서 산 것, 캐나다산 등 상세히 설명했다. 모양도 다채로웠지만 재질도 다양했고, 각 나라의 문화적 특성이 배어 있는 점도 인상적이었다. 그 재떨이들을 보면서도 내가 그 선배에 대해 가지고 있는 어떤 이미지가 그것들과 딱 맞아떨어진다는 느낌을 받았다.

그 선배가 일일 드라마를 쓰던 무렵의 기억이다. 소규모의 동문 모임이 있어 우리는 저녁 식사를 한 후 술도 마시고 노래도 부를 수 있는 곳에서 시간을 보내고 있었다. 분위기가 한창 무르익은 때쯤 선배에게 전화가 왔는데 방금 넘기고 온 드라마 대본에 약간의 문제가 생긴 것 같았다.

선배는 목소리가 커졌다 작아졌다 하면서 십 분 정도 통화한 다음 전화를 끊었다. 그런데 그 잠깐 사이, 선배의 왼쪽 눈이 온통 빨갛게 변해 있었다. 흰자위는 물론 검은자위까지 핏빛으로 덮여 있었다. 순간적으로 지나치게 큰 스트레스가 걸리자 눈의 실핏줄이 터진 것이라고 했다. 그 핏줄이 눈에서 터졌기 망정이지 머리에서 터졌다면 그대로 뇌졸중이 되었을 거라고 한 마디씩 거들었다.

매일 방영하는 드라마를 써 내는 일이 얼마나 고된 노동인지를 눈앞에서 보는 기분이었고, 그 고된 노동과 스트레스를 온몸으로 맞서면서 자기를 관리해 온 선배가 문득 존경스러웠다. 그런 경험이 있었기에 내 눈에는 식탁 위에 놓인 각양각색의 재떨이들이 단순한 흡연 보조도구로만 보이지 않았다. 그것은 스트레스를 해소하는 도구이면서 동시에 여행지에서의 편안함을 회상하는 심미적 휴식의 방편으로 보였다.

위에서 언급한 세 분은 모두 여성이며, 오십 대 이상의 연배이며, 창조성을 발휘하는 일을 가지고 자신만의 세계를 구축해 오신 분들이다. 그분들의 기념품에는 인간 정신을 드러내는 매개체라는 공통점이 있는 듯했다. 신성과 인간의 매개, 영혼과 육체의 부름, 조형예술의 한 면이라는 공통점도 있었다. 내가 부러운 것은 그분들이 의식적이든 무의식적이든 자신에 대해 잘 알고 있구나 하는 점이었다.

최근 몇 년간 삶은 내게 실험 같은 것이었다. 선배들의 삶을 의식적으로 관찰하면서 내 길을 더듬었고, 간단없이 내면에서 올라오는 새로운 나와 맞닥뜨렸고, 내 삶을 추진시키는 힘을 점검했다. 타인들과 관계 맺는 방식도 이렇게 저렇게 시험해 보았다. 생전 한 번도 부탁하지 않았던 친구들에게 이런저런 부탁을 해 보았고, 예전이라면 무조건 억압했을 부정적 감정을 표출해 보았다. 내게 과도한 의존성을 드러내며 접근하는 이들을 거절했고, 타인의 공격을 받았을 때 그것에 대처하는 자신의 방식을 지켜보았다.

그러면서 인간의 속성과 세상의 구조에 대해 더 많이 알게 되었을 때 한동안 냉소적인 감정에 지배당하기도 했다. 그때는 "왜 일부의 사람들이 범죄자가 되는가 하는 것이 아니라 왜 대다수의 사람들이 범죄자가 되지 않는가 하는 것이 연구 과제"라고 한 범죄학자의 말이나, "우리가 인간에 관해 해명해야 하는 것은 인간이 왜 늘 악행을 저지르는가가 아니라 왜 간혹 미덕을 실천하는가이다."라고 한 동물학자의 말 같은 것들이 유독 귀에 들어왔다.

생의 가이드북으로 많은 사람들에게 읽히는 책들에 내포되어 있는 냉소와 허무의 정서도 이해되었고, 한편에서는 끊임없이 선과 정의에 대한 환상이 유포되는 이유도 짐작할 것 같았다. 인간이란 다만 끊임없이 욕망하는 이기적이고 불완전한 존재일 뿐이며, 바로 나 자신부터 그렇다는 것을.

인간과 세상을 보는 패러다임이 바뀌면서 삶의 태도에도 변화가 왔다. 유아적 환상에 가득 차 있던 내면세계에서 빠져나와 비로소 객관적 실체로서의 외부 현실을 인식하게 된 것 같았다. 타인의 사랑을 구걸하는 대신 나 자신을 사랑하게 되었고, 타인을 돌보는 것으로 나의 가치를 삼는 이타주의 방어기제를 포기했다. 외부의 인정과 지지를 구하는 대신 내가 나 자신을 인정하고 격려하는 훈련을 했다. 남의 말이나 시선에도 신경 쓰지 않게 되었다. 타인의 어떤 말이나 행동은 전적으로 그들 내면에 있는 것이며, 무엇보다 인간은 타인의 언행에 의해 훼손되지 않는 존엄성을 타고난 존재라 믿게 되었다. 인간이 경험할 수 있는 모든 감정과 정서의 여러 층위들을 더 세밀하게 느끼고 수용하면서도 건강한 자기중심성을 획득할 수 있었던 것, 그것은 참으로 고마운 일이었다.

물론 그 모든 심리적인 문제들이 완전히 '해결'되는 것은 아니라는 것도 알고 있다. 여전히 여성을 비하하는 발언을 들으면 분노하는 '남성 콤플렉스'가 있고, 자신이 선하다는 나르시시즘이 있고, 스릴과 서스펜스 넘치는 영화를 보지 못하는 공포가 있다. 내면에서 맞닥뜨리는 질투나 시기심도 있고, 계속 소설을 쓰는 행위 뒤에는 인정받고자 하는 욕망이 있다는 것도 알고 있다. 다만 이제는 그것들을 명백히 인식하고 있으며, 그것들에 일방적으로 휘둘리지 않으며, 그것들을 조절해 나갈 수 있게 되었다는 점이 다를 것이다. 인간 정신에 '정상'의 개념은 없으며, 생이란 그 모든 정신의 부조화와 갈등을 끊임없이 조절해 나가는 과정일 뿐임을 알게 되었다.

진정한 자기 자신이 되는 일

자 기 실 현

암스테르담의 고흐 박물관에서 가장 인상적인 것은 입구 정면에 걸린 '까마귀 나는 밀밭'이 그토록 대형 그림이었구나 하는 점이나, 고흐가 생전에 몹시 아꼈다는 털실 뭉치들은 아니었다. 아니, 그것들도 인상적이기는 했다. 특히 빨간색 나무 상자에 소중한 보물처럼 들어 있는 털실 뭉치들은 오래 시선을 끌었다. 스웨터를 짤 때 두 가지 색의 털실을 섞는 것처럼 그 털실 뭉치는 노란색과 청보라, 노랑과 초록, 노랑과 파랑, 노랑과 적갈색 등 두 가지 색실을 섞어 주먹만 한 크기로 뭉쳐 놓은 것들이었다. 그것을 보고 있으면 인상파 화가들이 빛을 활용하는 방법, 특히 고흐가 오베르 지방에서 그린 그림들에서 보이는 독특한 색감의 비밀을 더 잘 이해할 수 있었다. 진품은 손상되기 쉬워 따로 보관되어 있고 전시된 것은 모형이라고 했다.

그것들보다 더 인상적인 것은 고흐가 그토록 많은 자화상을 그렸다는 점이었다. 그는 특히 파리 생활 중에 자화상을 집중적으로 그렸다는데 이유는 모델을 살 돈이 없어서였다고 한다. 종이를 살 돈도 없어 자화상들은 종이 앞뒷면에 모두 그려져 있었는데 양면의 자화상들을 다 볼 수 있도록 투명한 플라스틱 케이스에 작품이 표구되어 있었다. 그의 자화상은 어느 것이든 살이 거의 없는 얼굴에 움푹 들어간 눈을 하고 있었다. 그중에서도 가장 압도적으로 두드러진 공통점은 불안과 광기가 느껴지는 눈빛이었다. 밀짚모자를 쓰고 있든 파이프를 물고 있든 그 눈빛만은 변함이 없었다.

나중에 이런저런 책에서 그가 그린 자화상을 찾아보았는데 확인한 것만도 27점이었다. 그는 파리에서뿐 아니라 아를과 생레미에서도 간단없이 자화상을 그렸다. 그가 어떤 이유로 자화상을 그리기 시작했든 그토록 자화상을 그린 데는 다른 심리적 이유가 있지 않았을까 싶었다. 자화상을 그리는 일은 자신의 내면으로 집중적으로 파고드는 행위였으며, 내면으로 응축된 그 에너지가 결국 폭발을 일으킨 것, 그것이 그의 광기가 아니었을까 싶었다.

고흐의 삶에서 내게 인상적인 점은 그가 끊임없이 여성의 사랑을 갈구하지만 한 번도 제대로 여성의 사랑을 받은 적이 없다고 느껴진다는 점이다. 하숙집 딸 우르슬라에게 애정을 호소했다가 거절당하고, 사촌 누이 케이에게 청혼했다가 거절당했다. 임신한 창녀 크리스틴과 잠깐 동거했지만 크리스틴은 곧 그를 떠났다. 10년 연상의 여성 마르고트와 교제하면서 결혼을 고려했지만 가족의 반대로 좌절되었다. 그 후 그는 아를 지방으로 내려가고 거기서부터 창조성과 광기를 더 본격적으로 표출시켰다.

프로이트는 예술가들의 창조성이란 억압된 리비도의 승화된 표출이라고 했다. 어떤 정신분석의들은 특별한 사람들의 천재성이란 그들의 신경증이거나 광기라고도 한다. 고흐의 삶에서 보이는 여성과의 소통 불능, 억압된 리비도, 강화된 광기, 폭발한 창조성 등을 염두에 두면 그런 정의는 옳아 보인다. 고흐의 삶은 위험한 무의식의 충동을 아슬아슬하게 다스려 온 과정과 다름없어 보이기 때문이다.

승화와 창조성의 관계를 보여 주는 또 하나의 인상적인 일화가 있다. 스탕달의《파르므의 수도원》원고 한 귀퉁이에는 이런 낙서가 쓰여 있었다고 한다.

"세 여인을 소유하는 것을 더 원하는가, 이 소설을 쓰는 것을 더 원하는가?"

줄리아 크리스테바는《사랑의 역사》라는 책에 이 구절을 인용해 놓고 이렇게 덧붙였다.

"이것은 덜 이상하고 덜 모호한 딜레마이다."

프로이트 학파가 창조성을 승화라고 정의하는 데 반해 융은 다르게 설명한다. 융에 의하면 창조적 재능이란 이미 우리의 집단 무의식 속에 내재되어 있는 천부적 영역이며, 창조성이 발현되는 행위는 우리의 자아가 그 창조성을 어떻게 받아들이느냐에 달려 있다고 한다. 리비도를 억압하지 않으면서도 창조성을 발휘했던 피카소 같은 인물을 생각하면 융의 정의가 더 적합해 보인다.

사실 그동안 나는 피카소를 좀 징그러운 데가 있는 노인네라고 생각하고 있었다. 그의 예술적 성취와는 별도로 그의 삶에 대해 생각해 보면 팔십의 나이에도 십대 여성과 결혼하여 아이를 낳았다는 점이 가장 그렇게 느껴졌다. 그의 발언, "그리고 나는 피카소가 되었다."는 말에서는 극단적 나르시시즘이 읽혔고, 샤갈에 대해 "수탉과 염소 좀 그만 그렸으면 좋겠다."고 빈정거렸다는 이야기에서는 그의 결핍감과 시기심을 보는 듯했다.

제대로 된 피카소 미술관은 스페인에 있지만 나는 파리에 있는 소규모 피카소 미술관에 들렀었다. '한국전쟁' 그림이 소장되어 있는 미술관이었다. 미술관에 들어서서 아주 조금밖에 시간이 흐르지 않았는데 문득 피카소에 대해 가지고 있던 선입견이 뒤집어지는 것이 느껴졌다. 가장 인상적으로 피부에 와 닿았던 것은 피카소가 자신의 예술적 창작에 얼마나 어마어마한 에너지를 집중했는가 하는 점이었다. 그는 세계 곳곳을 여행하면서 어디서든 마음에 드는 것만 보면 모두 사들고 와 작품 속에 용해시켜 보려 했다고 한다. 미술관에는 그가 여러 지방에서 옮겨다 놓았다는 다양한 소재들, 동양 도자기, 아프리카 공예품 등이 전시되어 있었다.

피카소의 창조성은 융이 말한 대로 집단 무의식의 거대한 영역을 저항이나 억압 없이 자아가 수용한 데서 오지 않았을까 싶었다. 그는 내면의 어두운 욕망과도 소통했으며, 부정적 자아들도 그냥 내보였고, 그 모든 국면들이 인간임을 이해하고 있었을 것이다. 그런 이해 위에서 입체적으로 분해된 그의 인물들이 탄생할 수 있었을 것이다. "내가 그림을 그린 게 아니라 그림이 나를 이끌어 왔다."는 말은 그가 창조성의 근원을 분명하게 인식하고 있었다는 뜻으로 들린다.

그럼에도 불구하고 창조성에 대해 생각할 때 또 한 가지 의문이 남는다. 천재들의 창조성에 대해 연구한 심리학자 롤로 메이는 《사랑과 의지》라는 책에서 천재성이라는 면도날 같은 의식에 대해 이렇게 말한다.

"창조성은 인간을 의식의 변방으로 데리고 가서 그 '너머로' 밀어 버린다."

의식의 변방까지 밀고 나가는 천재성이란 곧 신의 영역에 도전하는 일이며, 음험한 데몬적 속성의 다른 이름이라는 것이다. 결국 창조성이 발현될수록 그 당사자가 다치게 되며, 윌리엄 블레이크, 니체, 키에르케고르, 입센, 틸리히 등이 신의 지위에 도전함으로써 창조성과 정신분열증 사이를 오가게 되었다고 설명한다.

롤로 메이의 연구처럼, 고흐는 서른세 살 이선에 창조싱을 빠르게 소진시킨 후 세상을 떠났다. 고흐처럼 생물학적으로 죽음을 맞지 않더라도 생애 초기에 왕성하게 창작 활동을 펼친 후 중년을 넘어서면서 천재성을 잃거나 정신분열증으로 가는 예술가를 많이 본다. 하지만 피카소 같은 이는 아흔 살까지 오래오래 살면서 꾸준히 왕성한 창조성을 보인다. 그것은 비단 고흐와 피카소의 차이가 아니라 창조성을 밑천으로 살아가는 사람들의 삶에서 보이는 두 가지 패턴이기도 했다. 왜 그런 차이가 생기는 걸까. 몸이 아프면서 글이 전혀 써지지 않았던 경험을 가지고 있었기에 그것은 반드시 풀어 보고 싶은 의문이었다.

그 의문에 대한 해답을 어렴풋이 손에 쥘 수 있었던 것은 프랑스 니스에서였다. 니스는 파리에서 추위와 우울증에 시달리다가 도망치듯 도착한 곳이어서 날씨와 풍경이 감동적으로 아름다웠다. 누구나 칭송하는 지중해와 한없이 투명한 대기, 한 올씩 손바닥에 내려 쌓이는 듯한 햇빛이 다 그랬다. 휴양도시답게 숙소도 안락하고 세계 각국의 관광객들을 위한 다양한 음식들이 있었다.

가장 인상적인 것은 니스 곳곳에 있는 소규모 미술관들이었다. 작은 도시지만 현대미술관을 비롯해 샤갈 미술관, 마티스 미술관, 역사 미술관, 고대 미술관 등이 있었다. 샤갈과 마티스 미술관은 그들이 말년에 살았던 집을 그대로 미술관으로 꾸며 놓았는데 지중해가 내려다보이는 언덕배기 주택가에 소박하게 서 있었다.

샤갈 미술관에서 가장 강렬하게 시선을 잡아끈 것은 역시 성서화 시리즈였다. 화집에서 보았을 때는 그 성서화가 벽만큼이나 거대한 규모이고 성서 이야기를 그렇게나 면밀하게 담아내고 있을 줄 몰랐다. 연작의 작품순으로 세워져 전시된 성서화들은 거대한 중세 벽화를 연상시켰다. 샤갈은 아마도 미켈란젤로의 벽화들에 도전하고 싶었던 게 아닐까 하는 생각도 들었다. 성서화보다 더 인상적인 것은 화집에서는 만나지 못했던 사소한 소품들이었다. 그랜드 피아노 뚜껑에 그려 놓은 그림, 집 외벽에 프레스코화를 흉내 내어 그려 놓은 벽화, 연못을 향해 난 창에 만들어 둔 스테인드글라스, 석고 벽에 새긴 부조 작품. 그것들은 그동안 몰랐던 샤갈이었고, 그의 성격 중 어떤 면을 짐작하게 해 주는 작품들이었다.

마티스도 그랬다. 마티스 미술관에 들어갔을 때 가장 먼저 눈에 띈 것은 그가 제작해서 천장에 매달아 두었다는 모빌 작품들이었다. 말년의 마티스는 극히 단순한 선과 도형으로 인물이나 사물을 표현했는데, 특히 단순한 도형으로 색종이를 오려 캔버스에 붙이는 회화 작품을 선보였다. 그가 오린 색종이나 철제 도형들을 허공에 매다는 조형미술에도 도전했다는 사실은 그 미술관에서 처음으로 알게 되었다.

샤갈과 마티스 미술관에서 내 눈에 인상적으로 보인 것은 그들의 자유분방한 장난기와, 그 장난기가 표출된 실험적 작품들이었다. 그것은 유아적 호기심 같기도 했고, 생의 비밀을 알아 버린 자의 가벼움 같기도 했고, 고독한 편집증과 유연한 사고가 혼합된 방식 같기도 했다. 그 다양한 측면들을 자연스럽게 표출함으로써 그들의 창조성이 오래도록 유지될 수 있었던 게 아닌가 싶었다.

샤갈과 마티스뿐 아니라 피카소까지, 그들의 창조성의 비밀은 내면에 있는 자아의 다양한 국면을 인식하고 통합하고 표출하는 능력에 있는 것 같았다. 두세 살짜리 아이의 것과 같은 호기심, 반항기를 드러내는 청소년 같은 분방함, 깊은 사유를 보이는 중년의 진중함, 삶의 비밀을 간파한 노인의 지혜 등이 한 인간의 내면에 공존함을 이해하고, 그 모든 국면을 표출하는 행위인 듯했다.

전문가들은 그런 행위를 '자기실현'이라고 칭한다. 억압이나 회피의 방어기제를 벗고, 이상화된 자기 이미지도 깨뜨리고, 외부에 내보이는 페르소나도 벗고, 진정한 자신의 내면에 닿는 것, 그것이 본래의 자기 자신을 찾는 일이라고 한다. 본성의 자기와 만날 때에야 빛나는 통찰과 창조의 순간이 찾아온다는 것이다.

창조성이 위대한 예술가들의 작품을 위해서만 존재하는 것은 아니다. 우리 모두는 일상 속에서 끊임없이 창의성을 발휘하면서 살아간다. 새로운 업무를 시작할 때, 낯선 지방을 방문할 때, 필요한 물건을 구입할 때도 창조성을 발휘한다. 생이라는 것도 60이나 70년쯤 되는 시간을 어떻게 창조적으로 기획해서 사용하는가 하는 행위와 다름없을 것이다. 자기실현이란 진정한 자기 자신이 되어 생을 보다 지혜롭고 풍족하고 의미 있는 것으로 엮어 나가기 위해 필요한 일일 것이다.

자기실현에 대해 이야기할 때 떠오르는 일화가 하나 있다. 타히티 옆에 있는 섬 뉴칼레도니아에서 경험한 일이다. 똑같은 프랑스

령의 섬이지만 타히티의 전체적인 분위기가 관광객을 위한 섬처럼 보이는 데 반해 뉴칼레도니아는 자국의 문화를 보존하고 정체성을 지켜나가는 데 더 힘을 쏟는 자존심 강한 섬 같아 보였다. 작은 섬이었지만 박물관, 미술관, 동식물원이 잘 가꾸어져 있고 자신들의 정체성을 알리기 위해 《우리는 누구인가》라는 소책자를 만들어 관광객에게 무료로 나누어 주었다. 레코드점에서 들어 본 그들의 가장 '파퓰러한' 음악은 느린 비트의 전통음악에 유럽의 이지 리스닝 계열의 음악을 접목시킨 듯한 묘한 매력이 있었다.

그 섬의 치바우컬처 센터를 관람하러 갔을 때의 일이다. 그곳에는 외국인 관광객들을 안내하는 직원이 있었는데 그녀는 대학에서 인류학을 공부했다고 자신을 소개했다. 미국인 노부부, 혼자 여행 중인 프랑스인, 일본인을 이끌고 그녀는 컬처 센터를 이리저리 돌아다니며 그들의 전통문화와 현대미술가들의 작품을 다양하게 소개해 주었다. 온몸에 타투를 하는 듯한 섬세함이 잘 살아나는 회화 작품이나 현대적 설치 미술품들이 인상적이었다.

그중에서도 특히 눈길을 오래 끈 것은 그들의 전통 신을 현대적 조형미로 재탄생시켜 놓은 조각 작품들이었다. 그 섬의 신뿐 아니라 근처 프렌치 폴리네시아의 다양한 신들이 현대적 조형미를 얻어 날렵하거나 세련된 몸체로 재탄생되어 있었다. 그 작품들에서는 예술적 충만함뿐 아니라 어떤 숭고함이 느껴지기도 했다.

컬처 센터 내부를 다 소개한 다음 가이드 여성은 우리 일행을 뒤뜰로 안내했다. 그곳에는 관람용 전통 가옥이 몇 채 전시되어 있었다. 나무와 풀 줄기를 엮어 지은 전통 가옥은 높고 뾰족한 원뿔형이었는데 실내 바닥에는 잘 다져진 흙이 깔려 있었다. 가이드 여성은 문 앞에 선 채 우리에게 안으로 들어가도록 안내했다.

우리는 아무 생각 없이, 당연하게도 신발을 신은 채 그 집으로 들어갔다. 바닥의 흙은 얼마나 잘 다져져 있는지 반들거릴 정도였다. 그런데 우리 일행을 모두 들여보낸 후 뒤따라 들어온 가이드 여성이 맨발이었다. 그녀의 검은 피부 발등에는 굵은 샌들 자국이 선명하게 나 있었고 연보랏빛 샌들은 입구 바깥에 단정히 놓여 있었다. 무언가 둔중한 충격 같은 것이 왔다.

그때부터 내 눈에는 오직 그녀의 맨발만 보였다. 그 가옥을 모두 관람하고 다음 가옥으로 옮겨 갔을 때도 그녀는 역시 신발을 벗고 집 안으로 들어섰다. 그곳을 나와서 몇 걸음 걷다가 그 안에서 근무 중인 직원에게 전할 말이 있는 듯 잠시 들어갔다 나올 때도 신발을 벗었다. 외국인의 눈에는 한낱 다져진 흙뿐인 그곳이 그녀에게는 소중하고 안락한 가정의 의미를 가지는 게 분명했다. 타인의 눈에는 어떻게 보이든 자신의 방식을 그토록 고수하는 그녀의 마음에 닿아 보고 싶기도 했다.

어느 나라든 박물관이나 유적지 분위기에는 한 가지 공통된 특성이 있다. "이곳은 우리에게 소중한 곳이니 당신들도 그에 걸맞은 예의를 갖추고 우리의 통제를 따르라."는 무언의 방식이 존재한다. 관광객들도 남의 문화에 대한 존중과 배려 차원에서 웬만한 불편은 감수하는 것을 당연하게 여긴다. 그러나 뉴칼레도니아에서는 그런 상식이 뒤집어졌다. 그 여성 가이드의 태도는 "여기는 소중한 곳이니 관광객도 신발을 벗어야 한다."고 주장하지도 않고, 어차피 전시용 건물이니 자신도 관광객들처럼 신발을 신고 들어가도 된다고 생각하지도 않는 것이었다. 관광객들에게는 그들의 방식을 존중하고, 자신은 또 자신의 방식을 지키는 그 태도에는 아주 많은 것들이 들어 있는 듯했다.

그러고 보니 그녀의 태도는 덤덤하거나 심심해 보였고, 자기네 나라 문화에 대해 과장되게 자랑하거나 특별한 것인 양 포장하지 않았다. 겸손하지도 오만하지도 않은 그녀의 표정은 좀 전에 보았던 그들의 무덤덤한 신의 표정과 닮아 보였다. 과도하게 인간을 통제하지도, 신성을 과시하지도, 복종을 강요하지도 않는 그 신들의 모습이 바로 그녀의 견고한 정신의 뿌리가 아닐까 싶었다. '건강한 자기중심'이 바로 저것이겠구나 싶었고, 자기실현이 완성된 상태도 그것이 아닐까 싶었다.

어디서 읽었는지 정확히 기억나지 않지만 아마도 리더스 다이제스트 같은 책이 아니었나 싶은데, 오래 기억에 남는 이야기가 하나 있다. 미국 보스턴의 한 대학가에서 전 세계 유학생들을 대상으로 하숙을 치는 아주머니가 있었다고 한다. 그 아주머니는 성격, 언어, 문화, 풍습이 전혀 다른 외국 학생들 중에서 하숙생을 받아들이는 조건으로 단 한 가지만 묻는다고 했다.

"종교를 가지고 있는가?"

어떤 종교를 가지고 있는가가 아니라 그냥 종교가 있는가를 묻는다고 했다. 그 이야기를 읽었을 때 종교 다원주의자인 나는 아주 많이 고개를 끄덕였다. 내게는 오대산 월정사에 들어갈 때의 느낌과, 유럽의 중세 성당에서 받는 느낌과, 열대 섬의 토속 신앙물을 볼 때의 느낌이 결코 다르지 않았다.

종교는 대표적인 의존 대상이고 심하면 중독을 일으킬 수도 있는 '인민의 아편'이기는 하다. 모든 것을 덮어놓고 믿으라는 어떤 신앙적 태도는 정신을 과학적으로 분석해 들어가는 정신분석적 태도와 배치되는 면도 있다. 그러나 종교와 분석 치료는 다르지 않다고 한다. 모든 심리 치료자들은 분석 치료와 종교적 믿음을 병행할 것을 권한다. 만약 종교가 제 기능을 한다면 정신분석이나 심리학이 필요하지 않았을 거라고 말하는 이들도 있다. 기독교나 가톨릭에서 상담심리학이 발달한 이유도 같은 맥락의 일일 것이다. 분석 치료가 끝난 후 다음 단계로 성장하기 위해서도 반드시 종교의 도움을 받아야 한다고 한다.

종교는 자기실현을 이룰 수 있는 또 하나의 방식이다. 절대자를 향해 자신을 낮추는 행위를 통해 가장 먼저 나르시시즘을 극복하게 한다. 또한 용기, 승화, 공감, 지지 등 많은 긍정적인 가치를 내면화할 수 있는 매개가 된다. 진정한 자신의 내면과 닿은 다음 정신의 항상성을 유지하는 데도, 존재의 영속성을 인식하는 데도 종교만큼 든든한 '빽'이 없다. 열대 섬의 낯선 가이드 여성이 그들의 신을 닮은 덤덤한 표정으로 그것을 내게 일러 주는 것 같았다.

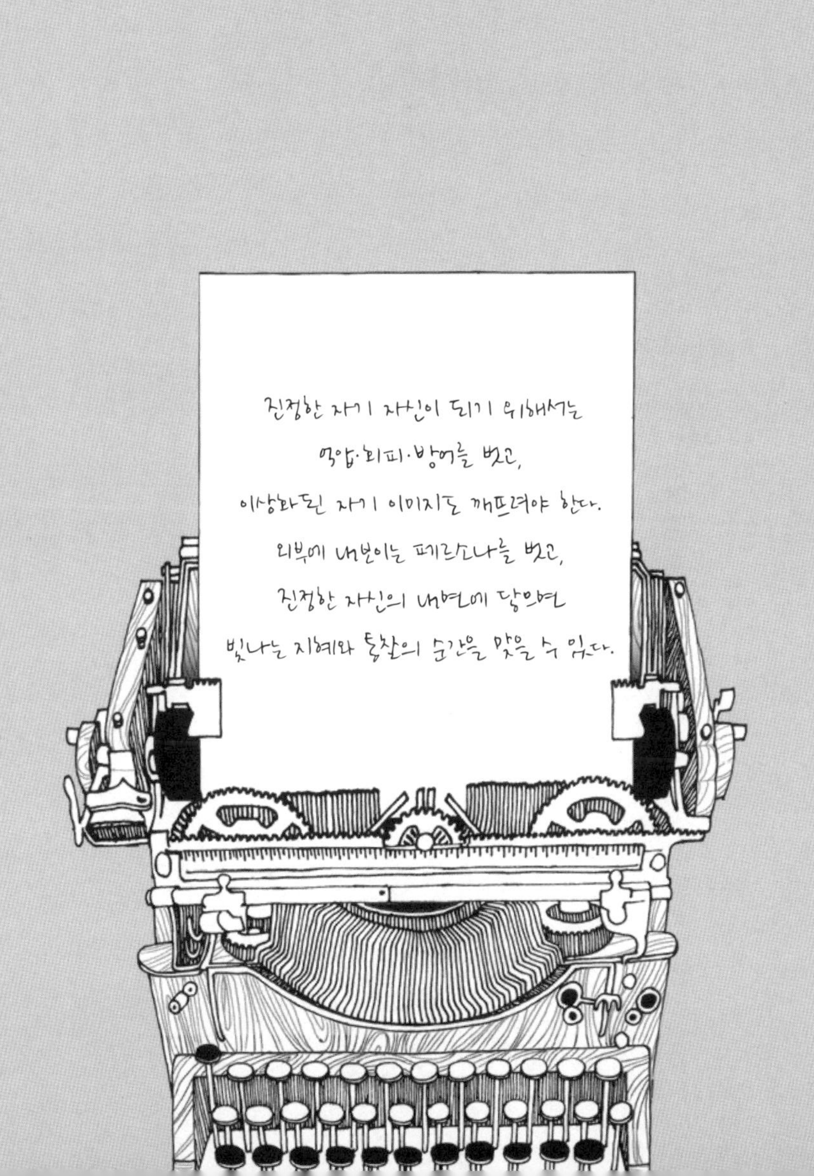
진정한 자기 자신이 되기 위해서는
억압·회피·방어를 벗고,
이상화된 자기 이미지도 깨뜨려야 한다.
외부에 내보이는 페르소나를 벗고,
진정한 자신의 내면에 닿으면
빛나는 지혜와 통찰의 순간을 맞을 수 있다.

사람 풍경

초판 1쇄 발행 | 2012년 3월 10일
초판 37쇄 발행 | 2024년 1월 18일

지은이 | 김형경
펴낸이 | 김정숙
펴낸곳 | 사람풍경

등록 | 2011년 9월 20일 제 300-2011-167호
주소 | 110-719, 서울특별시 종로구 내수동 74번지 광화문시대 920호
전화 | 02)739-7739
팩스 | 02)739-6739
이메일 | sarampungkyung@daum.net

978-89-967732-0-7 04800
978-89-967732-2-1 04800 (세트)

*잘못된 책은 구입하신 서점에서 교환해 드립니다.